로짓, 프로빗, 헤도닉분석

SPSS 고급 통계 분석

(이항/다항로짓, 헤도닉 회귀,
순서형 로짓, 프로빗분석)

진 희 수

SPSS 고급 통계 분석
로직, 프로빗, 헤도닉분석

발   행 | 2024년 07월 01일
저   자 | 진하수
펴낸이 | 한건희
펴낸곳 | 주식회사 부크크
출판사등록 | 2014.07.15.(제2014-16호)
주   소 | 서울특별시 금천구 가산디지털1로 119 SK트윈타워 A동 305호
전   화 | 1670-8316
이메일 | info@bookk.co.kr

ISBN | 979-11-410-9189-7

www.bookk.co.kr
© 진하수 2024

로짓, 프로빗, 헤도닉분석

SPSS 고급 통계 분석

(이항/다항로짓, 헤도닉 회귀, 순서형 로짓, 프로빗분석)

진 하 수

저자 소개

  다빈치논문컨설팅 대표박사, 한국디지털경제연구원 대표원장, 경제학 박사,
데이터통계처리(stata, spss, sci, kci), python과 R을 활용하는 빅데이터 처
리 분석, 머신러닝과 딥러닝의 인공지능 분석 처리와 전문평가위원, 블록체인
과 가상화폐 분석처리와 전문심사위원, 기후변화 및 ESG 전문위원, 여러대학
의 박사/석사 과정의 강사로 활동하고 있다.

들어가는 말

현대 사회에서 데이터 분석이 점점 더 중요한 역할을 하고 있다. 연구자들은 다양한 배경과 분야에서 데이터를 활용하여 새로운 발견을 하고, 중요한 결론을 도출한다. 그러나 데이터 분석 과정에서 종종 복잡한 통계 기법들이 등장하며, 이러한 기법들은 처음 접하는 연구자들에게 많은 어려움을 안겨주곤 한다.

현대 사회과학 연구에서 다양한 데이터 분석 방법들이 활용되고 있지만, 특히 회귀분석은 통계 분석의 핵심 도구로 자리 잡았다. 이 책은 이항 로지스틱, 다항 로지스틱, 헤도닉 회귀, 순서형 회귀 분석, 프로빗 분석 등 여러 고급 통계 기법을 이해하고 활용하는 데 어려움을 겪는 연구자들을 위해 쓰여졌다.

특히, SPSS를 이용하여, 로지스틱 회귀분석을 함에 있어 다른 변수로 코딩변경하기, 이분형 로지스틱 회귀의 옵션 선정 기능, 모델적합도 판정, 명령문 코딩과 로지스틱 회귀분석의 해석, 모형요약과 Hosmer와 Lemeshow 검정판정, 해석 연습 등으로 구성되어 있다.

다항 로지스틱 회귀에서 명령어 구문, 모형 설정과 모형의 항 설정, 옵션선정 방법을 제공하고, 가장 중요한 로지스틱 회귀 해석, 모형 적합 정보 해석과 상대 위험률 등을 다룬다.

헤도닉 회귀(Hedonic Regression)에서 일반적인 부동산 가격 평가 방법으로 비용 접근법과 소득 접근 방식을 다룬다. 또한, 영국의 부동산 평가 방법을 소개한다. 일반적인 혼합모형(선형함수+역준로그)을 소개하고, 개방형 발코니의 경제적 가치평가 모형을 적용하여 설명하였다. 최근 들어 랜덤 포레스트 알고리즘을 이용한 헤도닉 모형에 대해 다루고 있다.

순서형 로짓 모델에서 옵션 설정, 회귀 해석, 모델 적합도 정보, 모수 추정값, 평행성 검정 등의 해석과 판정을 다루고 있다.

프로빗 회귀에서 분석 설정, 분석 옵션 설정, 명령어 프로빗 회귀, 프로빗 모형 적합 정보와 프로빗 모수 추정값 해석 등을 다루었다.

이 책의 목적은 복잡한 통계 기법들을 쉽게 설명하고, 실제 연구에 적용할 수 있는 신진적인 솔루션은 제공하는 것이다. 가 분서 기법은 구체적인 예제와 함께 단계별로 설명되어 있어, 독자들이 따라 하기 쉽도록 구성되었다. 또한, 각 기법의 이론적 배경과 실제 활용 사례를 함께 다루어 연구자들이 이론과 실무를 모두 이해할 수 있도록 돕고자 하였다.

특히, 이 책은 다음과 같은 연구자들에게 유용할 것이다.
- 박/석사로 통계 기법에 대한 이해가 부족한 초보 연구자
- 학위논문의 통계 해석 등에 이해가 부족한 초보 연구자
- 기존 통계 기법 해석에서 어려움을 겪은 연구자
- 기존에 통계 기법을 사용해 본 적은 있지만, 더 깊이 있는 이해와 새로운 기법을 배우고자 하는 중급 연구자
- 다양한 분야에서 데이터 분석을 필요로 하는 실무자

이 책을 통해 연구자들은 복잡한 통계 기법에 대한 두려움을 극복하고, 자신의 연구에 적합한 분석 방법을 선택하고 적용할 수 있는 능력을 갖추게 될 것이다. 또한, 각 장에서는 분석 결과를 해석하는 방법과 연구 결과를 효과적으로 전달하는 방법에 대해서도 다루어, 연구자들이 더 나은 결론을 도출하고 이를 명확하게 전달할 수 있도록 도울 것이다.

데이터 분석의 여정을 시작하거나, 새로운 분석 기법을 탐구하는 모든 연구자들에게 이 책이 유용한 길잡이가 되기를 바란다. 오랜 기간 다양한 배경의 연구자들의 논문을 지도하면서, 회귀 분석에 대한 어려움을 겪는 연구자들이 많다는 것을 알게 되었다. 특히 통계적 배경이 부족하거나, 특정 회귀분석 기법에 대한 경험이 부족한 연구자들은 분석 과정에서 많은 어려움을 겪곤 합니다. 이 책은 이러한 어려움을 해결하기 위해 작성하였다. 연구의 성공적인 결과를 위해 이 책이 작은 도움이 되기를 기대한다.

2024년 06월 연구실에서

<차례>

<표 차례>

<그림 차례>

1. 로지스틱 회귀

1.1. 로지스틱 회귀 모형

통계학에서 로지스틱 모델(logistic model) 또는 로짓 모델(logit model)[1]은 이벤트의 로그확률을 하나 이상의 독립변수의 선형 조합으로 모델링하는 통계모델이다. 회귀분석에서 로지스틱 회귀(logistic regression) 또는 로짓회귀(logit regression)는 로지스틱 모델의 매개변수(선형 조합의 계수)를 추정한다.

공식적으로 이항 로지스틱 회귀 분석(binary logistic regression)에는 표시변수(indicator variable) 또는 더미 변수(dummy variable)[2]로 코딩된 단일 이진 종속 변수가 있으며, 여기서 두 값은 0과 1로 표시되는 반면, 독립변수는 각각 이진 변수(더미 변수로 코딩된 이진 클래스) 또는 연속 변수(실제 값)일 수 있다. 1로 라벨이 지정된 값의 해당 확률은 0과 1 사이에 존재한다. 로그 승산값 또는 로그 확률(log-odds)을 확률(probability)로 변환하는 함수는 로지스틱 함수(logistic function)이므로 이름이 붙었다. 로그 승산 척도(log-odds scale)의 측정 단위는 logit이고, 이 단어는 logistic unit에서 유래하였다.

이진 변수는 팀이 승리할 확률, 환자가 건강할 확률 등과 같은 특정 클래스나 이벤트가 발생할 확률을 모델링하기 위해 통계에서 널리 사용한다. 약 1970년 이후 이진 회귀에 가장 일반적으로 사용되는 모델이다.

가능한 값이 두 개 이상인 경우(예를 들면, 이미지가 고양이, 개, 사자 등인지 여부) 이진 변수는 범주형 변수로 일반화될 수 있거나 이항 로지스틱 회귀가 다항 로지스틱 회귀(multinomial logistic regression)로 일반화될 수 있다. 만약 여러 범주가 정렬된 경우, 순서형 로지스틱 회귀 분석(ordinal logistic regression)이나 비례 승산 순서형 로지스틱 모델(proportional odds

---

1) logistic unit에서 유래한 logit 이라 하기도 한다.
2) 회귀 분석에서 더미 변수 또는 표시 변수 또는 더미는 결과를 바꿀 것으로 예상되는 일부 범주형 효과의 부재 또는 존재를 나타내기 위해 이진 값(0 또는 1)을 사용하는 변수다. 예를 들어 생물학적 성별과 소득 간의 관계를 연구하는 경우 더미 변수를 사용하여 연구에 참여한 각 개인의 성별을 나타낼 수 있다. 변수는 남성의 경우 1, 여성의 경우 0 (또는 그 반대)의 값을 가질 수 있다. 기계 학습에서는 이를 원-핫 인코딩(one-hot encoding)이라 한다.

ordinal logistic model)을 사용할 수 있다.

로지스틱 회귀 모델 자체는 단순히 입력 측면에서 출력 확률을 모델링하고 통계적 분류를 수행하지 않는다. 즉 분류기가 아니다. 예를 들어 컷오프 값을 선택하고 입력을 확률로 분류하여 분류기를 만드는 데 사용할 수 있다. 한 클래스에서는 컷오프보다 크고, 다른 클래스에서는 컷오프보다 낮다. 이는 이진 분류기를 만드는 일반적인 방법이다.

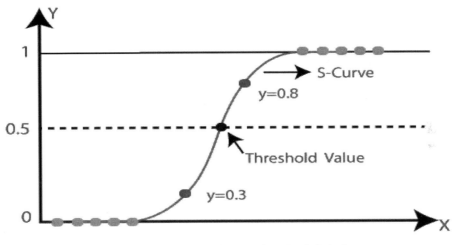

[그림 1] 머신러닝 로지스틱 회귀분석

출처: https://encord.com/blog

선형 결합을 확률로 변환하기 위해 로지스틱 함수 대신 다른 시그모이드 함수(sigmoid function)를 사용하는 이진 변수에 대한 유사한 선형 모델을 사용할 수도 있으며, 특히 프로빗 모델(probit model)이 가장 유명하다. 로지스틱 모델의 특징은 독립 변수 중 하나를 늘리면 주어진 결과의 확률이 일정한(constant) 비율로 곱셈적으로 확장되고 각 독립 변수는 자체 매개변수를 갖는다. 이진 종속 변수의 경우 이는 승산비(odds ratio)로 일반화하여 제공한다.

요약하여 말하면, 로지스틱 함수는 베르누이 분포(Bernoulli distribution)의 자연 매개변수(natural parameter[3]))이며, 이러한 의미에서 실수를 확률로 변

---

3) 자연 매개변수(natural parameter)는 확률 분포의 지수족(exponential family) 맥락에서 핵심이다. 자연 매개변수의 정의를 보면, 자연 매개변수는 종종 η표시되며, 지수족 분포의 확률밀도함수 또는 확률질량함수의 지수에 나타나는 모수이다. 이는 분포의 표준 매개변수화를 모멘트 계산 및 최대 우도 추정 수행과 같은 다양한 수학적 연산을 단순화하는 형태로 변환한다. 자연 매개변수와 지수족의 관계에서 자연 매개변수 η(에

환하는 가장 간단한 방법이다. 특히 추가된 정보를 최소화는 엔트로피 (entropy)를 최대화하고 이러한 의미에서 모델링되는 데이터에 대해 최소한의 가정을 한다.

로지스틱 회귀의 매개변수는 가장 일반적으로 최대 우도 추정(MLE)으로 추정된다. 이는 선형 최소 제곱(linear least squares)과 달리 닫힌 형식의 표현(closed-form expression)을 갖지 않는다. MLE에 의한 로지스틱 회귀는 OLS(보통 최소 제곱법)에 의한 선형 회귀가 스칼라(scalar) 응답에 수행하는 것과 마찬가지로 이진 또는 범주형 응답에 대해 유사한 기본 역할을 수행한다. 이는 간단하고 잘 분석된 기본 모델이다. 일반 통계 모델로서의 로지스틱 회귀는 원래 Joseph Berkson에 의해 개발되고 대중화되었으며, Berkson(1944)에서 시작하여 로짓(logit)이라는 신조어를 만들었다.

1.2. 로지스틱 분석 응용분야

1.2.1. 의학과 사회 과학 분야

로지스틱 회귀는 기계 학습, 대부분의 의학 분야, 사회 과학 등 다양한 분야에서 사용한다. 예를 들어, 부상당한 환자의 사망률을 예측하는 데 널리 사용되는 트라우마 및 부상 심각도 점수(TRISS, Trauma and Injury Severity Score)는 원래 Boyd et. al.[4] 등이 로지스틱 회귀를 사용하여 개발했다. 환자의 중증도를 평가하는 데 사용되는 다른 많은 의료 척도는 로지스틱 회귀를 사용하여 개발하였다.

로지스틱 회귀분석은 환자의 관찰된 특성인 연령, 성별과 체질량지수 등을 기반으로 특정 질병 예를 들면, 당뇨병, 관상동맥심장병과 각종 혈액검사 결

타)는 지수족 분포의 표현과 속성에서 중요한 역할을 한다. 분포를 자연 매개변수로 표현함으로써 많은 작업이 더 쉬워진다. 베이지안 통계에서 자연 매개변수는 켤레 사전확률(conjugate priors)을 식별하는 데 도움이 되며, 이는 새 데이터를 고려하여 신념을 업데이트하는 프로세스를 단순화한다. 여기서 베이지안 확률에서 만약 사후 확률이 사전확률 분포와 같은 분포 계열에 속하게 되면 이때의 사전확률분포를 Conjugate Prior이라 한다. 사전분포와 사후분포가 같은 분포 계열이라는 것을 알게 되면 사전분포를 통해서 사후분포가 결정적으로 형태를 알 수 있다는 뜻이다. 최대 우도 추정 (MLE)을 수행할 때 자연 매개변수는 종종 추정기 도출을 단순화한다.

4) Boyd, Tolson, & Copes(1987). "Evaluating trauma care: The TRISS method. Trauma Score and the Injury Severity Score". The Journal of Trauma. 27 (4): 370-378.

과 등에서 질병들의 발병 위험을 예측하는 데 사용하였다.

또 다른 예는 고객의 제품 구매 성향이나 구독 중단 등의 예측과 같은 마케팅 응용 프로그램에도 사용한다. 경제학에서는 사람이 결국 구독을 종료할 가능성을 예측하는 데 사용하고 있다. 노동력 및 비즈니스 응용 프로그램은 주택 소유자가 모기지 채무 불이행 가능성을 예측하는 데 사용하고 있다. 로지스틱 회귀를 순차 데이터로 확장한 조건부 무작위 필드(Conditional random fields)는 자연어 처리(natural language processing)에 사용하고 있다. 재난 계획자와 엔지니어는 이러한 모델을 사용하여 건물 화재, 산불, 허리케인과 같은 소규모 및 대규모 대피 시 집주인이나 건물 거주자의 결정을 예측하였다. 이러한 모델은 신뢰할 수 있는 재난 관리 계획 개발(disaster managing plans)과 건축 환경(built environment[5])에 대한 보다 안전한 설계에 도움을 주고 있다.

1.2.2. 지도형 기계 학습

로지스틱 회귀는 이메일이 스팸인지 여부를 식별하고 환자 테스트 결과를 기반으로 특정 조건의 유무를 평가하여 질병을 진단하는 등 이진 분류 작업에 널리 사용되는 지도형 기계 학습 알고리즘이다. 이 접근 방식은 로지스틱 또는 시그모이드 함수를 활용하여 입력 특성의 선형 조합을 0과 1 사이의 확률 값으로 변환한다. 이 확률은 주어진 입력이 사전 정의된 두 범주 중 하나에 해당할 가능성을 나타낸다.

로지스틱 회귀의 필수 메커니즘은 이진 결과의 확률을 정확하게 모델링하는 로지스틱 함수의 능력에 기반을 두고 있다. 독특한 S자형 곡선을 사용하는 로지스틱 함수는 실수 값을 0~1 간격 내의 값으로 효과적으로 매핑한다. 이 기능은 이메일을 스팸 또는 스팸 아님으로 정렬하는 등의 이진 분류 작업에 특히 적합하다. 로지스틱 회귀는 종속변수가 특정 그룹으로 분류될 확률을 계산함으로써 정보에 입각한 의사결정을 지원하는 확률적 프레임워크를 제공하고 있다.

---

5) 건축 환경(built environment)이라는 용어는 인간이 만든 소선을 의미하며 건축, 조경 건축, 도시 계획, 공중 보건, 사회학, 인류학 등에서 자주 사용한다. 이러한 큐레이팅된 공간은 인간 활동을 위한 환경을 제공하며 인간의 욕구와 필요를 충족시키기 위해 만들어졌다. 이 용어는 전통적으로 연관된 건물, 도시, 공공 기반 시설, 교통, 열린 공간뿐만 아니라 농지, 댐 강, 야생 동물 관리, 심지어 가축과 같은 보다 개념적인 구성요소 등의 많은 요소를 포함한다.

1.3. 로지스틱 회귀분석

본 도서의 데이터는 고등학생 200명을 대상으로 수집되었으며 과학, 수학, 읽기, 사회(socst)를 포함한 다양한 시험의 점수다[6]. 변수 여성은 학생이 여성인 경우 1, 남성인 경우 0으로 코딩된 이분형 변수다.

아래 그림은 hsb2 데이터를 SPSS에 로드한 것이다.

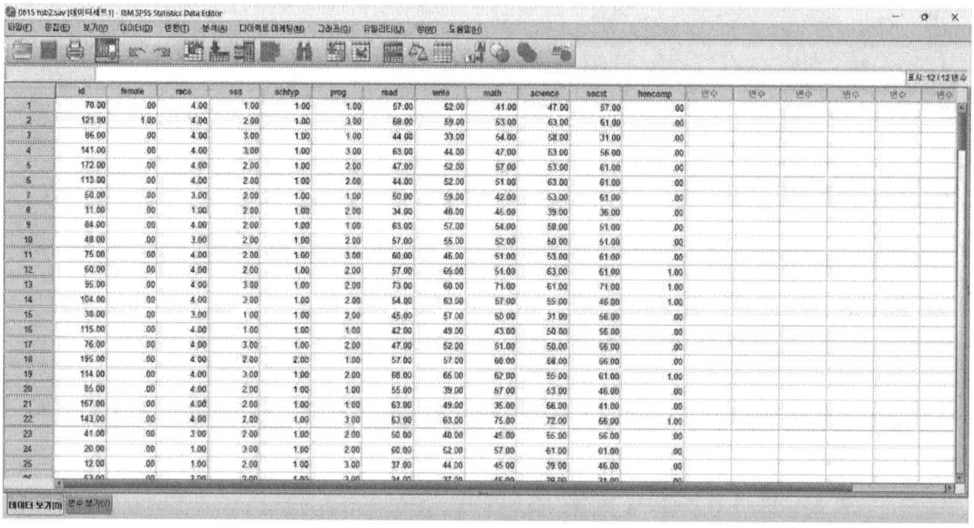

[그림 2] 데이터 모양

저장할 경우는 .sav 확장자를 사용한다. 특별한 조작이 없는 경우는 확장자는 항상 .sav로 나온다. 기본적으로 SPSS는 누락된 값을 목록별로 삭제하게 된다. 이는 종속변수와 모든 독립변수에 대한 결측값이 없는 케이스만 분석에 사용된다는 의미다.

1.3.1. 다른 변수로 코딩 변경

다음으로 종속변수로 사용할 적합한 이분형 변수가 없기 때문에 연속 변수 write를 기반으로 변수 하나를 생성한다.

변수 생성은 write 점수가 60점 이상인 경우를 1, 그렇지 않은 경우를 0을

---

6) 출처: https://stats.oarc.ucla.edu/spss/output/logistic-regression/

고 데이터를 나누었다. 즉 우등생을 우등생 또는 honcomp라는 변수 명을 생성하였다. 그러나 연속형 변수에서 이분형 변수를 만드는 것을 좋아하지 않다. 여기서는 로지스틱 회귀분석을 위한 설명의 목적으로만 이 작업을 수행한다.

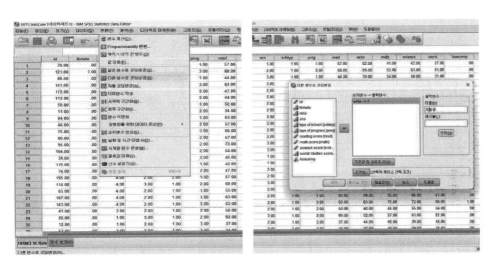

[그림 3] 다른 변수로 코딩변경(1)

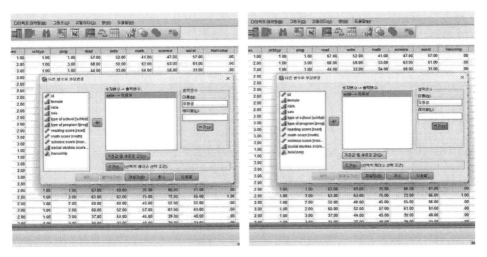

[그림 4] 다른 변수로 코딩변경(2)

기존값 및 새로운 값 아이콘을 선택한다.

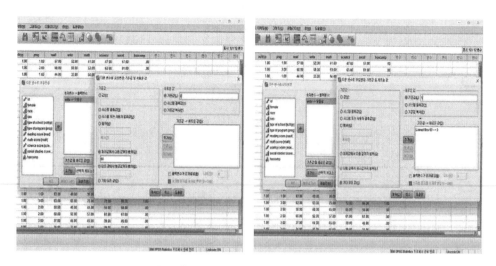

[그림 5] 다른 변수로 코딩변경(3)

다음과 같은 과정을 거친다. 최저값에서 다음값까지 범위를 선택하고 60을 입력한다. 새로운 값의 기준값 0을 입력하고 추가 아이콘을 눌러 추가한다. 다음으로 기타 모든 값은 선택하고 새로운 값의 기준값 1을 입력하고 추가 아이콘을 눌러 추가한다.

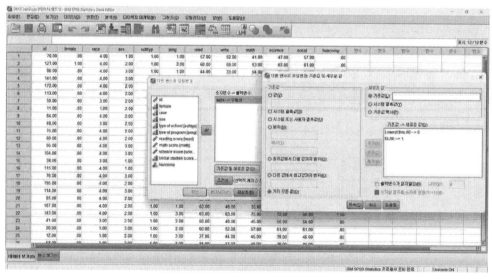

[그림 6] 다른 변수로 코딩변경(4)

다음과 같은 화면이 만들어지면, 계속 버튼을 누른다. 다음으로 확인 버튼을 누른다. 명령어 창에 다음과 같은 메세지가 등장한다. 그렇지 않으면, 오류가 발생한 것으로 다시 이 과정을 수행하도록 한다.

```
RECODE write (Lowest thru 60=0) (ELSE=1) INTO 우등생.
EXECUTE.
```

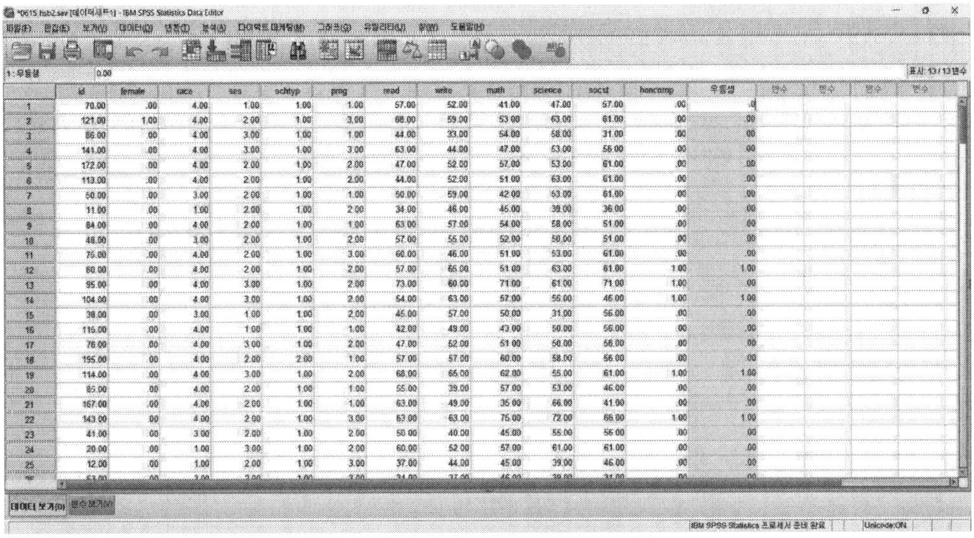

[그림 7] 다른 변수로 코딩변경(5)

데이터 보기에서 다음과 같은 화면을 볼 수 있다. 그러면 다른 변수로 코딩 변경은 완료하였다.

1.3.2. 이분형 로지스틱 회귀분석 실행

메뉴에서 분석 아이콘을 누르면, 그림과 같은 메뉴가 나타난다. 회귀분석 아이콘을 선택한다. 그리고 이분형 로지스틱을 선택한다. 그러면, 다음 그림과 같은 이분형 로지스틱 창이 나타난다. 좌측에는 선택할 수 있는 변수들이 보인다. 우측에는 분석에 사용될 변수를 선정한다.

먼저 종속변수 이분형은 우등생을 선정하였으므로, 우등생을 종속변수로 이동한다. 종속변수가 입력되면, 다음으로 공변량을 선정한다. 공변량은 독립변수로 사용하고자 하는 변수를 모두 사용할 수 있다. 범주형 변수와 연속형 변수 등을 사용할 수 있다.

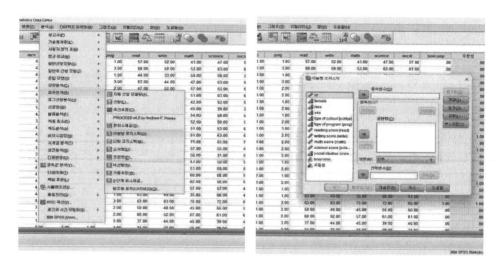

[그림 10] 이분형 로지스틱 실행(1)

그러므로 본 데이터에서 female(범주), race(범주), ses(범주), type of school(범주), read(연속형 변수), math(연속형 변수), science score(연속형 변수) 등이 있다. write는 사용하지 않는다. 왜냐면, 이미 이분형을 만들어 사용하였기 때문이다.

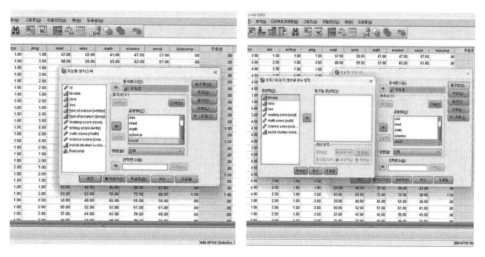

[그림 11] 이분형 로지스틱 실행(2)

다음으로 공변량 변수를 선정한다. 공변량 변수 중에서 범주형 변수는 더미변수로 전환하여 더미별로 추정하는 방식을 선택한다. 만약 설정하지 않으면, 범주형 더미변수로 분석되지 않고 연속형 단일변수로 분석하게 된다. 그러므로 반드시 범주형 변수는 설정하도록 한다.

1) 방법(M) 메뉴

공변량 하단부를 보면, 방법(M) 메뉴에 입력 아이콘 존재한다. 메뉴 아이콘을 선택하면, 아래 그림처럼 방법(M)에는 입력, 앞으로: 조건, 앞으로: LR, 앞으로:Wald, 뒤로: 조건, 뒤로:LR, 뒤로:Wald가 있다.

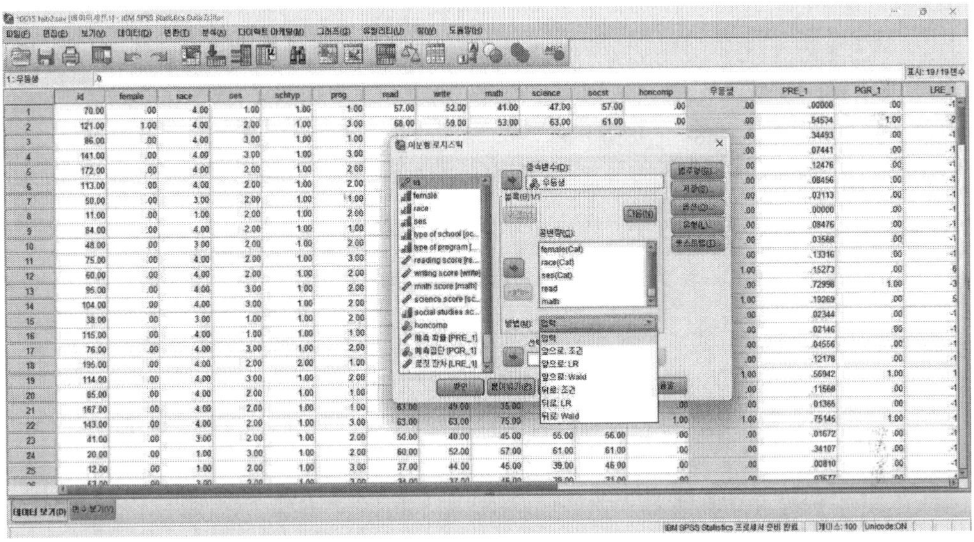

[그림 8] 이분형 로지스틱 변수 선정

분석 방법을 통칭하면, 입력, 단계별, 방향 선택 등의 의미한다.

먼저, 입력(Enter) 항목은 모든 공변량을 동시에 분석에 포함시키는 방식이다. 장점은 가장 간단하고 빠른 방법이며, 모든 공변량의 영향력을 동시에 파악할 수 있다. 단점은 다중 공선성 문제가 발생할 수 있으며, 통계적 검정력이 떨어질 수 있다. 적합한 경우보는 연구자가 보는 공변량이 종속 변수에 영향을 미칠 것이라고 강하게 가정하는 경우나, 변수 간 상관 관계가 심각하지 않은 것으로 예상되는 경우, 또는 빠르게 결과를 얻고 싶은 경우에 해당한다. 일반적으로 이 메뉴를 선택한다.

둘째, 단계별 (Stepwise) 방식으로 통계적 기준에 따라 단계적으로 공변량을 추가하거나 제거하는 방식이다. 장점은 다중 공선성 문제를 줄이고, 통계적 검정력을 높일 수 있다. 단점은 분석 과정이 복잡하고, 최종 모델에 포함되는 변수들이 연구자가 의도했던 변수들과 다를 수 있다. 적합한 경우로 변수 간 상관 관계가 심각할 것으로 예상되는 경우, 중요한 영향력을 가진 변수들을 선별하고 싶은 경우나 분석 과정을 통해 변수들 간의 상호 작용을 파악하고 싶은 경우에 사용할 수 있다.

셋째, 방향 (Backward)으로 처음에는 모든 공변량을 포함시키고, 통계적 기준에 따라 영향력이 없는 변수를 제거하는 방식이다. 장점은 다중 공선성 문제를 줄이고, 통계적 검정력을 높일 수 있다. 단점은 분석 과정이 복잡하고, 제거된 변수들이 실제로 영향력이 없었는지 확인하기 어려울 수 있다. 적합한 경우로는 변수 간 상관 관계가 심각할 것으로 예상되는 경우, 중요한 영향력을 가진 변수들을 선별하고 싶은 경우나 분석 과정을 통해 변수들 간의 상호 작용을 파악하고 싶은 경우에 사용할 수 있다.

넷째, 각 방법을 비교하면 다음과 같다.

[표 1] 입력, 단계별, 방향 선택

방법	장점	단점	적합한 경우
입력	간단하고 빠름, 모든 공변량 영향 파악 가능	다중 공선성, 통계적 검정력 저하	모든 공변량의 영향력을 동시에 파악하고 싶은 경우
단계별	다중 공선성 감소, 통계적 검정력 향상	복잡한 분석 과정, 최종 모델 변수 선택의 의도성 부족	변수 간 상관 관계가 심각하거나 중요한 변수 선별하고 싶은 경우
방향	다중 공선성 감소, 통계적 검정력 향상	복잡한 분석 과정, 제거된 변수의 영향력 확인 어려움	변수 간 상관 관계가 심각하거나 중요한 변수 선별하고 싶은 경우

선택 가이드라인을 보면, 연구 설계 및 연구 질문에 따라 적합한 방법을 선택해야 하며, 변수 간 상관 관계, 표본 크기, 분석 목적 등을 고려하여 방법을 결정해야 한다. 또한, 여러 방법을 사용하여 결과를 비교 분석하는 것도 좋은 방법이다.

1.3.3. 선택변수(B) 메뉴

이분형 로지스틱 회귀 분석에서 방법(M) 탭에서 입력 방식을 선택했을 때 선택 변수는 분석에 포함될 공변량들을 선별하는 데 사용한다.

선택 변수의 역할은 먼저, 모델에 포함될 공변량 선택한다. 입력 방식을 사용할 때, 모든 공변량이 자동으로 분석에 포함되지 않는다. 둘째, 변수 선택 기준을 설정한다. 연구자가 설정한 기준에 따라 선택 변수를 사용하여 분석에 포함할 공변량들을 설정하는 것이다. 셋째, 통계적 검정력을 향상시킨다. 선택 변수를 사용하여 분석에 포함되는 변수들을 줄임으로써, 다중 공선성 문제를 줄이고 통계적 검정력을 향상시킬 수 있다.

선택 변수를 설정하는 방법으로, 로지스틱 회귀 분석을 진행한 후 모델 탭에서 선택 버튼을 클릭하여 설정한다. 또는 변수 선택 기준을 제시한다. 즉, 변수 제거 기준과 변수 추가 기준을 각각 설정할 수 있다. 예를 들면, 변수 제거 기준의 회귀계수의 p 값, Wald 검정 통계량, AIC 값 등을 기준으로 변수를 제거할 수 있다. 변수 추가 기준으로 회귀계수의 p 값, Wald 검정 통계량, AIC 값 등을 기준으로 변수를 추가할 수 있다. 또한, 기타 옵션으로 순환적 선택, 최대 단계 수 등을 설정할 수 있다.

선택변수를 활용하는 예를 들면, 대학 졸업 여부가 취업 여부에 미치는 영향 분석에서 종속변수는 취업 여부(이분형 변수, 1: 취업, 0: 미취업)이고, 공변량은 나이, 성별, 학점, 전공, 부모의 교육 수준, 가족 소득 등 이다. 선택변수의 설정을 다음과 같이 할 수 있다. 변수 제거 기준으로 p 값 > 0.05인 변수는 제거한다. 변수 추가 기준으로 p 값 < 0.10인 변수는 추가한다 등으로 설정한다. 분석 결과를 보면, 나이, 학점, 전공이 취업 여부에 유의한 영향을 미치지만, 성별, 부모의 교육 수준, 가족 소득은 통계적으로 유의한 영향을 미치지 않았다.

그러므로 선택변수 설정 기준은 연구 목적과 데이터 특성에 따라 적절하게 선택하고, 선택 변수를 사용하면 모델의 복잡성이 증가할 수 있으므로, 해석이 어려워질 수 있다. 다양한 변수 선택 기준을 사용하여 모델을 비교 분석하는 것이 좋다.

1) 범주형 공변량 항목 메뉴

그림 11처럼 범주형 공변량 항목에 female(표시자). race(표시자), ses(표시자), socst(표시자)로 설정한다. 공변량 박스에 read(연속형 변수), math(연속형 변수), science score(연속형 변수) 등은 남아있어야 한다.

그리고 다음으로 계속 아이콘을 누른다.

로지스틱 회귀분석 범주형 변수 정의의 아래 부분을 보면, 대비 변경이 존재한다. 먼저 참조범주 라는 부분은 마지막과 처음 이 있다. 이는 처음을 참조로 할 것인지, 마지막을 참조할 것인지를 선정한다. 기본적 모형은 마지막을 참조로 설정되어 있다. 신경을 쓰지 않아도 무방하다. 다음으로 대비 항목이 있으며, 그 항목을 클릭하면, 다양한 메뉴가 존재한다. 그러나 각 메뉴의 내용은 분석 방법과 내용에 따라 설정하게 된다.

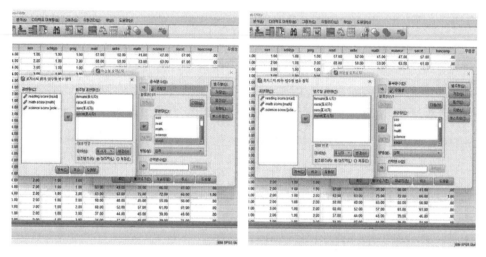

[그림 11] 이분형 로지스틱 실행(1)

기본값(디폴트)는 표시자로 되어 있다.

2) 범주형 공변량 대비(N) 항목

SPSS에서 로지스틱 회귀 분석을 진행할 때, 범주형 공변량의 경우 대비 변환을 통해 각 범주의 효과를 분석할 수 있다. 대비 변환은 범주형 변수의 각 범주를 서로 비교 가능하도록 변환하는 과정이며, 선택된 변환 방식에 따라 해석 결과가 달라질 수 있다.

SPSS에서 제공하는 대비 변환 방식은 다음과 같다.

첫째, 표시자(Effect)로 가장 기본적인 방식으로, 각 범주가 독립적으로 기준 범주와 비교한다. 그러므로 해석시 각 범주의 로지스틱 회귀 계수(β)는 해당 범주가 기준 범주에 비해 종속변수의 로그 오즈 비(logit odds ratio)가 얼마나 변하는지를 보여준다. 설정 방법은 대비 변환 옵션에서 표시자를 선택한다. 가장 일반적인 방법으로 대부분의 연구는 표시자 방식을 선정하여 분석하고 있다.

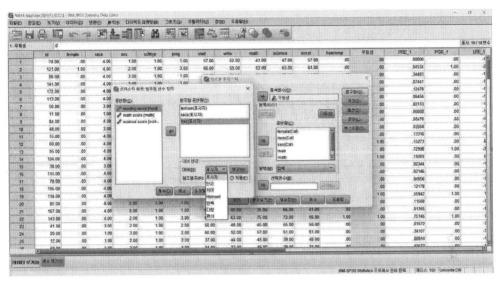

[그림 9] 범주형 공변량의 대비 변환

둘째, 단순(Simple) 방식으로 첫 번째 범주를 제외한 나머지 범주들이 기준 범주와 차례대로 비교한다. 해석 시 첫 번째 범주를 제외한 각 범주의 로지스틱 회귀 계수(β)는 해당 범주가 직전 범주에 비해 종속변수의 로그 오즈 비가 얼마나 변하는지를 보여준다. 설정 방법은 대비 변환 옵션에서 단순을 선택한다.

셋째, 차이(Difference) 방식으로 모든 범주가 서로 쌍대적으로 비교한다. 해석 시 각 범주의 로지스틱 회귀 계수(β)는 해당 범주가 다른 모든 범주에 비해 종속변수의 로그 오즈 비가 얼마나 변하는지를 보여준다. 설정 방법은 대비 변환 옵션에서 차이를 선택한다.

넷째, 반복(Contrast) 방식으로 첫 번째 범주를 제외하고, 나머지 범주들이 기준 범주와 비교한다. 단순 방식과 유사하지만, 마지막 범주는 기준 범주와 직접 비교한다. 해석 시 첫 번째 범주를 제외한 각 범주의 로지스틱 회귀 계수(β)는 해당 범주가 기준 범주에 비해 종속변수의 로그 오즈 비가 얼마나 변하는지를 보여준다. 설정 방법은 대비 변환 옵션에서 반복을 선택한다.

다섯째, 다항(Polynomial) 방식으로, 범주를 등간 변수로 가정하고 선형, 2차, 3차 등의 다항 함수 형태로 변환한다. 해석 시 범주의 순서가 종속변수에 미치는 선형적 또는 비선형적 영향을 분석한다. 설정 방법은 대비 변환 옵션에서 다항을 선택하고, 다항 차수를 지정한다.

여섯째, 편차(Deviation) 방식으로, 모든 범주가 기준 범주와 비교한다. 차이 방식과 유사하지만, 각 범주의 계수는 기준 범주에 대한 평균 차이를 나타낸다. 해석 시 각 범주의 로지스틱 회귀 계수(β)는 해당 범주가 기준 범주에 비해 종속변수의 로그 오즈 비가 평균적으로 얼마나 변하는지를 보여준다. 설정 방법은 대비 변환 옵션에서 편차를 선택한다.

일곱째, Helmert 방식으로 계층적 범주 구조를 가진 변수에 적합하며, 앞서 언급한 방식들보다 더 복잡한 변환 방식이다. 해석 시 범주 간의 계층적 관계를 고려하여 종속 변수에 미치는 영향을 분석한다. 설정 방법은 대비 변환 옵션에서 Helmert을 선택한다.

3) 범주형 공변량 대비(N) : Helmert 대비

SPSS에서 Helmert 대비는 계층적 범주 구조를 가진 변수에 적합한 대비 변환 방식으로, 범주 간의 계층적 관계를 고려하여 종속 변수에 미치는 영향을 분석한다. 먼저, Helmert 대비의 작동 방식을 보면, K개의 범주를 가진 변수가 있다고 가정하고, 첫 번째 대비는 첫 번째 범주와 나머지 범주들의 평균을 비교하고, 두 번째 대비는 두 번째 범주와 첫 번째 범주와 나머지 범주들의 평균을 비교한다. 이 과정을 반복하여 K-1번째 대비는 K-1번째 범주와 이전 범주들의 평균을 비교한다. 마지막 대비는 K번째 범주와 이전 범주들을 모두 포함하는 평균을 비교한다.

Helmert 대비를 해석하는 방법은 첫 번째 대비 계수는 첫 번째 범주가 종속변수에 미치는 영향으로, 두 번째 대비 계수는 두 번째 범주가 종속변수에 미치는 영향이고, 첫 번째 범주의 영향을 제외한 것이다. K번째 대비 계수는 K번째 범주가 종속 변수에 미치는 영향이다. 이전 범주들의 영향을 모두 제외하고 추정한 값이다.

Helmert 대비를 설정 방법은 위에 언급하였듯이, 모델 탭에서 대비(N)를 선택하고, 대비 드롭다운 메뉴에서 Helmert를 선택한다. 옵션 버튼을 클릭하면 다음과 같은 설정을 추가로 지정할 수 있다. 참조 범주로 첫 번째 대비에서 사용할 참조 범주를 지정한다. 기본값은 첫 번째 범주다. 계층적 차이로 각 대비 계수가 이전 범주들과의 차이를 나타내도록 설정한다. 기본값은 평균 차이다. 계속 버튼을 클릭하고 분석을 진행한다.

Helmert 대비 결과를 해석하는 방법은 대비 계수는 각 범주의 종속변수에 대한 영향력을 나타낸다. 표준 오차는 각 대비 계수의 추정치의 정확도를 나타낸다. Wald 검정은 각 대비 계수가 통계적으로 유의한지 여부를 검증한다. p 값은 Wald 검정의 결과를 나타내고, p 값이 0.05보다 작으면 해당 대비 계수가 통계적으로 유의하다고 판단할 수 있다. 오즈 비는 각 대비 계수의 exp(B) 값을 나타내며, 오즈 비는 1보다 크면 해당 범주가 종속변수 발생 가능성을 증가시키고, 1보다 작으면 감소시키는 것을 의미한다. 95% 신뢰 구간은 각 대비 계수의 추정치 범위를 나타낸다.

Helmert 대비를 활용한 예를 보면, 교육 수준 변수가 3개의 범주(초졸, 중졸, 대졸)를 가지고 있다고 가정하고, Helmert 대비를 사용하여 각 교육 수준이 연봉에 미치는 영향을 분석할 수 있다. 첫 번째 대비 계수는 초졸 수준의 연봉에 대한 영향을 나타내며, 두 번째 대비 계수는 중졸 수준의 연봉에 대한 영향을 나타내며, 초졸 수준의 영향을 제외한 값이다

사용 시 유의 사항으로 표본 크기에 따라 설정을 달리한다. 범주 수가 많거나 범주 간 수준 차이가 크면 일부 대비 방식에서 특히 차이와 다항에서 해석이 어렵다. 연구자의 연구 가설에 따라 적합한 대비 방식을 선택해야 한다. 예를 들어, 범주 간 선형적 관계를 검증하려면 다항 방식을 사용하는 것이 적합하다. 또한, 모델 간 비교 형태로 서로 다른 대비 방식을 사용하여 모델을 비교 분석할 수 있다.

1.3.4. 이분형 로지스틱 회귀: 저장 기능

이분형 로지스틱에서 처음 메뉴의 범주형 변수 설정을 마치고 계속 버튼을 누른다. 그다음 설정은 저장 메뉴가 있다. 저장 메뉴를 클릭하면, 다음 그림과 같은 박스가 등장한다.

SPSS 이분형 로지스틱 회귀 분석에서 저장 메뉴는 분석 결과를 다양한 형태로 저장하도록 설정하는 기능이다.

첫째, 예측값에서 확률은 종속변수가 각 범주인 성공과 실패에 속할 확률을 새로운 변수로 저장한다. 종속변수가 구직 성공 여부이고, 성별이라는 공변량이 있다고 가정하면, 저장된 확률 변수는 각 개인의 성별과 로지스틱 회귀 모델을 기반으로 구직 성공 가능성을 0.0~1.0 사이의 값으로 저장된다

소속집단은 종속변수의 예측된 범주를 새로운 변수로 저장한다. 위와 같은 예시에서 소속집단 변수는 각 개인의 성별과 로지스틱 회귀 모델을 기반으로 구직 성공 여부를 성공과 실패로 예측한다.

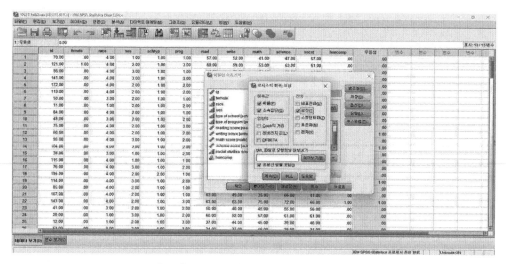

[그림 10] 로지스틱 회귀 저장 기능

둘째, 잔차 항목에서 비표준화는 잔차를 말한다. 회귀 모델에서 예측된 값과 실제 관측값 간의 차이를 그대로 저장한다. 연령 이라는 공변량이 로지스틱 회귀 모델에 포함된다고 가정하면, 비표준화 잔차는 각 개인의 연령과 실제 관측된 종속변수 값의 구직 성공 여부의 차이를 나타낸다.

로짓은 로지스틱 회귀 모델에서 오차 항을 저장한다. 로짓 잔차는 비표준화 잔차를 로지스틱 함수에 적용하여 변환한 값이다. 로짓 잔차는 0을 중심으로 분포하며, 값의 절대 크기가 클수록 모델에서 예측하기 어려웠던 사례임을 나타낸다.

스튜던트화는 잔차를 표준 오차로 나누어 표준 정규 분포를 따르도록 변환한다. 스튜던트화 잔차는 각 개인의 잔차 값을 해당 개인의 사례에 대한 표준 오차로 나눈 값이다. 이는 각 개인의 잔차가 얼마나 예상치 못한 값인지를 나타낸다.

표준화는 잔차를 모델 전체의 표준 편차로 나누어 표준화한 것이다. 표준화 잔차는 모든 개인의 잔차 값을 모델 전체의 표준 편차로 나눈 값이다. 이는 각 개인의 잔차가 모델에서 얼마나 벗어났는지를 나타낸다.

편차는 잔차를 모델 계수의 합으로 나눈 것이다. 편차 잔차는 각 개인의 잔차 값을 모델 계수들의 합으로 나눈 값으로 이는 각 개인의 잔차가 모델 전체에 얼마나 영향을 미치는지를 나타낸다.

종합적으로 보면, 비표준화 잔차 또는 스튜던트화 잔차를 사용하여 각 개인의 잔차 값을 확인하면, 모델에서 예측하기 어려웠던 사례인 이상치를 식별할 수 있다. 잔차 값이 크거나 예상치 못한 방향으로 나타나는 경우, 해당 사례가 모델에 미치는 영향력을 추가적으로 분석해야 한다. 또한, 로짓 잔차를 사용하여 로지스틱 회귀 모델의 오차 항을 분석할 수 있다. 로짓 잔차가 특정 방향으로 기울어져 있다면, 모델에 오류가 있거나 누락된 변수가 존재할 가능성이 있다. 그러므로 잔차 분석 결과를 바탕으로 모델을 개선할 수 있다. 예를 들어, 영향력 있는 사례를 제외하거나, 누락된 변수를 추가하는 능의 방법을 고려할 수 있다.

셋째, 영향력 항목에서 Cook 거리는 각 개인의 데이터 포인트가 모델 계수에 미치는 영향력을 나타낸다. Cook 거리가 높은 값을 가진 데이터 포인트는 모델 계수에 큰 영향을 미치는 이상치로 간주하고, 추가적인 분석을 해야 한다.

레버리지 값은 각 개인의 데이터 포인트가 모델 적합도에 미치는 영향력을 나타낸다. 레버리지 값이 높은 값을 가진 데이터 포인트는 다른 데이터 포인트들과 멀리 떨어져 있어 모델 적합도에 큰 영향을 미칠 수 있으므로, 해당 데이터 포인트의 신뢰성을 확인해야 한다.

DFBETA 값은 각 개인의 데이터 포인트가 모델 계수에 미치는 변화량을 파악하고, 모델을 개선할 수 있다. DFBETA 값이 높은 값을 가진 데이터 포인트는 모델 계수에 큰 영향을 미치는 변수로 작용할 가능성이 높으므로, 해당 변수를 추가적으로 분석하거나 모델에 변수 상호 작용 효과를 포함하는 등의 방법을 고려해야 한다.

그러므로 분석 결과를 어떻게 활용할 것인지에 따라 저장할 옵션을 선택한다. 예를 들어, 개인별 예측 결과를 활용하고 싶다면 "예측값" 옵션을, 모델 오차를 분석하고 싶다면 "로짓 잔차" 옵션을 선택해야 한다.

1.3.5. 이분형 로지스틱 회귀: 옵션 기능

SPSS 이분형 로지스틱 회귀 분석의 옵션 기능 메뉴는 분석 결과를 보다 심층적으로 조정하고 다양한 정보를 도출하도록 지원하는 기능이다. SPSS 이분형 로지스틱에서 종속변수, 공변량, 범주형 변수 설정, 저장 메뉴를 설정하였다.

다음으로 옵션 기능 메뉴에는 아래 그림과 같은 통계량 및 도표에는 분류도표, 적합도 척도, 케이스별 잔차 목록 밖에 나타나는 이상값과 표준편자,

모든 케이스, 추정값들의 상관계수, 반복계산과정, exp(B)에 대한 신뢰구간 95%, 표시에는 각 단계마다, 마지막 단계에서, 단계선택에 대한 확률에서 집입 0.005 제거 0.10이다, 분류 분리점 0.5 최대반복 계산 20 모형에 상수포함 과 같은 것들이 있다.

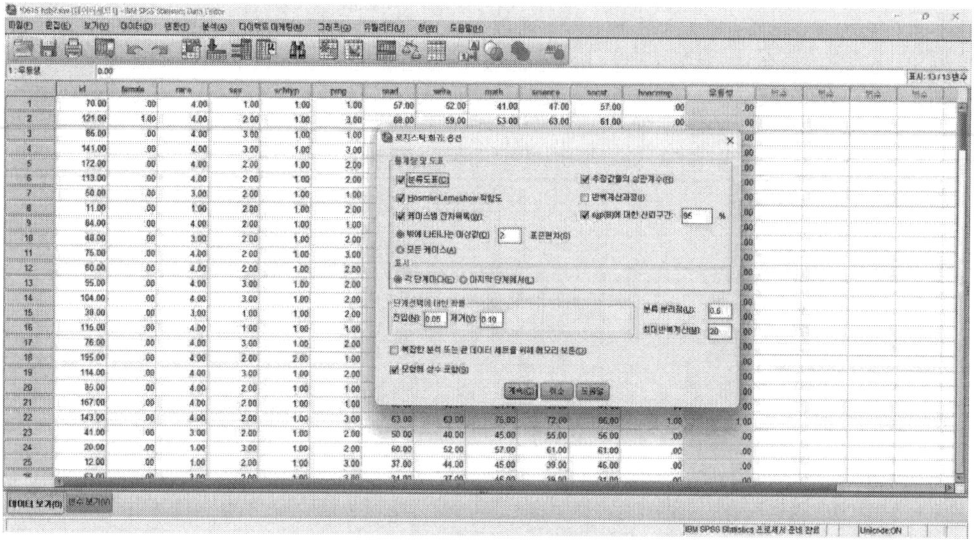

[그림 11] 로지스틱 회귀 옵션 기능

저장 메뉴 옵션과 더불어 옵션 기능 메뉴를 활용하면, 연구 결과 해석의 폭을 넓히고 유용한 통계적 정보를 얻을 수 있다. 이들 각각의 의미와 기능을 설명하고 다음과 같다.

첫째, 통계량 및 도표에서 모델 요약에서 분석된 로지스틱 회귀 모델의 전체적인 정보를 요약하여 제시한다. 여기에는 모델 적합도 통계량으로 Cox & Snell(콕스 앤 스넬) R 제곱(R 스퀘어), Nagelkerke(나겔케르) R 제곱, AIC, BIC 등, 로지스틱 회귀 계수, Wald 검정 통계량, p 값, 승산비, 신뢰구간 등을 제공한다. 모델 요약 결과에서 Cox & Snell R 제곱 값이 0.45라고 가정하면, 이는 모델이 종속변수의 변동성을 45% 설명한다는 것을 의미한다. 또한, Wald 검정통계량과 p 값을 통해 각 독립 변수가 종속 변수에 미치는 영향력의 통계적 유의성을 확인할 수 있다.

변수별 통계량에서 각 독립 변수에 대한 로지스틱 회귀 계수, Wald 검정 통계량, p 값, 승산비, 신뢰구간, 표준 오차 등을 상세하게 보여준다. 변수별 통계량 결과에서 특정 변수의 승산비가 2.3이라고 가정하면, 이는 해당 변수 값이 1 단위 증가할 때 종속변수가 발생할 가능성이 2.3배 증가한다는 것을 의미한다. 또한, 신뢰구간을 통해 해당 승산비 추정치의 신뢰도를 확인할 수 있다.

모델 계수 비교에서 서로 다른 모델 간의 계수를 비교하여 모델 간의 차이를 분석할 수 있다. 모델 계수 비교 결과를 통해, 종속변수에 대한 영향력이 유사한 변수들을 그룹화하거나, 특정 변수가 모델에 미치는 영향력이 다른 모델에서 어떻게 변하는지 살펴볼 수 있다.

분류표에서 송속변수의 실제 값과 예측 값을 비교하여 모델의 석합도를 평가한다. 분류표 결과에서 정확하게 분류된 사례의 비율이 높을수록 모델의 적합도가 높다고 판단할 수 있다. 또한, 잘못 분류된 사례의 특징을 분석하여 모델 개선 방안을 모색할 수 있다.

잔차 분포에서 잔차 값들의 분포를 확인하여 모델의 가정 위반 여부를 검증한다. 잔차 분포가 정규 분포를 따르지 않는다면, 모델의 가정이 위반되었을 가능성이 있으므로, 모델을 다시 검증하거나 변환 방법을 변경해야 한다.

둘째, 도표에서 분류도표는 종속변수의 예측 값에 따라 데이터 포인트를 그래프로 표현한다. 분류도표를 통해 종속변수 값이 예측 값에 따라 어떻게 변하는지 시각적으로 확인할 수 있다. 또한, 데이터 포인트의 분포 특징을 파악하고 이상값을 찾는 데 도움이 될 수 있다. 종속 변수 취업 여부를 예측 값에 따라 그래프로 표현하면, 학과별, 전공별, 가족 소득별 취업 가능성 등을 시각적으로 확인할 수 있다. 또한, 이상값이나 특이 케이스를 발견하는데 도움이 된다.

적합도 척도는 모델의 적합도를 나타내는 다양한 통계량을 그래프로 표현한다. 적합도 척도 그래프를 통해 모델의 적합도가 분석 과정에서 어떻게 변하는지 확인할 수 있다. 또한, 서로 다른 모델의 적합도를 비교 분석하는 데 활용할 수 있다.

케이스별 잔차목록은 각 개인의 잔차 값, 표준화 잔차 값, 영향력 통계량 등을 표로 나타낸다.

셋째, 표시에서 각 단계마다는 분석 과정에서 각 단계마다 계수 추정, Wald 검정 통계량, p 값, AIC, BIC 등을 표로 보여준다. 각 단계마다 결과를 통해 변수 추가 또는 제거에 따른 모델 변화를 확인하고, 최적의 모델을 선택한다. 마지막 단계에서의 모든 통계량을 표로 보여준다. 마지막 단계에서 결과는 앞서 설명드린 모델 요약, 변수별 통계량, 분류표 등과 유사한 내용을 보여주지만, 마지막으로 분석된 모델의 결과에만 초점을 맞춘다.

단계선택에 대한 확률에서 진입 0.05 제거 0.10은 각 단계에서 변수를 추가하거나 제거하는 기준을 설정한다. 단계선택 기준을 설정하면, 통계적으로 유의하지 않은 변수들을 제외하고 분석에 참여하는 변수들을 선별할 수 있다. 일반적으로, 진입 기준은 0.05, 제거 기준은 0.10으로 설정하는 것이 일반적이다.

분류 분리점 0.5는 종속변수 값을 0과 1로 분류하는 기준값을 설정한다. 분류 분리점을 변경하면, 종속변수 값에 대한 해석 기준을 달리할 수 있다. 예를 들어, 종속변수가 구직 성공 여부인 경우, 분류 분리점을 0.6으로 설정하면 구직 가능성이 60% 이상을 성공으로 간주하는 것과 같다.

최대반복 계산 20은 모델 계수 추정 과정에서 최대 반복 계산 횟수를 설정한다. 최대 반복 계산 횟수를 설정하면, 계산 과정이 무한히 반복되는 것을 방지하고 효율적으로 모델을 추정하는 데 도움이 된다. 일반적으로는 20~30회 정도로 설정하는 것이 적절하다.

모형에 상수포함은 모델에 상수항을 포함할지 여부를 설정한다. 모델에 상수항을 포함하면, 종속변수 값이 모든 독립 변수 값이 0일 때의 예측 값을 나타낸다. 상수항이 통계적으로 유의하지 않다면 제외하는 것이 일반적이지만, 모델 해석에 따라 상수항을 포함하는 경우도 있다.

넷째, 기타 옵션에서 반복계산과정은 모델 계수 추정 과정에서 발생하는 반복 계산 과정의 상세 정보를 표로 보여준다. 반복 계산 과정 결과를 통해 모델 수렴 여부를 확인하고, 계산 과정에 문제가 있는지 확인하는데 도움준다.

exp(B)에 대한 신뢰구간 95%는 각 독립 변수의 승산비에 대한 95% 신뢰구간을 계산한다. exp(B)에 대한 신뢰구간을 통해 승산비 추정치의 변동 범위를 확인할 수 있다.

저장된 결과는 SPSS 데이터 뷰어 또는 텍스트 파일 형식으로 저장할 수 있고, 저장된 결과는 다른 통계 프로그램에서 추가 분석에 활용될 수 있다. 옵션 기능 메뉴는 다양한 설정을 제공하므로, 연구 목적과 분석 상황에 맞게 적절하게 활용할 수 있다.

1.3.6. 이분형 로지스틱 회귀: 모델적합도

모델 적합도로 모델 요약, 분류표, 적합도 척도, Hosmer-Lemeshow(호스머와 레메쇼) 검정7) 등을 통해 모델이 데이터를 얼마나 잘 설명하는지 평가할 수 있다. 또한, 변수들의 영향력으로 변수별 통계량, 모델 계수 비교, 승산비, 신뢰구간 등을 통해 각 변수가 종속 변수에 미치는 영향력의 크기와 방향을 파악할 수 있다.

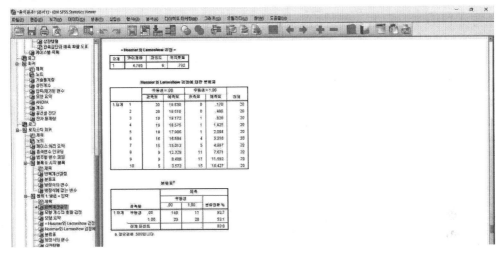

[그림 12] 로지스틱 회귀 모형 적합도 검증

변수 중요도에서 단계별 변수 선택, Wald 검정, AIC, BIC 등을 통해 분석에 참여하는 변수들의 중요도를 평가하고, 최적의 모델을 선택할 수 있다.

[그림 12]에 있는 Hosmer-Lemeshow 검정 결과는 Hosmer-Lemeshow 검정의 단계별 결과를 보여준다. 단계는 분석 과정에서 고려된 독립 변수의 단계를 나타낸다. 카이제곱은 잔차 값의 제곱합을 그룹별로 합산하여 계산된 카이제곱 통계량이다. 자유도는 카이제곱 분포의 자유도로 이분형 로지스틱 회귀에서는 일반적으로 자유도가 8이다. 유의확률은 카이제곱 통계량에 대한 p 값을 나타낸다. p 값이 0.05보다 작으면 모델의 적합도가 좋지 않다는 것을 의미한다.

제시된 예에서 1단계 Hosmer-Lemeshow 검정 결과로는 카이제곱 4.765 자유도 8 유의확률 0.782를 해석하면, p값 (0.782)이 0.05보다 크므로, 단계

---

7) Hosmer -Lemeshow(호스머와 레메쇼) 테스트는 로지스틱 회귀 모델의 적합성과 보정 (goodness of fit and calibration)에 대한 통계 테스트다. 위험 예측 모델(risk prediction)에 자주 사용한다. 이 검성은 관찰된 사건 발생율이 모델 보십난의 하위 그룹에서 예상된 사건 발생률과 일치하는지 여부를 평가한다. Hosmer-Lemeshow 테스트는 특히 하위 그룹을 적합 위험 값의 십분위수로 식별한다. 하위 그룹의 예상 사건 비율과 관측 사건 비율이 유사한 모델을 잘 보정된 모델이다. 이 테스트는 개발자인 통계학자인 David Hosmer와 Stanley Lemeshow(데이비드 호스머 와 스탠리 레메쇼)의 이름을 따서 명명하였으며, 로지스틱 회귀에 관한 교과서를 통해 대중화되었다.

모델이 데이터를 적절하게 설명하고 있다. 따라서, 현재 분석 단계에서 추가적인 모델 개선이 필요하지 않을 가능성이 높다.

Hosmer-Lemeshow 검정을 활용 사례를 보면, 여러 단계의 모델 비교할 수 있다. 즉, 분석 과정에서 여러 단계의 모델을 생성했다면, Hosmer-Lemeshow 검정을 통해 각 단계별 모델의 적합도를 비교하고, 최적의 모델을 선택할 수 있다. 일반적으로 p 값이 가장 크고, 통계적으로 유의하지 않은 변수가 없는 모델을 선택한다.

또는 모델 개선에 사용한다. Hosmer-Lemeshow 검정 결과를 통해 모델의 적합도가 좋지 않다는 것을 확인했다면, 모델 개선을 위한 전략을 수립할 수 있다.

변수 추가 또는 제거 등을 할 수 있다. 통계적으로 유의하지 않은 변수를 제거하거나, 분석에 도움이 될 것으로 예상되는 변수를 추가하는 방법을 고려할 수 있다.

변수 변환을 할 수 있다. 변수의 분포가 정규 분포를 따르지 않는 경우, 로그 변환, 제곱근 변환 등의 방법을 통해 변수를 변환하여 모델 개선을 시도할 수 있다.

데이터 검토를 할 수 있다. 데이터 오류, 누락값, 이상값 등이 있는지 확인하고, 필요한 경우 데이터를 수정하거나 제외하는 방법도 고려할 수 있다.

다른 회귀 분석 방법을 사용할 수 있다. Hosmer-Lemeshow 검정 결과를 통해 모델의 적합도를 개선하지 못했다면, 다항 로지스틱 회귀, Cox 회귀 등 다른 회귀 분석 방법을 사용해 보는 것도 좋은 방법이다.

모형 적합도 판정에 추가로 고려할 사항으로, Hosmer-Lemeshow 검정은 모델의 적합도를 평가하는 데 유용한 도구이지만, 유일한 기준은 아니다. 다른 통계 지표들 AIC, BIC, 분류 정확도 등과 함께 종합적으로 판단해야 한다.

1.3.7. 이분형 로지스틱 회귀: 명령문

다음과 같은 명령문이 제공된다.

```
LOGISTIC REGRESSION VARIABLES 우등생
  /METHOD=ENTER female race ses read math science
  /CONTRAST (female)=Indicator
```

```
/CONTRAST (race)=Indicator
/CONTRAST (ses)=Indicator
/SAVE=PRED PGROUP LRESID
/CLASSPLOT
/CASEWISE OUTLIER(2)
/PRINT=GOODFIT CORR CI(95)
/CRITERIA=PIN(0.05) POUT(0.10) ITERATE(20) CUT(0.5).
```

SPSS 이분형 로지스틱 회귀 분석 명령문을 설명하면 다음과 같다.

1. 분석 명령어

LOGISTIC REGRESSION VARIABLES 우등생

LOGISTIC REGRESSION은 이분형 로지스틱 회귀 분석을 수행한다는 명령어다. VARIABLES 우등생은 분석 대상 변수를 나타낸다. 우등생은 종속변수로 1은 우등생, 0은 비우등생 이며, 명령어 뒤에 공백을 두고 선언한다.

2. 독립 변수 설정

/METHOD=ENTER female race ses read math science

/METHOD=ENTER은 모든 독립 변수를 한 번에 분석에 포함시키는 방법을 지정한다. 또는 stepwise, forward, backward 등 다른 방법도 존재한다. 이전에 언급을 하였다. 여기서는 입력을 선정하였다. female race ses read math science는 분석에 포함할 독립 변수 목록이다. 변수명 사이에는 공백을 넣어 구분한다.

3. 코드 변수 처리

/CONTRAST (female)=Indicator
/CONTRAST (race)=Indicator
/CONTRAST (ses)=Indicator

CONTRAST는 범주형 변수를 다 dummy 변수로 변환하는 방법을 지정한다. (female)=Indicator는 female 변수를 Indicator coding 방식으로 처리한다. Indicator coding은 각 카테고리 별 dummy 변수를 생성하며, 첫 번째 카테고리는 기준 카테고리로 설정되어 계수 추정에서 제외한다.

(race)=Indicator, (ses)=Indicator는 race와 ses 변수도 마찬가지로 Indicator coding 방식으로 처리한다.

4. 저장

/SAVE=PRED PGROUP LRESID
/SAVE는 분석 결과를 특정 파일로 저장한다. PRED는 종속 변수의 예측값을 저장한다. PGROUP은 각 데이터 포인트가 예측된 그룹 (우등생/비우등생)을 저장한다. LRESID는 로지스틱 회귀 잔차값을 저장한다.

5. 도형 출력

/CLASSPLOT
/CLASSPLOT은 종속 변수의 실제 값과 예측 값을 비교하는 분류 도형을 출력한다.

6. 이상치 검출

/CASEWISE OUTLIER(2)
/CASEWISE는 각 변수별 이상치를 검출한다. OUTLIER(2)는 상위 2% 또는 하위 2%의 값을 이상치로 표시한다. 값을 수정할 수 있다.

7. 출력

/PRINT=GOODFIT CORR CI(95)
/PRINT는 분석 결과를 출력한다. GOODFIT는 Hosmer-Lemeshow 검정을 포함한 적합도 지표를 출력한다. CORR는 독립 변수 간의 상관 관계 출력한다. CI(95)는 계수 추정치에 대한 95% 신뢰 구간 출력이다.

8. 기준 설정

/CRITERIA=PIN(0.05) POUT(0.10) ITERATE(20) CUT(0.5)
/CRITERIA는 분석 기준을 설정한다. PIN(0.05)는 독립 변수를 추가할 때 최소 유의 확률 기준을 0.05로 설정한다. POUT(0.10)는 독립 변수를 제거할 때 최대 유의 확률 기준을 0.10으로 설정한다. ITERATE(20)는 최대 반복 계산 횟수를 20회로 설정한다. CUT(0.5)는 종속 변수 값을 0과 1로 분류하는 기준값을 0.5로 설정한다. 즉 예측값 0.5 이상을 1, 이하를 0으로 분류한다.

이 SPSS 명령어는 우등생을 종속변수로 하여 female, race, ses, read, math, science 등의 변수를 이용하여 이분형 로지스틱 회귀 분석을 수행한다. 분석 결과는 표와 그래프를 포함하고 있다.

1.4. 로지스틱 회귀분석 해석

이제부터 로지스틱 회귀분석 결과 해석을 하도록 하겠다.

모델에 포함하려는 모든 변수 즉 연속형 및 범주형 모두를 나타내려면 종속변수 뒤에 키워드를 사용한다. 세 개 수준 이상의 ses 변수 즉, 낮음, 중간, 높음과 같이 세 개 수준 이상의 범주형 변수가 있는 경우 범주(categorical)형 하위 명령을 사용하여 변수를 변수에 포함하는 데 필요한 더미 변수를 생성하도록 SPSS에 지시하여야 한다. 그렇지 않으면 연속형 변수로 인식함을 이미 언급하였다. 범주형 변수 설정 부분은 3) 범주형 공변량 항목 메뉴(p. 12)를 참조한다.

아래와 같이 로지스틱 회귀 분석을 수행한다. 키워드 by를 사용하여 상호작용 용어를 만들 수 있다. 예를 들어 여성이 여성을 읽는 로지스틱 회귀 honcomp 명령이 있다. 읽기와 여성의 주요 효과는 물론 여성의 읽기의 상호작용에 대한 모델을 만들 수 있다.

데이터 파일을 여는 SPSS 명령을 표시하고 이분형 종속 변수를 만든 다음 로지스틱 회귀를 실행하는 것으로 시작한다. 전체 출력을 표시한 다음 설명과 함께 출력을 분리한다.

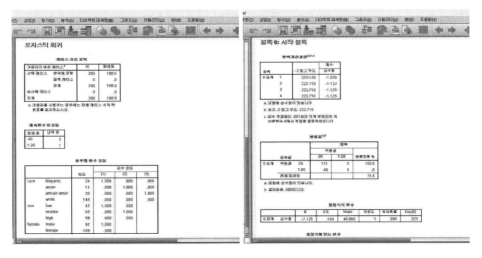

[그림 11] 이분형 로지스틱 회귀분석 결과(1)

1.4.1. 케이스 처리 요약

케이스 처리 요약 박스에서 가중되지 않은 케이스, N, 퍼센트가 있고, 선택 케이스 에는 분석에 포함 200 100.0 퍼센트, 결측 케이스 0, 0퍼센트이다. 전체 200, 100.0 이다. 비선택 케이스는 0, 0퍼센트로 전체 200, 100.0 퍼센트이다. 여기서 N은 각 범주에서 분석에 포함됨, 누락됨과 전체의 사례 수다. 퍼센트(백분율)은 각 범주에 분석에 포함됨, 누락됨과 전체의 사례 백분율이다. 분석에 포함됨이란 이 행은 분석에 포함된 사례 수와 비율을 제공한다.

[표 2] 케이스 처리 요약

케이스 처리 요약			
가중되지 않은 케이스a		N	퍼센트
선택 케이스	분석에 포함	200	100.0
	결측 케이스	0	.0
	전체	200	100.0
비선택 케이스		0	.0
전체		200	100.0
a. 가중값을 사용하는 경우에는 전체 케이스 수의 분류표를 참조하십시오.			

예제 데이터 세트에는 누락된 데이터가 없으므로 이는 총사례 수에 해당한다. 누락된 사례란 이 행에는 누락된 사례의 수와 비율이 표시한다. 기본적으로 SPSS 로지스틱 회귀는 누락된 데이터를 목록별로 삭제한다. 즉, 모델의 변수에 누락된 값이 있는 경우 전체 케이스가 분석에서 제외한다. 전체는 분석에 포함된 케이스와 누락된 케이스의 합계다. 이 예에서 200 + 0 = 200 이다.

선택되지 않은 케이스는 select 하위 명령이 사용되고 데이터 세트의 범주형 변수로 논리적 조건이 지정된 경우 선택되지 않은 케이스 수가 여기에 나열한다. select 하위 명령을 사용하는 것은 filter 명령을 사용하는 것과 다르다. select 하위 명령을 사용하면 데이터의 모든 케이스에 대해 진단 및 잔차 값이 계산된다. 필터 명령을 사용하여 분석에 사용할 케이스를 선택하는 경우 선택되지 않은 케이스에 대해서는 잔차 및 진단 값이 계산되지 않는다.

1.4.2. 종속변수 인코딩

종속변수 인코딩 박스로 원래값과 내부값이 설정되어 있다. 원래값 .00은 0, 1.00은 1로 코딩되었다. 로지스틱 회귀 분석에서 종속변수, 목표변수 또는 결과변수는 이진 변수다. 즉, 두 가지 가능한 결과만 있다. 표는 로지스틱 회귀 분석을 위해 이러한 이진 결과가 인코딩되는 방식을 보여준다.

[표 3] 종속변수 인코딩

종속변수 인코딩	
원래 값	내부 값
.00	0
1.00	1

열 설명을 실명하면, 원래 값은 이 열에는 데이디세트에 있는 종속변수의 실제 값을 표시한다. 내부 값은 이 열은 로지스틱 회귀 알고리즘에 의해 원래 값이 내부적으로 인코딩되는 방식을 보여준다.

값에서 원래 값 60점 이하(.00)는 내부 값 0으로는 원래 값 0.00 또는 종종 부정적인 결과 또는 특성의 부재를 나타내는 데 사용한다. 이 로지스틱 회귀 모델에 의해 내부적으로 0으로 인코딩된다는 것을 의미한다.

원래 값 60점 이상(1.00)은 내부 값 1로 이는 원래 값인 1.00은 긍정적인 결과나 특성의 존재를 나타내는 데 자주 사용된다. 이 로지스틱 회귀 모델에 의해 내부적으로 1로 인코딩된다는 것을 의미한다.

인코딩 목적에서 로지스틱 회귀는 결과 변수가 이진인 이진 분류 작업에 사용된다. 인코딩은 알고리즘이 예측해야 하는 범주를 이해할 수 있다. 값을 60점 미만(0)과 60점 이상(1)으로 인코딩하면 종속변수의 표현이 표준화된다. 이는 로지스틱 회귀 분석의 수학적 계산에 중요한 부분이다. 또한, 주어진 입력이 양성 클래스 즉, 1로 인코딩에 속할 확률을 모델링하는 데 사용되는 로지스틱 함수의 구현을 단순화할 수 있다.

로지스틱 회귀에서 주어진 입력이 특정 클래스에 속할 확률을 모델링한 것이다. 로지스틱 함수나 시그모이드 함수를 사용하여 0과 1 사이의 확률을 출력한다. 모델은 독립변수와 종속변수의 로그 승산 간의 관계를 설명하는 매개변수 또는 계수를 추정한다. 예를 들면, 고객이 제품을 구매할지(1), 구매하지 않을지(0) 예측하려는 이진 분류 문제에서 인코딩 테이블은 다음과 같이 결과를 매핑하는 데 도움을 준다. 고객이 제품을 구매하지 않은 경우 종속변수는 0이거나 내부적으로 0으로 인코딩되었다고 한다. 고객이 제품을 구매하는 경우 종속변수는 1이거나 내부적으로 1로 인코딩되었다고 한다. 이 인코딩은 로지스틱 회귀 모델이 결과 변수를 올바르게 해석하고 입력 특징을 기반으로 정확한 예측을 할 수 있게 한다.

이 표는 이진 종속변수가 60점 미만(0)과 60점 이상(1)으로 인코딩되는 로지스틱 회귀 전처리의 간단하면서도 필수적인 단계로, 이 인코딩은 로지스틱 회귀 알고리즘이 이러한 값을 사용하여 확률을 계산하고 분류하므로 올바르게 작동하는 데 중요한 부분이다.

1.4.3. 범주형 변수 코딩

범주형 변수 코딩을 설명하면, 다음과 같다. 기계 학습 및 통계 모델링 영역에서 정성적 변수라고도 하는 범주형 변수는 별개의 그룹 또는 클래스로 분류될 수 있는 속성 또는 특성을 나타낸다. 특정 범위 내의 모든 값을 가질 수 있는 연속형 변수와 달리 범주형 변수에는 사전 정의된 범주가 유한하다.

예를 들어, 개인의 성별에 대한 정보가 포함된 데이터세트를 생각하면, 성별 변수는 범주형이며 가능한 범주는 남성과 여성이다. 범주형 변수를 통계 모델, 특히 회귀 모델에 통합할 때 모델이 범주와 대상 변수 간의 관계를 효과적으로 포착할 수 있는 방식으로 이러한 변수를 인코딩하는 것이 중요하다. 이 프로세스를 범주형 변수 코딩이라 한다.

[표 4] 범주형 변수 코딩

범주형 변수 코딩					
		빈도	모수 코딩		
			(1)	(2)	(3)
race	hispanic	24	1.000	.000	.000
	asian	11	.000	1.000	.000
	african-amer	20	.000	.000	1.000
	white	145	.000	.000	.000
ses	low	47	1.000	.000	
	middle	95	.000	1.000	
	high	58	.000	.000	
female	male	91	1.000		
	female	109	.000		

일반적인 코딩 방식은 더미 코딩이다. 즉, 더미 코딩은 범주형 변수의 각 범주에 대해 새로운 이진 변수를 생성하는 간단한 접근 방식이다. 각 관측값에는 해당 범주에 대해 1의 값이 할당되고 다른 모든 범주에 대해서는 0이 할당한다. 예를 들어, 범주가 남성과 여성인 성별 변수를 생각하면, 더미 코딩을 사용하여 두 개의 새로운 이진 변수를 만들 수 있다. 개인이 남성이면 1, 그렇지 않으면 0 또는 개인이 여성이면 1, 그렇지 않으면 0으로 구분한다.

효과 코딩 또는 Helmert 코딩이라 하는 효과 코딩은 각 범주와 참조 범주 간의 차이를 나타내고자 한다. 참조 범주는 일반적으로 나열된 첫 번째 또는 마지막 범주이다. 성별 변수의 경우 남성이 참조 범주라고 가정하면 효과 코딩에는 남성은 1, 여성은 0, 또는 여성의 경우 −1, 남성의 경우 0으로 한다.

대비 코딩은 각 범주를 연구자가 정의할 수 있는 특정 대비와 비교한다. 이 접근 방식은 범주 간의 구체적인 대조를 탐색할 수 있다. 예를 들어, 남성 개인의 평균 급여를 여성 개인의 평균 급여와 비교할 수 있다. 대비 코딩에는 남성의 경우 1, 여성의 경우 −1로 코딩한다.

매개변수 코딩을 사용한 범주형 변수 코딩 표를 보면, 매개변수 코딩은 각 범주에 고유한 지표 계수가 할당되는 더미 코딩이다. 이러한 계수는 회귀 모델에서 종속변수에 대한 각 범주의 효과를 나타낼 수 있다. 이에 비해 더미 코딩은 특정 계수를 할당하지 않고 단순히 각 범주에 대한 이진 변수를 생성한다. 계수는 회귀분석으로 추정한다.

위의 표는 빈도 정보를 이용한 매개변수 코딩의 예를 보여준다. 첫 번째 행은 변수 ses의 범주 1.00을, 이 범주의 빈도는 47이며, 이는 ses 값이 1.00인 관측치가 47개 있다. 이 범주의 지표 계수는 1.000이다. 이는 모델이 범주 1.00을 참조 범주로 처리하고 해당 지표 계수를 사용하여 다른 범주 즉 2.00 또는 3.00의 효과를 이 참조 범주와 비교한다는 의미이다.

범주형 변수 코딩의 선택은 통계 모델의 해석과 결과에 영향을 미칠 수 있다. 코딩 방식이 다르면 매개변수 추정 및 해석이 달라질 수 있다. 연구 문제와 데이터의 특성에 맞는 코딩 방법을 선택하는 것이 중요하다.

위의 이미지처럼 설정을 하면, 아래의 그림과 같은 형태로 반환된다. race race(1) hispanic, race(2) asian, race(3) african−amer, race(4) white는 참조변수로 나타나지 않는다. ses의 경우 ses(1) low, ses(2) middle, ses(3) high는 참조변수로 나타나지 않는다. female에서 female(1), female(2) male은 참조변수이다.

1.4.4. 반복계산 과정

제시된 반복 계산 과정은 단계별로 각 단계에서 수행되는 작업을 보여준다. 또한, 제시된 정보를 바탕으로 모델의 특징과 계산 종료 조건을 분석한다.

[표 5] 반복계산 과정

반복계산과정[a,b,c]			계수
반복		-2 로그 우도	상수항
0 단계	1	223.129	-1.020
	2	222.710	-1.123
	3	222.710	-1.125
	4	222.710	-1.125
a. 모형에 상수항이 있습니다.			
b. 초기 -2 로그 우도: 222.710			
c. 모수 추정값이 .001보다 작게 변경되어 계산반복수 4에서 추정을 종료하였습니다.			

단계 0에서 −2 로그 우도 223.129, 상수항 또는 상수 계수 -1.020이다. 처음 단계에서 모델의 −2 로그 우도는 223.129로, −2 로그 우도는 모델의 적합도를 나타내는 지표로, 값이 낮을수록 모델이 데이터를 더 잘 설명한다. 상수항의 계수는 -1.020으로 상수항은 모든 관측치에 대해 동일한 영향을 미치는 변수이며, 그 계수는 모델에서 예측되는 평균값이다.

단계 1에서 −2 로그 우도 222.710, 상수항 또는 상수 계수 -1.123이다. 첫 번째 반복 후 −2 로그 우도는 222.710으로 감소했다. 이는 모델이 데이터를 더 잘 설명하게 되었다는 의미다. 상수항의 계수는 −1.123으로 변했다. 이는 모델에서 예측되는 평균값이 감소했다는 의미다.

단계 2에서 −2 로그 우도 222.710 상수항 또는 상수계수 -1.125로, 두 번째 반복 후 −2 로그 우도는 더 이상 감소하지 않고 222.710으로 유지되었다. 이는 모델의 최적값에 도달했음을 의미한다. 상수항의 계수는 다시 약간 감소했다.

단계 3 및 4에서 −2 로그 우도 222.710, 상수 계수 또는 상수항 -1.125다. 세 번째 및 네 번째 반복에서 −2 로그 우도와 상수항의 계수는 더 이상 변하지 않았다. 이는 모델이 수렴 상태에 도달했다는 의미다.

모델의 특징을 보면, 모델에는 상수항이 포함되어 있다. 모델의 −2 로그 우도는 222.710이다. 모델의 최적값은 네 번째 반복에서 도출되었다. 모델의 수렴 조건은 모수 추정값이 0.001보다 작게 변경되는 것이다. 이 조건은 모델의 모수 추정값이 더 이상 크게 변하지 않는 경우, 즉 모델이 수렴 상태에 도달했다는 의미다. 이는 모델이 더 이상 개선되지 않을 가능성이 높다는 것을 나타내며, 따라서 계산을 종료한 것이다.

1.4.5. 분류표

분류표는 모델의 분류 정확도 및 특징을 담고 있다.

관측됨 열에는 모델에 입력된 데이터의 실제 값으로 우등생과 비우등생으로 이루어져 있다. 예측 열에는 모델이 예측한 각 관측치의 클래스를 나타낸다. 우등생과 비우등생으로 이루어져 있다.

예측 우등생 분류 정확 % 열은 각 클래스에 대한 모델의 분류 정확도를 백분율로 나타낸다. 우등생 모델은 모든 우등생(151)을 정확하게 우등생(151)으로 분류했다(100.0%). 비우등생 모델은 모든 비우등생(49)을 오류로 우등생(49)으로 분류했다(0.0%).

전체 퍼센트에서 이 행은 모델의 전체적인 분류 정확도를 백분율로 나타내며, 모델은 75.5%의 데이터를 정확하게 분류했다.

[표 6] 분류표

분류표a,b					
	관측됨		예측		
			우등생		분류정확 %
			.00	1.00	
0 단계	우등생	.00	151	0	100.0
		1.00	49	0	.0
	전체 퍼센트				75.5
a. 모형에 상수항이 있습니다.					
b. 절단값은 .500입니다.					

분류 정확도에서 모델의 전체 분류 정확도는 75.5%로 모델이 데이터를 어느 정도 정확하게 분류할 수 있다는 것을 의미한다. 하지만, 비우등생 클래스에 대한 분류 정확도가 0%라는 점에서 모델이 모든 데이터를 완벽하게 분류하지는 못하였음을 알 수 있다.

절단값(cutoff value)은 제시된 정보에 따르면, 모델의 절단값은 0.500로 로지스틱 회귀 모델에서 중요한 역할을 하는 지표이며, 이는 예측 확률이 0.500을 초과하는 경우 우등생으로 분류하고, 0.500 이하인 경우 비우등생으로 분류하는 기준값을 의미한다.

상수항에서 제시된 정보에 따르면, 모델에 상수항이 포함되어 있다. 상수항은 모든 관측치에 대해 동일한 영향을 미치는 변수이며, 그 계수는 모델에서 예측되는 평균값을 나타낸다.

분류 모델의 성능을 평가하기 위해서는 분류 정확도 외에도 민감도, 특이도, F1 점수 등 다양한 지표를 사용할 수 있고, 모델의 성능을 향상시키기 위해서는 데이터 전처리, 모델 학습 방법 조정, 하이퍼파라미터 튜닝 등 다양한 방법을 고려할 수 있다.

1.4.6. 방정식 변수

변수로 상수항이 존재한다. 모든 관측치에 대해 동일한 영향을 미치는 변수이며, 모델에서 예측되는 평균 로그 오즈를 나타낸다.

B 계수(회귀 계수)는 -1.125. 이는 로그 오즈 척도에서 상수항의 값을 나타낸다.

S.E. 계수 (표준 오차)는 .164. 이는 상수항 추정값의 표준 오차로, 표준 오차가 작을수록 추정값의 신뢰도가 높아진다.

[표 7] 방정식의 변수

방정식의 변수						
		B	S.E.	Wald	자유도	유의확률	Exp(B)
0 단계	상수항	-1.125	.164	46.860	1	.000	.325

Wald 통계량은 46.860으로 상수항이 모델에 통계적으로 유의한 영향을 미치는지 검증하는 Wald 검정의 통계량이다. Wald 통계량이 크고 유의확률이 작을수록 변수가 모델에 더 중요한 영향을 미친다는 것을 의미한다.

자유도는 1로 회귀 모델에서 추정된 매개변수의 개수를 나타낸다. 본 모델에서는 상수항만 추정되므로 자유도는 1이다.

유의확률 (p-value)은 .000이고, Wald 검정의 p-value를 나타낸다. p-value이 0.05보다 작으면 변수가 모델에 통계적으로 유의한 영향을 미친다고 판단한다. p-value가 0.000으로 매우 작으므로 상수항이 모델에 유의한 영향을 미친다는 것을 알 수 있다.

Exp(B)는 .325로 상수항의 B 계수를 오즈 척도로 변환한 값이다. 오즈는 두 사건의 발생 가능성 비율을 나타내는 지표이다. 상수항의 Exp(B) 값이 0.325, 즉, 예측 대상이 성공일 가능성은 실패일 가능성보다 약 0.325배 낮다는 것을 의미한다.

모델의 적합도를 평가하는 데 사용되는 지표는 제시되지 않았다. 일반적으로 이분형 로지스틱 회귀 모델의 적합도를 평가하는 데 사용되는 지표로는 Nagelkerke의 R^2[8], McFadden의 R^2[9], AIC(Akaike Information

Criterion)[10]과 BIC(Bayesian Information Criterion)[11]등이 있다. 제시되지 않았다.

$$p(y=1|x) = 1/(1 + \exp(-\beta_0 + \sum \beta_i x_i))$$

여기서, $p(y=1|x)$는 x가 주어졌을 때 y가 1일 확률 (성공 가능성)이고, β_0는 상수항, β_i는 i번째 독립 변수의 회귀 계수, x_i는 i번째 독립 변수의 값이다.

로지스틱 회귀 함수를 통한 예측 가능성을 분석하면, 예를 들어, 위의 결과 표에서 상수항(β_0)은 −1.125이고, 독립변수 x1의 회귀계수(β_1)은 0.562라고 가정하면, 그리고, 독립변수 x1의 값이 2라고 가정하면, 특정 관측치 y가 1일 확률 또는 성공 가능성은 다음과 같이 계산한다.

p(y=1 | x1=2) = 1 / (1 + exp(-(-1.125 + 0.562 * 2))) = 0.732

따라서, 독립변수 x1의 값이 2인 특정 관측치 y가 1일 확률은 73.2%이다. 즉, 성공할 가능성이 높다고 판단할 수 있다.

로지스틱 회귀 모델에서 오즈 비는 두 그룹 간의 성공 가능성 비율을 나타낸다. 예를 들어, 위 예시에서 독립변수 x1의 값이 1 증가하면 로지스틱 회귀 함수의 지수 부분이 0.562만큼 증가한다. 즉, 오즈 비는 exp(0.562)fh 약 1.74배가 된다. 따라서, 독립변수 x1의 값이 1 증가할 때마다 성공할 가능성이 약 1.74배 높아진다고 해석한다.

주의할 사항으로 예측 확률은 0과 1 사이의 값을 가지며, 0.5보다 크면 성공 가능성이 높고, 0.5보다 작으면 실패 가능성이 높다고 판단한다. 오즈 비는 두 그룹 간의 성공 가능성 비율을 나타내는 지표이지만, 그 자체로는 성공 또는 실패를 판단하는 기준으로 사용될 수 없다. 모델의 예측 성능은 사용된 데이터, 모델 학습 방법, 하이퍼파라미터 설정 등에 따라 달라질 수 있

---

8) 설명 변수들이 종속 변수를 얼마나 잘 설명하는지를 나타내는 지표로 값이 클수록 모델의 적합도가 높아진다.
9) Nagelkerke의 R^2와 유사한 지표이지만, 작은 표본 크기에서 더 안정적인 것으로 알려져 있다.
10) 모델의 복잡성과 적합도를 동시에 고려하는 지표로 값이 작을수록 더 적합한 모델임을 의미한다.
11) AIC와 유사한 지표이지만, 더 큰 표본 크기에서 더 적합한 것으로 알려져 있다.

다.

1.4.7. 방정식에 없는 변수

종류별 분류에서 성별 변수에서 female(1)은 성별(여성 = 1, 남성 = 0)
이고, race 인종으로 카테고리형 변수이다. race(1)은 hispanic, race(2)
asian, race (3) african-amer으로 인종의 각 카테고리에 대한 더미 변수이
나. white은 참조 집단이다. ses는 사회경제적 지위로 ses(1) low, ses(2)
middle이다. ses (3) high는 참조 집단으로 사회경제적 지위의 더미 변수이
다. 학업 성취도 변수로 reading score 독서 점수(연속형 변수), math score
수학 점수 (연속형 변수), science score 과학 점수(연속형 변수)가 있다.

[표 8] 방정식에 없는 변수

			점수	자유도	유의확률
0 단계	변수	female(1)	3.056	1	.080
		race	9.022	3	.029
		race(1)	3.854	1	.050
		race(2)	2.763	1	.096
		race(3)	2.526	1	.112
		ses	12.673	2	.002
		ses(1)	.951	1	.329
		ses(2)	5.737	1	.017
		reading score	39.252	1	.000
		math score	51.121	1	.000
		science score	30.980	1	.000
	전체 통계량		65.159	9	.000

통계량에서 점수는 각 변수가 모델에 미치는 영향력을 나타내는 Wald 검
정 통계량으로 값이 클수록 해당 변수가 모델에 더 큰 영향을 미친다는 것을
의미한다.

자유도는 회귀 모델에서 추정된 매개변수의 개수로 본 모델에서는 9개의
변수가 있으므로 자유도는 9이다.

유의확률 (p-value)은 각 변수의 Wald 검정 결과의 유의성을 나타내는 지
표으로 값이 0.05보다 작으면 해당 변수가 모델에 통계적으로 유의한 영향을
미친다고 판단한다.

변수별 영향력을 분석하면, 성별에서 female(1) 변수의 p-value는 0.080으로 0.05보다 크므로 성별은 모델에 통계적으로 유의한 영향을 미치지 않는다.

인종은 race 변수의 p-value는 0.029로 0.05보다 작으므로 인종은 모델에 통계적으로 유의한 영향을 미친다. 하지만, race(1), race(2), race(3) 변수들의 p-value는 모두 0.05보다 크므로, 특정 인종 그룹만 모델에 유의한 영향을 미치는 것은 아닌 것 같다.

사회경제적 지위인 ses 변수의 p-value는 0.002로 0.05보다 작고, ses(2) 변수의 p-value는 0.017로 0.05보다 작으므로 사회경제적 지위는 모델에 통계적으로 유의한 영향을 미치는 것으로 판단한다.

학업 성취도인 reading score, math score, science score 변수들의 p-value는 모두 0.000으로 매우 작으므로 학업 성취도는 모델에 매우 유의한 영향을 미친다. 특히, 변수의 점수가 가장 높아 학업 성취도 중에서도 수학 점수가 모델에 가장 큰 영향을 미치는 것으로 보인다.

통계량 해석에서 제시된 통계량인 점수, 자유도, 유의확률에서 각 변수가 모델에 미치는 영향력을 평가하는 데 중요한 역할을 한다. 점수에서 높은 점수는 해당 변수가 모델에 더 큰 영향을 미친다는 것을 의미한다. 자유도는 회귀 모델에서 추정된 매개변수의 개수를 나타낸다. 유의확률(p-value)은 낮은 p-value는 해당 변수가 모델에 통계적으로 유의한 영향을 미친다는 것을 의미한다. 일반적으로 p-value가 0.05보다 작으면 유의하다고 판단한다.

또한, 추가로 고려해야 할 사항으로 다중 공선성, 모델비교와 잔차 분석 등이 있다. 다중 공선성은 모델에 포함된 변수들 간에 높은 상관관계가 존재할 경우 다중 공선성 문제가 발생할 수 있다. 다중 공선성은 모델의 안정성을 저하시키고 계수 추정의 정확도를 떨어뜨릴 수 있다. 따라서, 모델 분석 시 다중 공선성 진단을 수행하고 필요한 경우 변수 선택 또는 변환 등을 고려해야 한다. 또한, 서로 다른 모델들을 비교하여 가장 적합한 모델을 선택하는 것이 중요하다. AIC, BIC 등의 정보 기준을 사용하여 모델들을 비교할 수 있다. 마지막으로, 모델의 잔차를 분석하여 모델의 적합성을 평가하고, 잠재적인 문제점을 파악할 수 있다.

1.4.8. 방정식에 없는 변수

단계별 결과를 해석하면, 1단계에서 −2 로그 우도 164.130으로, 이는 모델이 관측된 데이터를 얼마나 잘 설명하는지를 나타내는 지표이다. 값이 작을수록 모델의 적합도가 높아진다.

계수는 각 변수의 회귀계수를 의미한다. 회귀계수는 각 변수가 종속변수에 미치는 영향력을 나타낸다. 예를 들어, female(1) 변수의 회귀계수가 −0.498이라는 것은 여성일 경우 종속변수 값이 0.498만큼 감소한다는 것을 의미한다.

[표 9] 블록 1: 방법 = 입력반복계산과정

블록 1: 방법 = 입력											
반복계산과정a,b,c,d											
						계수					
반복		-2 로그 우도	상수항	female (1)	race (1)	race (2)	race (3)	ses (1)	ses (2)	reading score	math score	science score
1 단 계	1	164.130	-5.864	-.498	.018	.523	.021	-.230	-.559	.027	.058	.017
	2	150.364	-9.134	-.872	-.027	.797	.100	-.277	-.755	.040	.085	.036
	3	148.658	-10.762	-1.086	-.106	.970	.137	-.312	-.813	.045	.095	.050
	4	148.608	-11.082	-1.132	-.140	1.013	.136	-.324	-.820	.047	.096	.053
	5	148.608	-11.093	-1.134	-.142	1.014	.135	-.325	-.821	.047	.096	.053
	6	148.608	-11.093	-1.134	-.142	1.014	.135	-.325	-.821	.047	.096	.053
a. 방법: 입력											
b. 모형에 상수항이 있습니다.											
c. 초기 -2 로그 우도: 222.710											
d. 모수 추정값이 .001보다 작게 변경되어 계산반복수 6에서 추정을 종료하였습니다.											

2단계 이후의 이후 단계에서는 각 계수의 변화가 점점 작아지고, 6단계에서 −2 로그 우도와 계수의 변화가 0.001 미만으로 나타나 계산이 종료된다.

통계량 해석에서 −2 로그 우도는 위와 동일하고, 값이 작을수록 모델이 관측된 데이터를 더 잘 설명한다는 의미다. 일반적으로 −2 로그 우도 값이 100 미만이면 모델의 적합도가 양호하다고 판단한다.

회귀계수는 각 독립변수가 종속변수에 미치는 영향력을 나타내는 지표로 양의 회귀계수는 독립변수의 값이 증가하면 종속변수의 값도 증가한다는 것을 의미한다. 반면에 음의 회귀계수는 독립변수의 값이 증가하면 종속변수의 값은 감소한다는 것을 의미한다.

반복 계산 과정을 종료하는 조건으로 일반적으로 다음과 같은 기준 중 하나에 만족하면 종료된다. 최대 반복 횟수에 도달하면, 미리 설정된 최대 반복 횟수에 도달하면 계산을 종료한다. 최대 허용 오차에서 계수 추정값의 변화가 미리 설정된 최대 허용 오차 미만이면 계산을 종료한다. 본 예시에서는 최대 허용 오차가 0.001로 설정되어 있고, 6단계에서 모든 계수 추정값의 변화가 0.001 미만이기 때문에 계산이 종료되었다. 변화량 감소에서 이전 반복 단계에 비해 계수 추정값의 변화량이 감소하는 추세가 지속되면 계산을 종료한다.

1.4.9. 모형요약과 Hosmer와 Lemeshow 검정

1) 모형 계수의 총괄 검정

모형 계수의 총괄 검정은 로지스틱 회귀 모델에서 모든 독립 변수들이 종속 변수에 유의한 영향을 미치는지를 검정하는 통계 검정이다.

본 검정에서는 카이제곱(χ^2) 통계량을 사용한다. 카이제곱 값이 클수록, 모형이 종속변수를 설명하는 데 더 유용하다는 것을 의미한다. 자유도는 모델에 포함된 독립변수의 개수와 상수항을 제외한 개수를 의미한다. 유의확률 (p-value)은 카이제곱 값이 우연히 발생할 확률을 나타낸다. 일반적으로 유의확률이 0.05보다 작으면 모델이 통계적으로 유의하다고 판단한다.

[표 10] 모형요약과 Hosmer와 Lemeshow 검정

모형 계수의 총괄 검정				
		카이제곱	자유도	유의확률
1 단계	단계	74.102	9	.000
	블록	74.102	9	.000
	모형	74.102	9	.000
모형 요약				
단계	-2 로그 우도	Cox와 Snell의 R-제곱		Nagelkerke R-제곱
1	148.608a	.310		.461
a. 모수 추정값이 .001보다 작게 변경되어 계산반복수 6에서 추정을 종료하였습니다.				
= Hosmer와 Lemeshow 검정 =				
단계	카이제곱	자유도		유의확률
1	4.765	8		.782

카이제곱 74.102, 자유도 9, 유의확률 .000으로 유의확률이 0.05보다 작기 때문에 모든 독립변수들이 종속변수에 유의한 영향을 미친다고 판단될 수 있다. 모든 단계에서 유의확률이 .000이므로 모든 단계에서 모든 독립 변수들이 종속 변수에 유의한 영향을 미친다고 판단할 수 있다.

2) 모형 요약

모형 요약 표는 로지스틱 회귀 모델의 적합도를 평가하는 데 사용되는 지표들을 나타낸다. -2 로그 우도는 앞서 설명했듯이, 모델이 관측된 데이터를 얼마나 잘 설명하는지를 나타내는 지표다. 값이 작을수록 모델의 적합도가 높아진다. 본 예시에서는 -2 로그 우도 값이 148.608이다.

Cox와 Snell의 R-제곱은 설명 변수들이 종속 변수의 분산을 얼마나 설명하는지를 나타내는 지표다. 값이 0과 1 사이의 값을 가지며, 1에 가까울수록 설명력이 높아진다. 일반적으로 0.2 이상이면 적절한 수준으로 판단한다. 본 예시에서는 Cox와 Snell의 R-제곱 값이 .310이다.

Nagelkerke R-제곱은 Cox와 Snell의 R-제곱과 유사한 지표이지만, 설명 변수들이 종속변수의 평균 수준을 얼마나 잘 설명하는지를 고려한다. Cox와 Snell의 R-제곱과 마찬가지로 0과 1 사이의 값을 가지며, 1에 가까울수록 설명력이 높아진다. 본 예시에서는 Nagelkerke R-제곱 값이 .461이다.

그러므로 예시에서 -2 로그 우도 값은 낮고, Cox와 Snell의 R-제곱 및 Nagelkerke R-제곱 값은 0.2 이상으로 나타나 모델이 관측된 데이터를 적절하게 설명하는 것으로 판단할 수 있다.

3) Hosmer와 Lemeshow 검정

Hosmer와 Lemeshow 검정은 로지스틱 회귀 모델이 새로운 데이터를 얼마나 잘 예측하는지를 평가하는 데 사용되는 적합도 검정이다.

검정에서는 카이제곱(χ^2) 통계량을 사용한다. 카이제곱 값이 작을수록, 모델이 새로운 데이터를 잘 예측한다는 것을 의미한다. 자유도는 그룹의 개수를 의미한다. 유의확률(p-value)은 카이제곱 값이 우연히 발생할 확률을 나타낸다. 일반적으로 유의확률이 0.05보다 크면 모델이 새로운 데이터를 잘 예측한다고 판단할 수 있다.

카이제곱 4.765, 자유도 8, 유의확률 .782로, 유의확률이 0.05보다 크기 때문에 모델이 새로운 데이터를 잘 예측한다고 판단할 수 있다. 모든 단계에서 유의확률이 0.05보다 크므로 모든 단계에서 모델이 새로운 데이터를 잘 예측한다고 판단할 수 있다.

Hosmer와 Lemeshow 검정의 장점과 단점을 보면, 장점으로 직관적이고 해석하기 쉽고, 다양한 표본 크기에 적용 가능하지만, 단점으로 그룹의 크기가 5 이상이어야 검정력이 충분하고, 종속변수의 분포가 이분형이어야 한다.

1.4.10. Hosmer와 Lemeshow 검정 분할표와 분류표

Hosmer와 Lemeshow 검정은 로지스틱 회귀 모델의 적합도를 평가하는 데 사용되는 검정으로 이 검정은 모델이 관측된 데이터를 잘 설명하는지 여부를 판단한다. 이를 위해 데이터는 여러 개의 그룹(대개 10개)으로 나뉘며, 각 그룹에서의 관측된 값과 예측된 값의 빈도를 비교한다. 분할표는 이러한 비교를 요약한 것이다.

1) Hosmer와 Lemeshow 검정 분할표

Hosmer와 Lemeshow 검정 분할표는 Hosmer와 Lemeshow 검정의 결과를 더 자세하게 살펴보기 위한 표로, 구성 요소에는 종속 변수 값인 우등생으로 우등생 여부를 나타낸다. 관측됨은 실제 관측된 데이터의 수를 나타낸다. 예측됨은 모델에 의해 예측된 데이터의 수를 나타낸다.

[표 11] Hosmer와 Lemeshow 검정 분할표와 분류표

Hosmer와 Lemeshow 검정에 대한 분할표					
		우등생 = .00		우등생 = 1.00		전체
		관측됨	예측됨	관측됨	예측됨	
1 단계	1	20	19.830	0	.170	20
	2	20	19.510	0	.490	20
	3	19	19.172	1	.828	20
	4	19	18.575	1	1.425	20
	5	19	17.906	1	2.094	20
	6	16	16.684	4	3.316	20
	7	15	15.013	5	4.987	20
	8	9	12.329	11	7.671	20
	9	9	8.408	11	11.592	20
	10	5	3.573	15	16.427	20

분류표a					
	관측됨		예측		
			우등생		분류정확 %
			.00	1.00	
1 단계	우등생	.00	140	11	92.7
		1.00	23	26	53.1
	전체 퍼센트				83.0

a. 절단값은 .500입니다.

위 표에서 다음과 같은 정보를 확인할 수 있습니다. 우등생이 아닌 경우 (0.00)의 실제 관측된 데이터는 20개이다. 모델은 19.830개의 데이터를 우등생이 아닌 것으로 예측했다. 0.170개의 데이터는 모델의 예측과 다르다.

우등생인 경우(1.00)는 실제 관측된 데이터는 0개이며, 모델은 0.170개의 데이터를 우등생으로 예측했다. 0.170개의 데이터는 모델의 예측과 다르다. 실제 관측된 데이터는 20개이며, 모델은 20.000개의 데이터를 예측했다. 0개의 데이터는 모델의 예측과 달랐다.

위 표에서는 우등생 여부(0.00, 1.00)에 따라 데이터를 그룹화하여 분석하고 있다. 각 그룹에서 관측된 데이터 수와 모델에 의해 예측된 데이터 수를 비교하여 모델의 예측 정확도를 평가할 수 있다.

Hosmer와 Lemeshow 검정 통계량을 해석하면, 다음과 같다. Hosmer와 Lemeshow 검정 분할표는 Hosmer와 Lemeshow 검정 통계량(카이제곱 값, 자유도, 유의확률)과 함께 제시된다. 이러한 통계량을 통해 모델이 새로운 데이터를 얼마나 잘 예측하는지를 평가할 수 있다.

추가로 고려할 사항은 우등생 여부 외에도 다른 분류 기준을 사용하여 데이터를 그룹화하여 분석할 수 있으며, 여러 모델의 Hosmer와 Lemeshow 검정 분할표를 비교하여 더 나은 성능을 가진 모델을 선택할 수 있고, 모델의 잔차를 분석하여 모델의 적합성을 평가하고, 잠재적인 문제점을 파악할 수 있다.

각 그룹의 예측값과 관측값의 비교를 통해 모델의 적합도를 평가할 수 있다. Hosmer와 Lemeshow 검정의 통계량과 p-값은 이러한 비교를 바탕으로 계산되며, p-값이 0.05보다 크다면 모델이 데이터에 잘 적합된다고 하고, 반면, p-값이 0.05보다 작다면 모델이 데이터에 잘 적합되지 않는다고 볼 수 있다.

제공된 표에서는 대부분 그룹에서 예측값과 관측값이 유사하게 나타났으나, 일부 그룹(특히 8단계와 10단계)에서는 차이가 크다. 이러한 차이가 Hosmer와 Lemeshow 검정 결과에 영향을 미칠 수 있다. 검정 통계량과 p-값을 통해 모델의 전체 적합도를 평가하고, 필요시 모델을 개선하기 위한 추가 조치를 고려해야 한다.

2) 분류표

분류표는 분류 모델의 성능을 평가하는 데 사용되며, 제공된 분류표는 우등생 여부를 예측하는 모델의 결과를 요약한 것이다.

표의 구조의 보면, 관측됨(Observed)은 실제로 관측된 우등생 여부를 나타낸다. .00은 우등생이 아닌 경우, 1.00은 우등생인 경우로 나눈다. 예측

(Predicted)은 모델이 예측한 우등생 여부를 나타낸다. .00은 우등생이 아닌 것으로 예측한 경우, 1.00은 우등생인 것으로 예측한 경우이다.

분류정확 %(Classification Accuracy %)는 각 클래스에 대해 모델의 정확도를 나타낸다.

우등생이 아닌 경우(.00)로 실제로 우등생이 아닌 학생이 151명 (140 + 11) 있다. 모델이 우등생이 아닌 것으로 예측한 경우가 140명이다. 모델이 우등생인 것으로 잘못 예측한 경우가 11명이다. 우등생이 아닌 경우에 대한 정확도는 92.7%이다. (140/151 * 100)

우등생인 경우(1.00)로 실제로 우등생인 학생이 49명 (23 + 26) 있다. 모델이 우등생이 아닌 것으로 잘못 예측한 경우가 23명이다. 모델이 우등생인 것으로 올바르게 예측한 경우가 26명이다. 우등생인 경우에 대한 정확도는 53.1%이다. (26/49 * 100)

전체 데이터셋에서 모델의 정확도는 83.0%이다. 이는 모든 예측이 올바르게 이루어진 비율을 나타낸다. 절단값이 .500으로 설정되어 있다. 이는 예측 확률이 0.5 이상이면 우등생(1.00)으로, 그렇지 않으면 우등생이 아닌 것으로 (.00) 분류하는 기준이다.

모델은 우등생이 아닌 경우를 매우 잘 예측한다(92.7%). 모델은 우등생인 경우를 예측하는 데 상대적으로 덜 정확하다(53.1%). 전체적으로, 모델의 예측 정확도는 83.0%이다. 이 분류표를 통해 모델이 우등생 여부를 예측하는 데 있어서 우등생이 아닌 경우에는 높은 정확도를 보이는 반면, 우등생인 경우에는 개선이 필요함을 알 수 있다.

1.4.11. 방정식의 변수

1) 노령연금 인지에 관한 결과

종속변수인 노령연금 인지에서 인지함은 내부값 0, 인지못함은 내부값 1로 코딩하였다. 성별 변수에서 참조변수 성별은 여성으로 설정하여 분석 결과를 살펴보면, 베타 값은 -1.422로 이는 남성이 여성에 비해 노령연금을 모를 확률이 낮다는 것을 의미한다. 즉, 남성이 노령연금을 알고 있을 가능성이 더 높다는 것을 나타낸다. Exp(B) 값은 0.241로 1보다 작으므로 이는 남성이 참조변수 여성보다 노령연금 인지 인지못함일 확률이 0.241배로 감소함을 의미한다. 즉, 남성은 여성에 비해 노령연금을 모를 가능성이 75.9% 낮고, 알고 있을 가능성이 더 높다. 이 분석결과는 유의확률 1%에서 유의하다 (p = 0.000).

[표 12] 노령연금 인지

구분		회귀계수 (B)	표준오차 (S.E.)	검정통계량 (Wald)	유의확률 (p-value)	확률 Exp(B)
성별(남성)		-1.422	0.325	19.173	0.000	0.241
연령대 (기준 80세 이상)				7.903	0.095	
연령대	60~64세	-1.119	0.989	1.280	0.258	0.327
	65~69세	-1.728	0.948	3.321	0.068	0.178
	70~74세	-1.810	0.949	3.639	0.056	0.164
	75~79세	-0.611	0.974	0.394	0.530	0.543

연령대별 변수에서 기준 연령대는 "80세 이상"이며, 연령대 "65~69세"의 베타 값은 -1.728, Exp(B) 값은 0.178로 1보다 작으므로 기준 연령대인 "80세 이상"보다 노령연금 인지 인지못함일 확률이 0.178배 감소함을 의미한다. 즉, 65~69세 집단은 80세 이상보다 노령연금을 모를 가능성이 82.2% 감소하는 것을 의미한다. 이것은 유의확률 10%에서 유의하다 (p = 0.068).

연령대 "70~74세"의 베타 값은 -1.810, Exp(B) 값은 0.164로 1보다 작으므로 기준 연령대인 "80세 이상"보다 노령연금 인지 인지못함일 확률이 0.164배 감소함을 의미한다. 즉, 70~74세 집단은 80세 이상보다 노령연금을 모를 가능성이 83.6% 감소하는 것을 의미한다. 이것은 유의확률 10%에서 유의하다 (p = 0.056). 그러므로 65~69세 집단은 80세 이상 집단보다 노령연금 인지의 가능성이 82.3% 높았고, 연령대 70~74세 집단도 80세 이상 집단보다 노령연금 인지의 가능성이 83.6% 높았다.

로지스틱 회귀 분석 결과를 요약하면, 노령연금 인지에 영향을 주는 요인들을 유의확률 10% 범위에서 살펴보면 여성은 남성보다 노령연금 인지 가능성이 75.9% 감소하며(p=0.000), 연령대가 노령연금 인지에 유의미한 영향을 미치며(p=0.095), 65~69세의 경우 노령연금을 모를 확률이 80세 이상을 기준으로 약 82.2% 감소하며(p=0.068), 70~74세의 경우 노령연금을 모를 확률이 80세 이상을 기준으로 약 83.6% 감소한다(p=0.056).

2) 성별에 따른 해석

위의 표는 로지스틱 회귀 분석 결과를 요약한 것이다. 이 표에서 각 변수의 회귀계수(B), 표준 오차(S.E.), Wald 통계량(Wald), 자유도(df), 유의확률(p-value), 오즈비(Exp(B)) 및 오즈비의 95% 신뢰구간 하한과 상한을 보여준다.

[표 13] 방정식의 변수

		B	S.E.	Wald	자유도	유의확률	Exp(B)	EXP(B)에 대한 95% 신뢰구간	
								하한	상한
1 단계a	female(1)	-1.134	.461	6.055	1	.014	.322	.131	.794
	race			1.419	3	.701			
	race(1)	-.142	.915	.024	1	.876	.867	.144	5.215
	race(2)	1.014	.873	1.349	1	.245	2.758	.498	15.278
	race(3)	.135	1.042	.017	1	.897	1.144	.149	8.820
	ses			3.110	2	.211			
	ses(1)	-.325	.609	.285	1	.594	.723	.219	2.384
	ses(2)	-.821	.469	3.061	1	.080	.440	.176	1.104
	reading score	.047	.028	2.685	1	.101	1.048	.991	1.108
	math score	.096	.034	7.781	1	.005	1.101	1.029	1.177
	science score	.053	.034	2.437	1	.118	1.055	.986	1.128
	상수항	-11.093	2.051	29.253	1	.000	.000		

a. 변수가 1: female, race, ses, reading score, math score, science score 단계에 입력되었습니다.

female(1)에서 B -1.134, 회귀계수 B는 변수 female이 1(여성)일 때의 효과를 나타낸다. 음수인 -1.134는 여성일 때 우등생일 확률이 남성에 비해 낮아짐을 의미한다. S.E.(표준 오차) .461로 회귀계수의 표준 오차이다. 표본의 변동성을 나타내며, 계수의 신뢰성을 평가하는 데 사용한다. Wald 6.055로 Wald 통계량은 회귀계수가 0과 유의하게 다른지 여부를 테스트한다. 자유도 1로 해당 변수에 대한 자유도이다. 유의확률(p-value) .014로 p-value가 0.05보다 작으므로, female 변수가 우등생 여부에 유의미한 영향을 미친다. Exp(B) .322로 오즈비(Odds Ratio)다. Exp(B) 값이 0.322로, 이는 여성이 남성에 비해 우등생일 오즈가 약 0.322배임을 의미한다. 참조 집단 남성이 여성보다 우생일 가능성이 67.8% 높다.

Exp(B)에 대한 95% 신뢰구간에서 하한 .131 상한 .794으로 오즈비의 95% 신뢰구간으로, 실제 오즈비가 0.131에서 0.794 사이에 있을 가능성이 95%임을 의미한다.

3) 인종별에 따른 해석

race 변수에서 보면, B 1.419로 race 변수의 회귀계수는 총 3개의 dummy 변수로 구성되어 있어, 여기서는 변수 전체에 대한 통계량을 나타낸다.

자유도 3으로, race 변수는 3개의 dummy 변수로 구성되어 있으므로 자유도는 3이다. 유의확률(p-value) .701로 p-value가 0.05보다 크므로, race 변수는 우등생 여부에 유의미한 영향을 미치지 않았다.

race(1) hispanic의 B .142로 첫 번째 인종 더미 변수의 회귀계수다. S.E.(표준 오차) .915, Wald .024, 자유도 1, 유의확률(p-value) .876로 p-value가 0.05보다 크므로, 이 변수는 유의미하지 않았다. Exp(B) .867로 오즈비로, 해당 인종의 우등생일 오즈가 기준 인종에 비해 0.867배임을 의미한다. Exp(B)에 대한 95% 신뢰구간에서 하한 .144, 상한 5.215로 신뢰구간이 넓고 1을 포함하므로, 이 변수의 오즈비는 유의미하지 않다.

p-value(유의 확률)가 0.876으로 0.05보다 크므로 race(1) hispanic 변수는 통계적으로 유의미하지 않다. 즉, 이 변수는 우등생 여부를 예측하는 데 유의한 영향을 미치지 않지만, Exp(B) 0.867으로 해석만 하면, 해당 인종(race(1) hispanic)의 학생이 우등생일 오즈는 기준 인종(race white) 학생 대비 0.867배라는 것을 의미한다. 즉, race(1) hispanic 그룹의 학생은 기준 인종 그룹 학생에 비해 우등생이 될 확률이 13.3% 낮다

두 번째 인종 더미 변수의 회귀 계수인 race(2) asian의 B 1.014, S.E.(표준 오차) .873, Wald 1.349, 자유도 1, 유의확률(p-value) .245으로 p-value가 0.05보다 크므로, 이 변수는 유의미하지 않다. Exp(B) 2.758로 해당 인종의 우등생일 오즈가 기준 인종에 비해 2.758배임을 의미한다.

즉, p-value(유의 확률) 0.245로 0.05보다 크므로 race(2) asian 변수는 통계적으로 유의미하지 않다. 즉, 이 변수는 우등생 여부를 예측하는 데 유의한 영향을 미치지 않는다. 하지만, Exp(B) 2.758로 해석을 하면, 해당 인종(asian)의 학생이 우등생일 오즈는 기준 인종(white) 학생 대비 2.758배라는 것을 의미한다. 즉, race(2) asian 그룹의 학생은 기준 인종 그룹 학생에 비해 우등생이 될 확률이 175.8% 높습니다.

오즈비 또는 Exp(B)를 해석할 때, 해당 변수의 값이 증가할 때 상대적인 오즈의 변화를 나타낸다. 오즈비가 1보다 크면 그 변수가 결과에 긍정적인 영향을 미치고, 1보다 작으면 부정적인 영향을 미친다고 해석한다.

그러므로 오즈비가 2.758일 때, 이를 백분율로 해석하려면 다음과 같은 계

산을 거친다. 오즈비가 1일 때는 영향이 없음을 의미한다. 오즈비에서 1을 뺀 값은 상대적인 증가분을 나타낸다. 예를 들어, 오즈비가 2.758인 경우는 2.758 - 1 = 1.758이다. 이 값에 100을 곱하면 백분율 증가율이 나온다. 1.758 × 100 = 175.8%이다. 따라서, 오즈비가 2.758이라는 것은 기준 인종 그룹 학생에 비해 해당 인종 그룹 학생이 우등생이 될 오즈가 175.8% 높다는 것을 의미한다.

오즈비가 2.758이라는 것은 기준 인종(white) 그룹에 비해 해당 인종 (asian) 그룹이 우등생이 될 오즈가 2.758배임을 의미한다. 이를 백분율로 해석하면 1.758 (즉, 175.8%)만큼 더 높다는 것을 의미한다. 이와 같이 오즈비의 해석을 통해 해당 변수가 결과 변수에 미치는 영향을 상대적으로 이해할 수 있다.

세 번째 인종 더미 변수의 회귀계수 race(3)의 B .135, S.E.(표준 오차) 1.042, Wald .017, 자유도 1, 유의확률(p-value) .897로 p-value가 0.05보다 크므로, 이 변수는 유의미하지 않다. 회귀계수 B는 race(3)이 1일 때 즉, 해당 인종 그룹일 때 우등생이 될 로그 오즈(log odds)가 0.135만큼 증가함을 의미한다. 이 값이 양수라는 것은 해당 인종이 우등생이 될 확률에 긍정적인 영향을 미친다는 뜻이다.

Exp(B) 1.144로 해당 인종의 우등생일 오즈가 기준 인종에 비해 1.144배임을 의미한다. 신뢰구간이 넓고 1을 포함하므로, 이 변수의 오즈비는 유의미하지 않다. Exp(B) (오즈비)가 1.144로 오즈비에 따르면, race(3) 상태의 학생이 우등생이 될 오즈가 기준 인종 상태의 학생에 비해 약 1.144배임을 의미한다. 이는 해당 인종의 학생이 기준 인종 학생에 비해 우등생이 될 오즈가 14.4% 증가하는 것을 의미한다.

종합적 결론으로 female(1) 변수는 우등생 여부에 유의미한 영향을 미치며, 여성의 경우 우등생일 오즈가 남성에 비해 낮았다. race 변수는 전체적으로 우등생 여부에 유의미한 영향을 미치지 않았다. race(1), race(2), race(3) 각각의 더미 변수도 유의미한 영향을 미치지 않았다.

이 결과를 바탕으로 모델의 각 변수에 대한 해석과 변수 중요성을 평가할 수 있나. 모델을 개신하기 위해 유의미하지 않은 변수들을 제기히거나 디른 변수를 추가하는 것을 고려할 수 있다.

4) 사회경제적 상태별에 따른 해석

제공된 표는 로지스틱 회귀 분석 결과를 요약한 것이다. 각 변수에 대해 회귀계수(B), 표준 오차(S.E.), Wald 통계량(Wald), 자유도(df), 유의확률 (p-value), 오즈비(Exp(B)) 및 오즈비의 95% 신뢰구간(하한, 상한)을 보여 준다.

먼저, ses(1) low 즉, Socioeconomic Status 1의 B -.325이다. 회귀계수 B는 ses(1)이 1일 때 즉, 특정 사회경제적 상태일 때 우등생이 될 확률이 감소함을 의미한다. 음수 값인 -.325는 해낭 사회경제석 상태가 우능생이 될 확률에 부정적인 영향을 미침을 나타낸다. 즉, 회귀계수 B는 ses(1)이 1 일 때 즉, 특정 사회경제적 상태일 때 우등생이 될 로그 오즈(log odds)가 0.325만큼 감소함을 의미한다. 이는 ses(1) 상태가 우등생이 될 확률에 부정 적인 영향을 미친다는 것을 나타낸다.

S.E.(표준 오차) .609, Wald .285, Wald 통계량은 회귀 계수가 0과 유의 하게 다른지 여부를 테스트한다. 자유도 1, 유의확률(p-value) .594로 p-value가 0.05보다 크므로, ses(1) 변수는 우등생 여부에 유의미한 영향을 미치지 않는다.

Exp(B) .723로 ses(1) 상태의 학생이 우등생이 될 오즈가 기준 상태 (high)의 학생에 비해 약 0.723배임을 의미한다. 신뢰구간이 넓고 1을 포함 하므로, 이 변수의 오즈비는 유의미하지 않다. 이는 ses(1) 상태의 학생이 우등생이 될 확률이 기준 상태의 학생에 비해 낮다는 것을 나타낸다.

오즈비가 0.723이라는 것은 오즈비가 1보다 작으면, 해당 상태의 학생이 우등생이 될 확률이 기준 상태의 학생에 비해 낮다는 것을 의미한다. 0.723 이 1보다 작기 때문에, 우등생이 될 확률이 낮아진 비율을 계산할 수 있다. 1에서 오즈비를 뺀 값을 백분율로 변환하면, 낮아진 정도를 파악할 수 있다. 오즈비가 0.723일 때 1 - 0.723 = 0.277로 이를 백분율로 변환하면, 0.277 × 100 = 27.7%이다. 이는 ses(1) 상태의 학생이 우등생이 될 확률이 기준 상태의 학생에 비해 약 27.7% 낮다는 것을 의미한다.

ses(2)의 B -.821, 회귀계수 B는 ses(2)이 1일 때 우등생이 될 확률이 감소함을 의미한다. 즉, 회귀계수 B는 ses(2)가 1일 때 우등생이 될 로그 오 즈(log odds)가 0.821만큼 감소함을 의미한다. 이는 ses(2) 상태가 우등생이 될 확률에 부정적인 영향을 미친다는 것을 나타낸다. S.E.(표준 오차) .469, Wald 3.061, 자유도 1, 유의확률(p-value) .080로 p-value가 0.05보다 크지만, 0.10보다 작으므로 약간의 유의성을 가질 수 있다. Exp(B) .440로 ses(2) 상태의 학생이 우등생이 될 오즈가 기준 상태의 학생에 비해 약 0.440배임을 의미한다. 신뢰구간이 넓고 1을 포함하므로, 이 변수의 오즈비는 통계적으로 유의미하지 않다.

즉, Exp(B)(오즈비) 0.440는 ses(2) 상태의 학생이 우등생이 될 확률은 기준 상태의 학생에 비해 약 56% 낮다. 이는 ses(2) 상태의 학생이 기준 상태의 화생에 비해 우등생이 될 가능성이 낮지만, 이 차이가 통계적으로 유의미하지 않다는 것을 의미한다. 그러나 10% 유의수준에서 유의하였다.

5) reading score에 따른 해석

reding score(읽기 점수)의 B .047로 읽기 점수가 1점 증가할 때, 우등생이 될 확률이 증가함을 의미한다.

S.E.(표준 오차) .028, Wald 2.685, 자유도 1, 유의확률(p-value) .101으로 p-value가 0.05보다 크므로, 읽기 점수는 우등생 여부에 유의미한 영향을 미치지 않는다.

Exp(B) 1.048로 읽기 점수가 1점 증가할 때 우등생이 될 오즈가 약 1.048배 증가함을 의미한다. 약 4.8% 증가함을 의미한다. 신뢰구간이 1에 가깝고, p-value가 0.05보다 크므로, 이 변수의 오즈비는 유의미하지 않다.

회귀계수 (B) 0.047로 양수이고, 읽기 점수가 1점 증가할 때 우등생이 될 로그 오즈가 0.047 증가함을 의미한다. 로그 오즈는 선형 모델에서 확률을 표현하는 방식이다. 오즈비 또는 Exp(B)가 1.048로 오즈비가 1.048이라는 것은 읽기 점수가 1점 증가할 때 우등생이 될 오즈가 약 1.048배가 됨을 의미한다. 이를 백분율로 해석하면, 1.048 − 1 = 0.048, 즉, 읽기 점수가 1점 증가할 때 우등생이 될 확률이 약 4.8% 증가함을 나타낸다.

요약하면, 읽기 점수(reading score)가 1점 증가할 때 우등생이 될 확률이 약 4.8% 증가하는 경향이 있지만, 이는 통계적으로 유의미하지 않았다

6) math score에 따른 해석

math score(수학 점수)의 B .096으로 수학 점수가 1점 증가할 때, 우등생이 될 확률이 증가함을 의미한다. S.E.(표준 오차) .034, Wald 7.781, 자유도 1, 유의확률 (p-value) .005로 p-value가 0.05보다 작으므로, 수학 점수

는 우등생 여부에 유의미한 영향을 미친다. Exp(B) 1.101로 수학 점수가 1점 증가할 때 우등생이 될 오즈가 약 1.101배 증가함을 의미한다. 10.1 증가함을 의미한다. Exp(B)에 대한 95% 신뢰구간에서 하한 1.029, 상한 1.177으로 신뢰구간이 1을 포함하지 않으므로, 이 변수의 오즈비는 통계적으로 유의미하다.

Exp(B) 또는 오즈비가 1.101로, 오즈비는 수학 점수가 1점 증가할 때 우등생이 될 오즈가 약 1.101배 증가함을 의미한다. 이는 수학 점수가 1점 증가할 때 우등생이 될 확률이 약 10.1% 증가함을 나티낸디. 이를 백분율로 해석하면, 1.101 − 1 = 0.101, 즉, 수학 점수가 1점 증가할 때 우등생이 될 확률이 약 10.1% 증가함을 나타낸다. 유의확률(p-value)이 0.005로 p-value가 0.05보다 작으므로, 수학 점수가 우등생 여부에 미치는 영향이 통계적으로 유의미함을 나타낸다.

요약하면, 수학 점수(math score)가 1점 증가할 때 우등생이 될 확률이 약 10.1% 증가하는 경향이 있으며, 이는 통계적으로 유의미하다. p-value가 0.05보다 작고 신뢰구간이 1을 포함하지 않으므로, 수학 점수가 우등생 여부에 미치는 영향은 명확하고 통계적으로 유의미하다.

7) science score에 따른 해석

science score(과학 점수)의 B .053으로 과학 점수가 1점 증가할 때, 우등생이 될 확률이 증가함을 의미한다. S.E.(표준 오차) .034, Wald 2.437, 자유도 1, 유의확률 (p-value) .118로 p-value가 0.05보다 크므로, 과학 점수는 우등생 여부에 유의미한 영향을 미치지 않는다. Exp(B) 1.055로 과학 점수가 1점 증가할 때 우등생이 될 오즈가 약 1.055배 증가함을 의미하고, 5.5% 증가함을 의미한다. 신뢰구간이 1을 포함하므로, 이 변수의 오즈비는 유의미하지 않다.

과학 점수(science score)가 1점 증가할 때 우등생이 될 확률이 약 5.5% 증가하는 경향이 있지만, 이는 통계적으로 유의미하지 않다. p-value가 0.05보다 크고 신뢰구간이 1을 포함하므로, 과학 점수가 우등생 여부에 미치는 영향은 명확하지 않으며, 통계적으로 유의미하지 않다. 오즈비가 1.055라는 것은 과학 점수가 1점 증가할 때 우등생이 될 오즈가 약 1.055배가 됨을 의미한다. 이를 백분율로 해석하면, 1.055 − 1 = 0.055, 즉, 과학 점수가 1점 증가할 때 우등생이 될 확률이 약 5.5% 증가함을 나타낸다.

8) 상수항에 따른 해석

상수항(Constant) 회귀 계수 B는 상수항(절편)으로, 모든 독립변수가 0일 때의 로짓(logit) 값을 나타낸다. B 값이 −11.093이라는 것은 모든 독립변수가 0일 때 우등생이 될 로그 오즈(log odds)가 −11.093임을 의미한다. 매우 큰 음수 값이므로, 기본적으로 우등생이 될 기본 확률이 매우 낮음을 나타낸다.

S.E.(표준 오차) 2.051, Wald 29.253, 자유도 1, 유의확률 (p value) .000으로 p−value가 0.05보다 작으므로, 상수항은 통계적으로 유의미하다.

Exp(B) .000은 오즈비는 사실상 0으로, 이는 독립변수들이 0일 때 우등생이 될 확률이 거의 없음을 의미한다. 오즈비는 상수항의 지수 변환 값이다. Exp(B)가 0.000이라는 것은 모든 독립변수가 0일 때 우등생이 될 오즈가 사실상 0임을 의미한다. 이는 독립변수들이 0일 때 우등생이 될 확률이 거의 없다는 것을 나타낸다.

요약하면, 상수항의 회귀 계수 B가 −11.093이라는 것은 모든 독립변수가 0일 때 우등생이 될 로그 오즈(log odds)가 −11.093임을 의미한다. 이는 우등생이 될 확률이 극히 낮다는 것을 나타낸다. 상수항의 오즈비 Exp(B)가 0.000이라는 것은 독립변수들이 0일 때 우등생이 될 확률이 거의 없음을 의미한다. 유의확률(p−value)이 0.000으로 매우 유의미하며, 상수항이 모델에서 필수적인 요소임을 강하게 지지한다.

1.4.12. 방정식의 변수

아래의 이미지는 로지스틱 회귀분석 결과의 일부인 관측된 그룹과 예측된 확률에 대한 표를 보면, 관측된 그룹과 예측된 확률(Observed Groups and Predicted Probabilities)이다. 이 이미지에는 로지스틱 회귀 모델이 실제 데이터를 기반으로 각 사례를 우등생(1) 또는 비우등생(0)으로 예측한 결과를 보여준다. 이미지의 구성에서 그룹(Group)은 관측된 그룹(Observed Group), 즉 실제 데이터에서 우등생(1)인지 비우등생(0)인지를 나타낸다. 확률(Prob)은 예측된 확률(Predicted Probability), 즉 로지스틱 회귀 모델이 각 사례에 대해 우등생일 확률을 예측한 값이다. 빈도수(Frequency)는 각 확률 범위 내에 해당하는 사례의 수를 나타낸다. 데이터에서 관측된 그룹은 0 또는 1의 값을 가진 200개의 사례이고, 예측된 확률은 0에서 1까지의 값을 가진 각 사례에 대한 1의 발생 가능성 예측값이다.

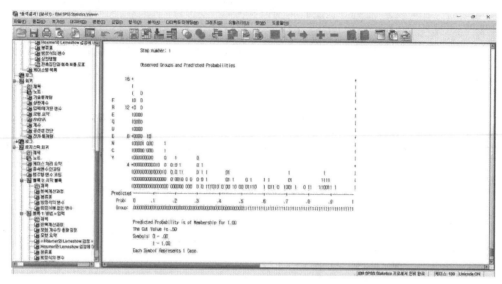

[그림 13] 관측된 그룹과 예측된 확률

시각화 이미지에서 가로축은 예측된 확률로 0에서 1까지, 세로축은 그룹으로 0 또는 1 값을 가진 수 있는 빈도수다. 막대는 각 예측된 확률 범위에 속하는 관측된 그룹 수를 나타낸다. 색상은 막대의 색상은 0그룹 또는 1 그룹을 나타낸다. 기호는 막대 안의 기호는 각 그룹 내 사례 수를 나타낸다. 예를 들면, 1은 1로 1개의 사례를 나타낸다. 절단값은 0.5로 가로선으로 표시되어 있고, 1의 발생 가능성이 0.5 이상인 사례는 1 그룹으로 예측되고, 0.5 미만인 사례는 0 그룹으로 예측한다.

총 사례 수는 200개로 그룹에는 0 (151개), 1 (49개)다. 예측된 확률 범위에서 0에서 1까지 0.1 간격으로 10개의 구간이고, 시각화는 막대 그래프 모양이다. 0 그룹 분석을 하면, 0(163개), 1 (37개)예측결과다.

총 빈도수 151개로 예측된 확률별 빈도수는 0을 예측값 0.0 - 0.5로 140개 분석하였다. 0을 0.5 - 1.0으로 11개다. 0 그룹의 대부분 사례는 예측된 확률이 0.5 미만이며, 0.2 이하의 낮은 확률을 가진 사례가 많다. 이는 모델이 대부분의 0 그룹 사례를 정확하게 예측하였다.

1 그룹 분석에서 총 빈도수는 49개이고, 예측된 확률별 빈도수로 0.5보다 작은 값으로 예측한 경우가 23개이고, 1을 0.5이상을 예측한 경우가 26개

이다. 1 그룹의 대부분 사례는 예측된 확률이 0.5 이상이며, 0.6 이상의 높은 확률을 가진 사례가 많다. 이는 모델이 대부분의 1 그룹 사례를 정확하게 예측하였다.

그룹 간 비교에서 0 그룹은 예측된 확률이 낮게 분포되어 있으며, 0.5 미만의 사례가 대부분이다. 1 그룹은 예측된 확률이 높게 분포되어 있으며, 0.5 이상의 사례가 대부분이다. 시각화를 통해 모델이 두 그룹을 잘 구분한다는 것을 확인할 수 있다.

1.4.13. 케이스별 목록

케이스별 목록은 로지스틱 회귀 모델의 성능을 평가하는 데 도움이 되는 케이스별 목록 데이터이다. 데이터 구성에서 각 행은 하나의 케이스를 나타내고, 열은 선택 케이스는 분석에 사용된 케이스 여부를 나타내고, S는 선택 케이스로 분석에 포함된 케이스, U는 비선택 케이스로 분석에 제외한 케이스, 관측됨은 실제 관측된 그룹 (0 또는 1)을 나타낸다. 예측은 모델이 예측한 그룹 (0 또는 1)을 나타낸다. 예측 집단은 예측된 그룹 확률 범위를 나타내며, 임시 변수는 모델에 사용된 변수들의 값을 나타낸다. 임시변수에 잔차와 Z잔차가 있다. 잔차는 모델의 예측값과 실제 관측값 간의 차이를 나타내고, Z잔차는 잔차를 표준편차로 나눈 값을 나타낸다.

이 표에는 선택 케이스만 포함되어 있으며, 이는 모델 학습 및 평가에 사용된 데이터를 의미한다. 비선택 케이스는 모델 학습에는 사용되지 않았지만, 추가적인 분석에 활용될 수 있다.

각 행에서 관측됨 열과 예측 열을 비교하면 모델이 각 케이스를 얼마나 정확하게 예측했는지 확인할 수 있다. 일치하는 경우는 예를 들면, 관측됨=0, 예측=0 또는 관측됨=1, 예측=1처럼 모델이 정확하게 예측했다는 것을 의미한다. 일치하지 않는 경우는 예를 들면, 관측됨=0, 예측=1 또는 관측됨=1, 예측=0로 모델이 잘못 예측했다는 것을 의미한다.

예측 집단은 모델이 각 케이스를 어느 그룹에 속할 확률이 높다고 예측했는지 보여준다. 0에 가까울수록 0 그룹에 속함 가능성이 높고, 1에 가까울수록 1 그룹에 속할 가능성이 높다.

임시변수는 모델 학습에 사용된 변수들의 값이 표시된다. 각 변수의 값은 해당 케이스의 특성을 나타낸다. 잔차 및 Z잔차로 잔차는 모델의 예측값과 실제 관측값 간의 차이를 나타내고, Z잔차는 잔차를 표준편차로 나눈 값으로, 각 케이스의 예측 오류가 얼마나 큰지 평가할 수 있다. 일반적으로 잔차와 Z잔차의 절대값이 작을수록 모델의 성능이 좋다고 판단한다.

이 표는 단순히 케이스별 목록 데이터를 제공하는 것이며, 모델의 성능을 평가하기 위한 모든 정보를 제공하지는 않는다. 모델 성능을 정확하게 평가하기 위해서는 추가적인 분석 예를 들면 정확도, 민감도, 특이도, AUC 계산 등이 필요하다. 잘못 분류된 케이스 (**)는 모델이 잘못 예측한 케이스를 나타낸다. 이러한 케이스를 자세히 분석하면 모델의 오류 패턴을 파악하는 데 도움이 될 수 있다.

[표 14] 케이스별 목록

케이스	선택상태a	관측됨 우등생	예측	예측집단	잔차	Z잔차	케이스	선택상태a	관측됨 우등생	예측	예측집단	잔차	Z잔차
1	S	0	.031	0	-.031	-.178	101	S	0**	.870	1	-.870	-2.584
2	S	0	.426	0	-.426	-.862	102	S	0	.498	0	-.498	-.996
3	S	0	.130	0	-.130	-.387	103	S	0	.067	0	-.067	-.268
4	S	0	.124	0	-.124	-.377	104	S	0	.424	0	-.424	-.858
5	S	0	.072	0	-.072	-.278	105	S	0	.240	0	-.240	-.563
6	S	0	.061	0	-.061	-.254	106	S	0	.315	0	-.315	-.678
7	S	0	.024	0	-.024	-.155	107	S	1	.690	1	.310	.670
8	S	0	.005	0	-.005	-.074	108	S	0	.038	0	-.038	-.199
9	S	0	.138	0	-.138	-.400	109	S	0	.118	0	-.118	-.366
10	S	0	.069	0	-.069	-.273	110	S	1	.873	1	.127	.381
11	S	0	.074	0	-.074	-.282	111	S	0	.103	0	-.103	-.339
12	S	1**	.106	0	.894	2.909	112	S	0	.029	0	-.029	-.174
13	S	0**	.776	1	-.776	-1.862	113	S	0	.465	0	-.465	-.933
14	S	1**	.213	0	.787	1.921	114	S	1	.614	1	.386	.793
15	S	0	.020	0	-.020	-.145	115	S	1	.639	1	.361	.752
16	S	0	.022	0	-.022	-.150	116	S	0	.012	0	-.012	-.108
17	S	0	.078	0	-.078	-.290	117	S	0	.294	0	-.294	-.645
18	S	0	.177	0	-.177	-.463	118	S	1	.795	1	.205	.508
19	S	1**	.457	0	.543	1.091	119	S	0**	.560	1	-.560	-1.128
20	S	0	.101	0	-.101	-.335	120	S	0	.031	0	-.031	-.178
21	S	0	.038	0	-.038	-.199	121	S	0	.214	0	-.214	-.522
22	S	1	.716	1	.284	.629	122	S	0	.076	0	-.076	-.286
23	S	0	.035	0	-.035	-.189	123	S	0	.082	0	-.082	-.299
24	S	0	.300	0	-.300	-.654	124	S	0	.102	0	-.102	-.337
25	S	0	.006	0	-.006	-.079	125	S	1**	.049	0	.951	4.394
26	S	0	.008	0	-.008	-.089	126	S	0	.485	0	-.485	-.970
27	S	1	.596	1	.404	.823	127	S	0	.051	0	-.051	-.233
28	S	0	.092	0	-.092	-.318	128	S	0	.226	0	-.226	-.540
29	S	0	.033	0	-.033	-.183	129	S	0	.293	0	-.293	-.643
30	S	0	.186	0	-.186	-.478	130	S	0	.015	0	-.015	-.121
31	S	0	.043	0	-.043	-.211	131	S	0	.197	0	-.197	-.495
32	S	0**	.705	1	-.705	-1.546	132	S	1	.885	1	.115	.360
33	S	1	.591	1	.409	.831	133	S	1**	.331	0	.669	1.421
34	S	0	.144	0	-.144	-.411	134	S	0	.050	0	-.050	-.230
35	S	0	.148	0	-.148	-.417	135	S	0	.179	0	-.179	-.466
36	S	1**	.352	0	.648	1.357	136	S	1	.856	1	.144	.410
37	S	0**	.698	1	-.698	-1.522	137	S	0	.190	0	-.190	-.485
38	S	1	.700	1	.300	.654	138	S	0	.118	0	-.118	-.366

39	S	0	.013	0	-.013	-.113	139	S	0	.008	0	-.008	-.089
40	S	0	.005	0	-.005	-.070	140	S	0	.091	0	-.091	-.316
41	S	0	.009	0	-.009	-.096	141	S	0	.022	0	-.022	-.151
42	S	0	.192	0	-.192	-.487	142	S	0	.158	0	-.158	-.434
43	S	0	.098	0	-.098	-.330	143	S	0	.066	0	-.066	-.265
44	S	0	.025	0	-.025	-.160	144	S	0	.052	0	-.052	-.233
45	S	1**	.226	0	.774	1.849	145	S	0	.250	0	-.250	-.578
46	S	0	.435	0	-.435	-.877	146	S	0	.098	0	-.098	-.330
47	S	0	.032	0	-.032	-.182	147	S	1**	.062	0	.938	3.886
48	S	0**	.515	1	-.515	-1.031	148	S	0	.033	0	-.033	-.184
49	S	0	.121	0	-.121	-.371	149	S	0	.056	0	-.056	-.244
50	S	0	.086	0	-.086	-.307	150	S	0	.041	0	-.041	-.207
51	S	1**	.339	0	.661	1.397	151	S	0	.061	0	-.061	-.256
52	S	0	.014	0	-.014	-.119	152	S	0**	.708	1	-.708	-1.556
53	S	0	.068	0	-.068	-.270	153	S	0	.032	0	-.032	-.182
54	S	0	.078	0	-.078	-.290	154	S	0	.088	0	-.088	-.311
55	S	1	.739	1	.261	.594	155	S	1**	.312	0	.688	1.484
56	S	0	.007	0	-.007	-.084	156	S	0**	.511	1	-.511	-1.022
57	S	0	.006	0	-.006	-.081	157	S	0	.140	0	-.140	-.404
58	S	0	.011	0	-.011	-.105	158	S	0	.072	0	-.072	-.279
59	S	0	.149	0	-.149	-.419	159	S	0	.024	0	-.024	-.158
60	S	0	.026	0	-.026	-.164	160	S	1	.858	1	.142	.406
61	S	0	.035	0	-.035	-.192	161	S	1**	.212	0	.788	1.929
62	S	1**	.377	0	.623	1.285	162	S	0	.150	0	-.150	-.419
63	S	0	.007	0	-.007	-.084	163	S	1**	.343	0	.657	1.382
64	S	0	.004	0	-.004	-.061	164	S	1	.802	1	.198	.496
65	S	0	.040	0	-.040	-.204	165	S	0	.125	0	-.125	-.377
66	S	0	.011	0	-.011	-.106	166	S	0	.032	0	-.032	-.183
67	S	0	.174	0	-.174	-.459	167	S	0	.224	0	-.224	-.537
68	S	0	.026	0	-.026	-.164	168	S	0	.034	0	-.034	-.187
69	S	0	.381	0	-.381	-.784	169	S	1**	.431	0	.569	1.149
70	S	0	.022	0	-.022	-.149	170	S	0	.261	0	-.261	-.595
71	S	0	.011	0	-.011	-.105	171	S	0	.078	0	-.078	-.290
72	S	0	.316	0	-.316	-.680	172	S	0	.026	0	-.026	-.164
73	S	1	.629	1	.371	.767	173	S	0	.035	0	-.035	-.190
74	S	0	.410	0	-.410	-.833	174	S	0**	.872	1	-.872	-2.614
75	S	0	.049	0	-.049	-.226	175	S	0	.041	0	-.041	-.208
76	S	0	.018	0	-.018	-.137	176	S	0**	.654	1	-.654	-1.375
77	S	1**	.134	0	.866	2.544	177	S	1	.524	1	.476	.953
78	S	0	.420	0	-.420	-.851	178	S	0	.110	0	-.110	-.352
79	S	0	.006	0	-.006	-.078	179	S	0	.206	0	-.206	-.509
80	S	0	.060	0	-.060	-.252	180	S	1**	.438	0	.562	1.133
81	S	0	.292	0	-.292	-.642	181	S	1**	.148	0	.852	2.396
82	S	0	.080	0	-.080	-.296	182	S	0	.040	0	-.040	-.204
83	S	0**	.612	1	-.612	-1.256	183	S	1	.540	1	.460	.923
84	S	1**	.143	0	.857	2.448	184	S	1**	.197	0	.803	2.019
85	S	0	.013	0	-.013	-.117	185	S	1	.891	1	.109	.349
86	S	1**	.460	0	.540	1.084	186	S	1	.865	1	.135	.394
87	S	0	.111	0	-.111	-.353	187	S	0	.200	0	-.200	-.500
88	S	0	.009	0	-.009	-.097	188	S	0	.080	0	-.080	-.296
89	S	0	.006	0	-.006	-.079	189	S	1	.538	1	.462	.927
90	S	0	.365	0	-.365	-.757	190	S	0	.261	0	-.261	-.595
91	S	1**	.317	0	.683	1.469	191	S	0	.036	0	-.036	-.193
92	S	0	.199	0	-.199	-.499	192	S	0	.062	0	-.062	-.257
93	S	1	.880	1	.120	.369	193	S	0	.173	0	-.173	-.458
94	S	0	.083	0	-.083	-.300	194	S	0	.089	0	-.089	-.313
95	S	0	.080	0	-.080	-.294	195	S	1**	.214	0	.786	1.914
96	S	1	.502	1	.468	.939	196	S	0	.249	0	-.249	-.575
97	S	1	.861	1	.139	.401	197	S	0	.012	0	-.012	-.111
98	S	1	.912	1	.088	.311	198	S	0	.299	0	-.299	-.653
99	S	0	.017	0	-.017	-.132	199	S	1**	.334	0	.666	1.412
100	S	1	.848	1	.152	.423	200	S	1	.713	1	.287	.635

a. S = 선택 케이스, U = 비선택 케이스, ** = 잘못 분류된 케이스.

1.4.14. 이항 로지스틱 모형적합도

여기에서는 이분형 로지스틱 회귀 결과의 모형적합도를 살펴본다. 모델 설명력 평가인 -2 로그 우도에서 -2 로그 우도 값은 모델이 얼마나 잘 데이터를 설명하는지를 나타내는 지표로 348.363은 모델이 데이터를 적절하게 설명하고 있다는 것을 의미한다. -2 로그 우도 값은 최종 모델에 대한 -2 로그 우도이다. 이 숫자 자체로는 그다지 유익하지 않다. 그러나 중첩(축소) 모델을 비교하는 데 사용할 수 있다. Nagelkerke R^2은 0.551으로 모델이 데이터의 분산을 약 56% 설명하고 있다는 것을 의미한다. 통계적 유의하였다 (p=0.000) 다른 적합도 평가로 Cox & Snell R Square 및 Nagelkerke R Square 등이 있다. 이들은 유사 R-제곱으로 로지스틱 회귀에는 OLS 회귀에서 발견되는 R-제곱과 동일한 기능이 없다. 다양한 의사-R-제곱 통계가 있지만, 이 통계는 OLS 회귀 즉 예측 변수가 설명하는 분산 비율에서 R-제곱이 의미하는 바를 의미하지 않으므로 이 통계를 매우 주의해서 해석하는 것이 좋다.

[표 15] 이분형 로지스틱 모형적합도 요약

노령연금 모형적합도		
-2 로그 우도	Cox와 Snell의 R-제곱	Nagelkerke R-제곱
348.363	.411	.561
유의확률 0.000		

또한, 종속변수가 발생할 가능성이 0.5 이상으로 판단되면, 종속변수가 발생한다고 예측하는 게 로지스틱 회귀분석이므로, 이 예측의 정확도는 분류정확도 항목을 보면 알 수 있다. 모델은 전체적으로 83.4%의 관측값을 정확하게 예측했다. 본 연구 모델이 노령연금 인지 여부를 예측하는 데 상당한 성능을 가지고 있다. 노령연금 인지를 정확하게 예측하는 비율이 89.5%로 높게 나타났다. 이는 모델이 노령연금 인지 여부를 판단하는 데 있어 긍정적인 결과라고 볼 수 있다. 노령연금 미인지를 정확하게 예측하는 비율은 73.2%로 예측모형에 비해 다소 낮게 나타났다. 이는 모델이 노령연금 인지 못함을 판단하는 데도 73.2%의 정확도가 있음을 보여준다.

1.4.15. 이항 로지스틱 해석연습

다음과 같은 결과 추정식이 도출되었다. 이항 로지스틱에서 종속변수는 노령연금 인지로 인지와 인지못함으로 나누었다. 노령연금의 인지함은 내부값 0, 인지못함은 내부값 1로 코딩하였다. 성별 변수에서 참조변수 성별은 여성으로 설정하여 분석 결과를 살펴보면, 베타 값은 -1.422로 이는 남성이 여성에 비해 노령연금을 모를 확률이 낮다는 것을 의미한다. 즉, 남성이 노령연금을 알고 있을 가능성이 너 높나는 것을 나타낸다. Exp(B) 값은 0.241로 1보다 작으므로 이는 남성이 참조변수 여성보다 노령연금 인지 인지못함일 확률이 0.241배로 감소함을 의미한다. 즉, 남성은 여성에 비해 노령연금을 모를 가능성이 75.9% 낮고, 알고 있을 가능성이 더 높은 것으로 해석할 수 있다. 이 분석결과는 유의확률 1%에서 유의하다 ($p = 0.000$).

[표 16] 이항 로지스틱 해석연습

구분		회귀계수 (B)	표준오차 (S.E.)	검정통계량 (Wald)	유의확률 (p-value)	확률 Exp(B)
성별(남성)		-1.422	0.325	19.173	0.000	0.241
연령대 (기준 80세 이상)				7.903	0.095	
연령대	60~64세	-1.119	0.989	1.280	0.258	0.327
	65~69세	-1.728	0.948	3.321	0.068	0.178
	70~74세	-1.810	0.949	3.639	0.056	0.164
	75~79세	-0.611	0.974	0.394	0.530	0.543
농사경력		0.233	0.139	2.802	0.094	1.263
거주지 (기준 영남권)				6.215	0.102	
거주지	수도권	0.747	0.473	2.495	0.114	2.112
	충청권	-1.170	0.673	3.022	0.082	0.311
	호남권	0.280	0.434	0.417	0.519	1.324
자산규모				4.773	0.311	
자산규모	1억원 이하	-1.710	1.014	2.845	0.092	0.181
	1~3억원 이하	-0.301	0.575	0.274	0.600	0.740
	3~5억원 이하	-0.327	0.525	0.387	0.534	0.721
	5~10억원 이하	0.192	0.508	0.143	0.705	1.212
평균 수입		-0.238	0.198	1.451	0.228	0.788
평균 지출		-0.479	0.215	4.980	0.026	0.620
상수항		6.232	46411.886	0.000	1.000	508.678

연령대별 변수에서 기준 연령대는 80세 이상이며, 연령대 65~69세의 베타 값은 -1.728, Exp(B) 값은 0.178로 1보다 작으므로 기준 연령대인 80세 이상보다 노령연금 인지 인지못함일 확률이 0.178배 감소함을 의미한다. 즉,

65~69세 집단은 80세 이상보다 노령연금을 모를 가능성이 82.2% 감소하는 것을 의미한다. 이것은 유의확률 10%에서 유의하다 (p = 0.068). 연령대 70~74세의 베타 값은 -1.810, Exp(B) 값은 0.164로 1보다 작으므로 기준 연령대인 80세 이상보다 노령연금 인지 인지못함일 확률이 0.164배 감소함을 의미한다. 즉, 70~74세 집단은 80세 이상보다 노령연금을 모를 가능성이 83.6% 감소하는 것을 의미한다. 이것은 유의확률 10%에서 유의하다 (p = 0.056). 그러므로 65~69세 집단은 80세 이상 집단보다 노령연금 인지의 가능성이 82.3% 높았고, 연령대 70~74세 집단도 80세 이상 집단보다 노령연금 인지의 가능성이 83.6% 높았다.

로지스틱 회귀 분석 결과를 요약하면, 노령연금 인지에 영향을 주는 요인들을 유의확률 10% 범위에서 살펴보면 연령, 거주지(충청권), 농지 규모, 자산 규모(1억원 이하), 부채 규모, 평균 지출, 자녀 상속 등이다. 이를 세부적으로 살펴보면 여성은 남성보다 노령연금 인지 가능성이 75.9% 감소하며 (p=0.000), 연령대가 노령연금 인지에 유의미한 영향을 미치며 (p=0.095), 65~69세의 경우 노령연금을 모를 확률이 80세 이상을 기준으로 약 82.2% 감소하며 (p=0.068), 70~74세의 경우 노령연금을 모를 확률이 80세 이상을 기준으로 약 83.6% 감소한다 (p=0.056).

또한, 농사 경력이 많을수록 노령연금을 모를 확률이 증가할 가능성이 있으며 (p=0.094), 충청권을 거주지로 하고 있는 수요자도 영남권 거주자에 비해 노령연금을 모를 확률이 약 68.9% 감소함 (p=0.082)을 확인할 수 있었다.

자산 규모도 노령연금 인지에 영향을 주는 것으로 확인되었는데 자산 규모가 1억원 이하인 경우 노령연금을 모를 확률이 10억원 이상인 경우를 기준으로 약 81.9% 감소하며 (p=0.092) 부채 규모도 노령연금 인지에 유의미한 영향을 미칠 수 있음을 확인하였다. (p=0.000)

상수항은 유의하지 않다. 평균수입과 평균지출을 풀이하면, 회귀계수(B)는 독립변수가 종속변수에 미치는 영향력을 나타낸다. 평균수입에서 평균 수입이 1단위 증가하면 예상되는 평균 지출 감소량은 0.238이다. 평균 지출에서 평균 지출이 1단위 증가하면 예상되는 평균 지출 감소량은 0.479이다. 표준오차(S.E.)에서 회귀 계수의 추정 정확도를 나타낸다. 값이 작을수록 추정값이 더 정확하다는 의미이다. 평균 수입 0.198, 평균 지출 0.215이고, 상수항 46411.886이다. 상수항의 표준오차는 일반적으로 매우 크고, 이는 절편의 정확한 추정이 어렵다는 것을 의미한다. 검정 통계량(Wald)는 회귀계수가 0인지 아닌지를 검정하는 데 사용되는 값으로, 값이 클수록 해당 변수가 모델에 유의미한 영향을 미치는 가능성이 높아진다.

확률인 Exp(B)는 회귀계수 B의 로그 오즈를 나타낸다. 평균 수입은 0.788로 평균 수입이 1단위 증가하면 예상되는 평균 지출 감소 비율은 21.2%이다. 평균 지출은 0.620로 평균 지출이 1단위 증가하면 예상되는 평균 지출 감소 비율은 38%이다. 상수항은 508.678로 통계적 유의성은 없다. 평균 수입은 유의확률(0.228)이 0.05보다 크므로 평균 수입은 평균 지출에 통계적으로 유의미한 영향을 미치지 않는 것으로 나타났다. 평균 지출은 유의확률(0.026)이 0.05보다 작으므로 평균 지출은 평균 지출에 통계적으로 유의미한 영향을 미치는 것으로 나타났다. 상수항의 유의 확률은 표에 명시되어 있지 않지만, 일반적으로 상수항은 항상 유의미한 것으로 간주한다.

2. 다항 로지스틱 회귀

2.1. 다항 로지스틱 회귀

통계에서 다항 로지스틱 회귀(multinomial logistic regression)는 로지스틱 회귀를 멀티클래스 문제(multiclass problems), 즉 두 개 이상의 가능한 개별 결과(discrete outcome)로 일반화하는 분류 방법(classification method)이다. 즉, 일련의 독립변수 즉, 실수 값, 이진 값, 또는 범주형 값일 수 있음이 주어졌을 때 범주적으로 분포된 종속변수의 다양한 가능한 결과의 확률을 예측하는 데 사용되는 모델이다.

다항 로지스틱 회귀는 다항 LR(polytomous LR), 다중 클래스 LR(multiclass LR), 소프트맥스 회귀(softmax regression), 다항 로짓(multinomial logit, mlogit), 최대 엔트로피 (maximum entropy, MaxEnt) 분류자(classifier) 및 조건부 최대 엔트로피 모델(conditional maximum entropy model)을 비롯한 다양한 다른 이름으로 알려져 있다.

2.1.1. 다항 로지스틱 역사

다항 로지스틱 회귀모형(multinomial logistic regression)은 단일 개인에 의해 발명되었다기보다는 여러 통계학자와 연구자들의 공헌으로 발전되어 온 모형이다.

초기 로지스틱 회귀모형은 이항 로지스틱 회귀모형으로, 1960년대 초반 의학 통계학자인 Joseph Berkson[12]이 처음 소개했다. 이후 1970년대에 David Cox[13]가 로그 선형 모형(log-linear model)을 일반화하면서 다항 로지스틱

---

12) Joseph Berkson(1899년 5월 14일 - 1982년 9월 12일)는 물리학자, 의사, 및 통계학자로 버크슨의 역설(Berkson's paradox)로 알려진 선택 효과로 인해 발생하는 관찰 연구에서 편향의 원인을 확인한 것으로 가장 잘 알려져 있다. 버크슨의 편향, 충돌기 편향 또는 버크슨의 오류라고 알려진 버크슨의 역설은 종종 직관에 반하는 것으로 밝혀지는 조건부 확률 및 통계의 결과이며 따라서 진실한 역설이다. 이는 비율에 대한 통계적 테스트에서 발생하는 복잡한 요소이다. 특히 연구 설계에 내재된 확인 편향이 있을 때 발생한다. 이 효과는 베이지안 네트워크의 현상 설명 및 그래픽 모델의 충돌기 조건과 관련이 있다.
13) 데이비드 록스비 콕스 경(Sir David Roxbee Cox, 1924년 7월 15일-2022년 1월 18일)은 영국의 통계학자이자 교육자이다. 통계 분야에 대한 그의 광범위한 공헌에는 로지스틱 회귀, 비례 위험 모델 및 그의 이름을 딴 포인트 프로세스인 Cox 프로세스 등이 있다. 옥스퍼드 대학교에서 통계학 교수를 역임했다.

회귀모형의 기초가 마련되었다.

본격적으로 다항 로지스틱 회귀모형이 소개된 것은 1980년대로, Peter McCullagh와 John Nelder[14]가 범주형 자료 분석을 위한 일반화 선형 모형(generalized linear model)의 체계를 정립하면서부터였다.

선형회귀의 정확한 정의는 종속변수의 평균이 독립변수와 회귀계수(Regressin Coefficient)들의 선형결합(Linear Combination)으로 된 회귀모형을 말하며, 회귀계수를 선형 결합으로 표현할 수 있는 모형을 의미한다. 일반 선형회귀의 경우 선형성, 오차항의 독립성, 오차항의 등분산성, 오차항의 정규성의 가정을 갖고 있다. 선형의 의미가 독립변수와 종속변수가 꼭 직선의 그래프 형태(1차식)를 나타내는 것이 아니다.라는 점이다.

그러나 일반화선형회귀(Generalized Linear Regression, GLM)에서 종속변수가 연속형이 아니면 오차항의 정규성 가정을 위반한다. 이항 로지스틱 회귀(Logistic Regression)과 Cox의 비례위험회귀(Cox's Proportional Hazard Regression)는 대표적인 일반화 선형회귀이며, 일반화 선형회귀(GLM)는 종속변수를 적절한 함수로 변화하여 독립변수와 회귀계수의 선형결합으로 모형화한 것이다. 예를 들어, 로지스틱 회귀에서는 종속변수의 확률을 로짓 함수로 변환하여 선형 예측자와 결합한다. 즉, 로지스틱 회귀는 종속변수가 이분형 즉, 실패 또는 성공, 0 또는 1, 생존 또는 사망일 때의 일반화 선형회귀 중 하나로서, $\log odds(\log(\frac{1}{1-y}))$에 대해 독립변수와 회귀계수의 선형결합으로 모형화한다. 또한, Cox의 비례위험회귀(Cox's Proportional Hazard Regression)는 시간에 따라 $hazard\,ratio(\log(\frac{h(t)}{h_0(t)}))$가 일정하다는 가정을 갖은 생존분석 중 가장 많이 쓰이는 방법론으로서, 어떤 사건(event)이 일어날 때까지의 시간을 대상으로 분석하는 통계 방법이다.

이후 다항 로지스틱 회귀모형은 사회과학, 경영학, 마케팅 등 다양한 분야에서 활발히 적용되었고, 추정 방법, 모형 선택, 해석 등에 대한 많은 연구가 이루어졌다. Scott Menard, Alan Agresti, Jeff Simonoff 등 여러 통계학자들이 다항 로지스틱 회귀모형의 발전에 기여했다.

현재는 R, SAS, SPSS 등 통계 소프트웨어에서 다항 로지스틱 회귀 분석을 쉽게 수행할 수 있게 되면서 범주형 자료 분석에 널리 활용되고 있다.

---

14) Peter McCullagh와 John Nelder와 함께 "일반화 선형 모델(1983)에(Generalized Linear Model, GLM) 대한 논문"으로 국제 통계 연구소의 첫 번째 Karl Pearson 상을 수상했다.

2.1.2. 다항 로지스틱 회귀모형 기본

다항 로지스틱 회귀 분석은 문제의 종속변수가 명목형 또는 동등한 범주형 혹은 의미 있는 방식으로 정렬될 수 없는 범주 집합 중 하나에 속해야 하고, 두 개 이상의 범주가 있는 경우에 사용한다. 다항 로지스틱 회귀모형 (multinomial logistic regression)의 기본은 다음과 같다.

1) 종속변수가 범주형일 때 사용할 수 있다. 다항 로지스틱 회귀는 종속변수가 두 개 이상의 범수를 가지는 다범주 자료를 분석하기 위해 개발되었다. 예를 들어 직업, 거주지, 선호 브랜드 등이 다범주일 때 활용된다.

2) 로지스틱 회귀모형의 확장이다. 다항 로지스틱 회귀는 이항 로지스틱 회귀모형을 확장한 것이다. 이항 로지스틱은 종속변수가 0과 1의 두 범주만 있는 경우에 사용되지만, 다범주 자료에는 부적합하다.

3) 기준범주를 설정한다. 다항 로지스틱에서는 다른 범주들과 비교할 기준 범주(base/reference category)를 정해야 한다. 모든 범주들은 이 기준범주와 비교된다. 만약 설정을 하지 않으면, 자동으로 맨 마지막 또는 처음으로 설정된다.

4) 로그오즈(log-odds)를 비교하여 해석한다. 모형은 각 범주의 로그오즈를 기준범주의 로그오즈와 비교하여 계수를 추정한다. 계수의 크기와 방향이 해당 범주가 기준범주에 비해 선택될 가능성을 나타낸다.

5) 광범위한 적용분야가 존재한다. 다항 로지스틱 회귀는 사회과학, 마케팅, 생물학, 의학 등 다양한 분야에서 활용되고 있다. 예측력이 뛰어나고, 결과 해석이 용이하기 때문이다.

6) 몇 가지 예로는 대학생은 성적, 좋아하는 것과 싫어하는 것 등을 고려하여 어떤 전공을 선택하게 될까요?, 각종 진단검사 결과에 따르면 어떤 혈액형을 가지고 있나요?, 핸즈프리 휴대폰 다이얼링 애플리케이션에서 음성 신호의 다양한 속성을 고려하여 어떤 사람의 이름을 말했습니까?, 특정 인구통계학적 특성을 고려할 때 어떤 후보자에게 투표할 것인가?, 회사의 특성과 다양한 후보 국가의 특성을 고려할 때 회사는 어느 국가에 사무소를 둘 것인가? 등으로 모두 통계적 분류 문제이다. 이들은 모두 의미 있게 정렬될 수 없는 제한된 항목 집합 중 하나에서 나오는 예측할 종속변수와 사용되는 독립변수 집합 또는 특성, 설명자 등을 공통적으로 가지고 있다.

요약하면, 다항 로지스틱 회귀는 다범주 종속변수를 가진 자료를 분석하기 위해 개발된 유용한 모형으로, 로지스틱 회귀의 기본 원리를 다범주 상황으로 확장한 것이다.

2.1.3. 다항 로지스틱 회귀모형 가정

다항 로지스틱 회귀모형(multinomial logistic regression)을 적용하기 위해서는 몇 가지 가정을 충족해야 한다.

1) 종속변수는 명목척도(nominal scale)여야 한다. 종속변수는 서로 배타적인 세 개 이상의 범주로 이루어져야 하고 이는 로지스틱 회귀에서 0과 1의 두 범주만 있는 것과 차이가 난다.

2) 독립변수는 연속형 또는 범주형일 수 있다. 독립변수는 연속형 변수와 범주형 변수를 모두 포함할 수 있다.

3) 관측치들은 반드시 서로 독립적일 필요는 없다. 관측치들 간에 상관관계가 있으면 안 된다. 하지만, 다른 유형의 회귀와 마찬가지로 독립 변수가 통계적으로 서로 독립적일 필요는 없다. 이 가정은 한 클래스를 다른 클래스보다 선호할 확률이 다른 관련 없는 대안의 존재 여부에 좌우되지 않는다는 것을 의미한다. 예를 들어, 자동차나 버스를 타고 출근할 상대 확률은 자전거가 추가 가능성으로 추가되어도 변하지 않는다[15].

4) 다중공선성(collinearity)이 없어야 한다. 독립변수 간에 강한 상관관계가 없어야 한다. 다중공선성이 있으면 모수 추정이 불안정해진다.

5) 선형성 가정으로 연속형 독립변수와 로그오즈(log-odds) 사이에 선형관계가 있어야 한다. 그러나 공선성은 상대적으로 낮게 가정한다. 그렇지 않은 경우, 여러 변수의 영향을 구별하기가 어려워진다.

6) 이상치가 없어야 한다. 이상치(outlier)가 있으면 모수 추정에 심각한 영향을 미칠 수 있다.

이러한 가정들이 충족되면 다항 로지스틱 회귀모형을 안정적으로 적합시킬 수 있다. 가정 위배 시에는 모수 추정의 정확성이 낮아질 수 있다. 따라서 자료를 분석하기 전에 이러한 가정들을 점검하는 것이 중요하다.

---

15) 심리학의 수많은 연구에 따르면 개인은 선택할 때 이러한 가정을 위반하는 경우가 많다. 선택 사항에 자동차와 파란색 버스가 포함되는 경우 문제가 발생한다. 둘 사이의 승산비가 1:1이라고 가정하면, 빨간색 버스의 옵션이 도입되면 사람은 빨간색 버스와 파란색 버스 사이에 무관심할 수 있으므로 자동차 : 파란색 버스 : 빨간색 버스 승산비를 나타내면, 1:0.5:0.5로 승용차:모든 버스의 비율을 1:1로 유지하며, 변경된 차량:청색버스 비율을 1:0.5로 채택한다. 여기서 빨간색 버스 옵션은 실제로 관련성이 없다. 빨간색 버스가 파란색 버스를 완벽하게 대체 했기 때문이다.

다항 로짓을 사용하여 선택을 모델링하는 경우 일부 상황에서는 서로 다른 대안 간의 상대적 선호도에 너무 많은 제약을 가할 수 있다. 분석이 하나의 대안이 사라질 경우 선택이 어떻게 바뀔지 예측하는 것을 목표로 하는 경우 예를 들면, 한 정치 후보가 세 후보 경선에서 탈퇴하는 경우, 이를 고려하는 것이 특히 중요하다. IIA(independence of irrelevant alternatives) 위반[16]을 허용하는 경우에는 중첩 로짓(nested logit)이나 다항 프로빗(multinomial probit)과 같은 다른 모델을 사용할 수도 있다.

2.2. 다항 로지스틱 데이터 설명

2.2.1. 데이터

여기에서는 다항 로지스틱 회귀 분석의 예에 사용할 데이터를 다룬다. 데이터는 200명의 고등학생을 대상으로 수집되었으며 비디오 게임과 퍼즐을 포함한 다양한 시험의 점수다. 이 분석의 결과 측정은 학생이 가장 좋아하는 아이스크림 맛(바닐라, 초콜릿 또는 딸기)이며, 이를 통해 비디오 게임 점수(비디오), 퍼즐 점수(퍼즐) 및 성별(여성)과 어떤 관계가 있는지 확인할 것이다. 데이터 세트는 여기에서 다운로드 할 수 있다[17]. 회귀 분석을 실행하기 전에 데이터에서 아이스크림 맛의 빈도를 얻으면 참조 그룹 선택에 도움이 될 수 있다.

다음 표는 다항로지스틱에서 사용할 데이터의 기술통계와 빈도분석 결과이

---

16) IIA는 투표 시스템이나 선호 순위 결정 과정에서 중요한 개념이다. 쉽게 말해, 선택과 무관한 다른 대안들이 결과에 영향을 미치지 않아야 한다는 뜻이다. 예시 1) 선거에서 3명의 후보 A, B, C가 있다. IIA 만족하려면, 유권자가 A를 가장 선호하고, B를 C보다 선호한다고 가정한다. 이때, C 후보가 사퇴하더라도 A 후보에 대한 유권자의 선호는 바뀌지 않는다. 즉, C 후보의 존재 여부가 A 후보에 대한 선호에 영향을 미치지 않아야 한다. IIA 위반하면, 유권자가 A와 B를 비교했을 때, C 후보의 존재가 A 후보에 대한 선호도를 높일 수도 있다. 즉, C 후보가 없으면 A 후보보다는 B 후보를 선호했을 수도 있는 상황이다. 이는 IIA 위반이 된다. 예시 2) 개인 선호에서 한 개인이 사과, 바나나, 오렌지를 선호한다고 가정한다. IIA 만족하려면, 이 개인이 사과를 가장 좋아하고, 바나나를 오렌지보다 좋아한다고 가정한다. 이때, 포도가 추가된다고 해서 사과에 대한 선호도가 바뀌지 않는다. 즉, 포도의 존재 여부가 사과 선호도에 영향을 미치지 않아야 한다. 하지만, IIA 위반에서 포도가 매우 맛있다고 생각하면 사과보다는 포도를 선호하게 될 수도 있다. 즉, 포도가 없으면 사과를 가장 좋아했을 수도 있는 상황이다. 이는 IIA 위반이 된다.
17) https://stats.oarc.ucla.edu/spss/output/multinomial−logistic−regression/

다. 성별에서 남성 91명, 여성 109명으로 전체 200명이다. 아이스크림의 선호하는 맛은 초콜렛, 바닐라, 스트로베리로 3개의 범주로 구성된 데이터이다. 일반적으로 디폴트 설정에서 기본적으로 SPSS는 가장 높은 번호의 범주를 참조 범주로 사용한다. 설정하지 않으면, 그러나 일반적으로 맨 마지막 또는 맨 처음을 참조 집단으로 설정하게 된다. 그러나 비교하고자 하는 참조변수는 가장 빈도수가 높고, 적정한 집단을 설정하는 것이 좋다. 스트로베리가 58명, 바닐라가 95명 다음으로 초콜렛 47명이므로, 바닐라를 참조집단으로 설정한다.

[표 17] 데이터 빈도분석

gender					
		빈도	퍼센트	유효 퍼센트	누적 퍼센트
유효	male	91	45.5	45.5	45.5
	female	109	54.5	54.5	100.0
	전체	200	100.0	100.0	
favorite flavor of ice cream					
		빈도	퍼센트	유효 퍼센트	누적 퍼센트
유효	chocolate	47	23.5	23.5	23.5
	vanilla	95	47.5	47.5	71.0
	strawberry	58	29.0	29.0	100.0
	전체	200	100.0	100.0	

기술통계에서 왜도(Skewness)와 첨도(Kurtosis)를 유의해야 한다. 왜도는 데이터 분포의 비대칭도를 나타내며, 첨도는 분포의 뾰족한 정도를 나타낸다. 성별과 아이스크림 선호 맛의 왜도와 첨도가 −1 이상이어서 데이터 분포가 상당히 비대칭적이거나 평평하다는 것을 의미한다. 왜도나 첨도가 절대값이 2 이상인 경우 분포가 크게 비대칭이거나 비정상적으로 뾰족하거나 평평하다는 것을 의미한다.

표준편차(Standard Deviation)에서 비디오게임 점수와 퍼즐게임 점수의 표준편차가 상대적으로 큰 편이다. 이는 점수 분포가 넓게 퍼져 있다는 것을 의미다. 높은 표준편차는 데이터의 변동성이 크다는 것을 의미하므로 데이터 분석 시 고려해야 할 부분이다.

평균(Mean)과 범위(Range)도 중요한 요소이다. 아이스크림 선호 맛의 평균은 2.055로, 주어진 범위(1~3) 내에서 중간 값에 가까운 수준이다. 비디오게임 점수와 퍼즐게임 점수의 평균이 비슷한 수준에 있지만, 각 점수의 최대값과 최소값을 통해 분포의 범위를 이해할 수 있다.

성별 변수는 이진 데이터(0과 1)로, 평균이 0.545로 나타나 성별이 고르게 분포되어 있지 않음을 나타내고, 왜도가 −0.182로 거의 대칭적이며, 첨도가 −1.987로 매우 평평한 분포를 나타낸다. 퍼즐게임 점수에서 점수 범위는 26 에서 71까지로, 평균은 52.405다. 표준편차가 10.736으로 역시 큰 변동성을 보인다. 왜도는 −0.382로 약간 왼쪽으로 치우쳐 있으며, 첨도는 −0.525로 약간 평평한 분포를 나타낸다.

[표 18] 기술통계량

기술통계량								
	N	범위	최소값	최대값	평균	표준편차	왜도	첨도
성별	200	1.00	.00	1.00	.545	.499	-.182	-1.987
아이스크림 선호하는 맛	200	2.00	1.00	3.00	2.055	.724	-.084	-1.080
비디오게임 점수	200	48.00	26.00	74.00	51.850	9.901	-.189	-.556
퍼즐게임 점수	200	45.00	26.00	71.00	52.405	10.736	-.382	-.525
유효 N(목록별)	200							

그림은 비디오 게임점수를 시각화한 것이다. 이렇듯 시각화를 통하여 전반 적인 데이터 분포를 파악할 수 있다.

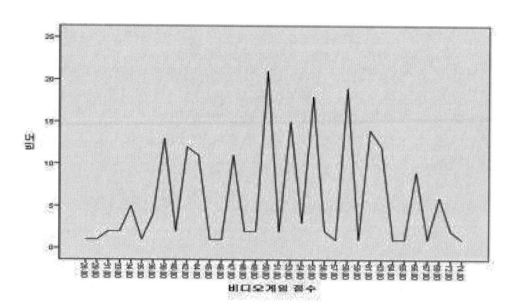

[그림 14] 비디오게임 점수 시각화

2.2.2. 다항 로지스틱 명령어

바닐라는 가장 자주 선호되는 아이스크림 맛이며 여기에서는 참조 집단 또는 그룹으로 바닐라가 된다. 데이터에서 바닐라는 숫자 2, 초콜릿은 1, 딸기는 3으로 순서로 표시한다. 다항 로지스틱 회귀 분석을 실행하기 위해 명령문에서 nomreg 명령을 사용한다.

예를 들면, 예측 변수 여성은 0 = 남성, 1 = 여성으로 코딩한다. 아래 분석에서는 변수 female을 키워드 뒤에 포함시켜 연속형 즉, 자유노 1의 예측 변수로 처리한다. 예측 변수 female이 키워드 다음에 나열된 경우는 1(여성)을 참조 그룹으로 사용한다. 분석가의 선호도에 따라 이진 예측 변수는 키워드 with 또는 by 뒤에 나열될 수 있다. 예를 들어, 남성이 참조 그룹이 되기를 원하므로 여성은 뒤에 나열한다.

```
NOMREG ice_cream (BASE=2 ORDER=ASCENDING) BY female WITH video puzzle
    /CRITERIA CIN(95) DELTA(0) MXITER(100) MXSTEP(5) CHKSEP(20)
LCONVERGE(0) PCONVERGE(0.000001) SINGULAR(0.00000001)
    /MODEL
    /STEPWISE=PIN(.05) POUT(0.1) MINEFFECT(0) RULE(SINGLE)
ENTRYMETHOD(LR) REMOVALMETHOD(LR)
    /INTERCEPT=INCLUDE
    /PRINT=PARAMETER SUMMARY LRT CPS STEP MFI IC.
```

이 명령문은 아이스크림 선호하는 맛을 종속변수로 하고 성별(female), 비디오게임 점수(video), 퍼즐게임 점수(puzzle)를 독립변수로 하여 다항 로지스틱 회귀분석을 수행한다. 명령문에 사용된 각 부분의 상세한 설명은 다음과 같다.

NOMREG 명령어
`NOMREG`는 다항 로지스틱 회귀분석을 수행하는 명령어다.
종속 변수와 독립 변수 설정
- `ice_cream (BASE=2 ORDER=ASCENDING)`: 종속변수로 아이스크림 선호하는 맛을 설정한다. `BASE=2`는 범주 2를 기준으로 설정하겠다는 의미이고, `ORDER=ASCENDING`는 범주를 오름차순으로 정렬한다는 의미다.
- `BY female WITH video puzzle`: 성별(female)은 범주형 독립변수로, 비디오게임 점수(video)와 퍼즐게임 점수(puzzle)는 연속형 독립변수로 사용한다.

CRITERIA 절

`/CRITERIA`는 알고리즘의 기준과 관련된 설정을 지정한다.

- `CIN(95)`: 신뢰구간을 95%로 설정한다.
- `DELTA(0)`: 수렴 조건의 변경을 설정한다.
- `MXITER(100)`: 최대 반복 횟수를 100번으로 설정한다.
- `MXSTEP(5)`: 한 번에 최대 5단계까지 진행하도록 설정한다.
- `CHKSEP(20)`: 분리 확인을 20번으로 설정한다.
- `LCONVERGE(0)`: 로그 우도 수렴 조건을 0으로 설정한다.
- `PCONVERGE(0.000001)`: 매개 변수의 수렴 조건을 0.000001로 설정한다.
- `SINGULAR(0.00000001)`: 행렬의 특이값 조건을 0.00000001로 설정한다.

MODEL 절

`/MODEL` 절은 모델을 지정한다. 여기서는 기본 모델을 사용하므로 특별한 옵션이 없다.

STEPWISE 절

`/STEPWISE` 절은 변수 선택 방법을 지정한다.

- `PIN(.05)`: 변수 추가 기준의 유의확률(p-value)을 0.05로 설정한다.
- `POUT(0.1)`: 변수 제거 기준의 유의확률을 0.1로 설정한다.
- `MINEFFECT(0)`: 최소 효과를 0으로 설정한다.
- `RULE(SINGLE)`: 단일 규칙을 사용한다.
- `ENTRYMETHOD(LR)`: 로지스틱 회귀(Likelihood Ratio) 방법을 사용하여 변수를 추가한다.
- `REMOVALMETHOD(LR)`: 로지스틱 회귀(Likelihood Ratio) 방법을 사용하여 변수를 제거한다.

INTERCEPT 절

`/INTERCEPT=INCLUDE`: 절편을 모델에 포함한다.

PRINT 절

`/PRINT=PARAMETER SUMMARY LRT CPS STEP MFI IC`: 출력할 내용을 지정한다.

- `PARAMETER`: 모수 추정치를 출력한다.
- `SUMMARY`: 요약 통계를 출력한다.
- `LRT`: 우도비 검정(Likelihood Ratio Test) 결과를 출력한다.

- `CPS`: 분류표(Classification Table)를 출력한다.
- `STEP`: 단계별 결과를 출력한다.
- `MFI`: 모델 적합도 지표(Model Fit Indices)를 출력한다.
- `IC`: 정보 기준(Information Criteria)을 출력한다.

이 명령문은 성별, 비디오게임 점수, 퍼즐게임 점수가 아이스크림 선호하는 맛에 미치는 영향을 평가하기 위한 다항 로지스틱 회귀분석을 수행하며, 다양한 알고리즘 기준과 변수 선택 방법을 설정하여 분석 결과를 상세하게 출력하도록 하였다.

2.2.3. 다항 로지스틱 모형 설정

1) 다항 로지스틱 시작하기

분석 메뉴에서 회귀분석을 선택한다. 회귀분석 메뉴의 세부항목 중 다항 로지스틱을 선택한다.

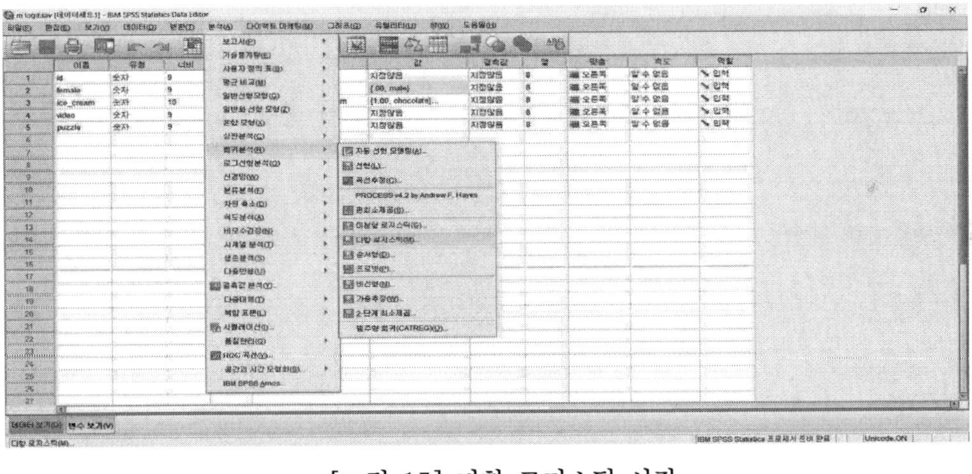

[그림 15] 다항 로지스틱 시작

다항 로지스틱 회귀 메뉴를 선택한 후 종속변수에 ice_cream을 선택하고, 참조범주를 선정한다. 여기서는 마지막이고 하였지만, 바닐라를 참조집단으로 선정하고자 하면, 사용자 정의를 다시 지정해야 한다. 요인 박스에는 gender(female)을 선정한다. 공변량 항에는 score on video game, score on puzzle game을 설정한다.

2) 다항 로지스틱 변수 설정

다항 로지스틱 회귀 모형 설정에서 먼저, 모형에 절편 포함 항을 체크하면, 절편이 포함된 추정식이 제공된다. 또한, 모형 설정에는 선택할 수 있는 메뉴가 주효과, 완전요인모형, 사용자정의/단계선택 등의 분석이 가능하다. 이들을 보면, 일반적으로 주효과 분석하는 경우가 대부분이다.

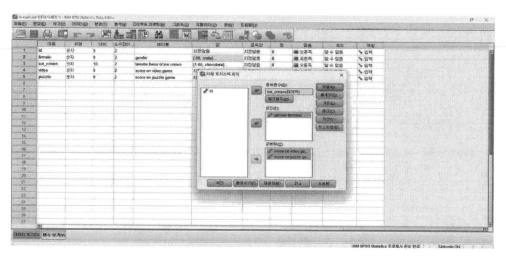

[그림 16] 다항 로지스틱 변수 지정하기

3) 다항 로지스틱 변수 설정

1) 주효과(Main Effects)
주효과 모형은 각 독립변수가 종속변수에 미치는 직접적인 영향을 분석하는 모형이다. 주효과 모형에서는 상호작용 항(interaction term)을 포함하지 않으며, 각 독립변수의 개별적인 효과만을 고려한다. 주효과 모형은 모델이 단순하고 해석이 용이하다. 독립변수 간의 상호작용이 없거나 무시할 수 있을 때 주효과 모형을 사용한다. 예를 들면, 성별, 연령, 소득 수준이 아이스크림 선호도에 미치는 영향을 분석할 때 각각의 독립변수가 종속변수에 미치는 개별적인 영향을 알고 싶다면 주효과 모형을 사용한다.

2) 완전요인모형 (Full Factorial Model)
완전요인모형은 모든 독립변수 간의 상호작용을 포함한 모델이다. 이는 주효과뿐만 아니라 독립변수들이 서로 결합하여 종속변수에 미치는 복합적인 영향을 분석한다. 독립변수 간의 상호작용이 있을 것으로 예상되거나 상호작용 효과를 분석하고자 할 때 사용한다. 예를 들면, 성별과 연령이 아이스크림 선호도에 미치는 영향을 분석하는데, 성별과 연령의 결합 효과가 있을 것으로 예상된다면 완전요인모형을 사용한다. 예를 들어, 남성과 여성의 아이스크림 선호도가 연령대에 따라 다르게 나타날 수 있다.

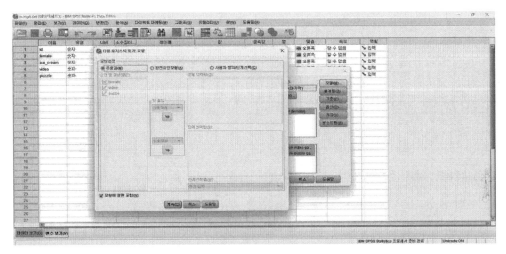

[그림 17] 다항 로지스틱 모형설정

3) 사용자 정의 모형 (Custom Model)

사용자 정의 모형은 분석자가 특정한 변수 또는 변수 조합만을 포함하여 모델을 구축하는 방식이다. 필요에 따라 주효과와 특정 상호작용 항을 선택하여 포함할 수 있다. 특정한 가설을 검증하거나 특정 변수의 효과만을 분석하고자 할 때 사용한다. 이는 분석자가 모델에 포함할 변수와 상호작용 항을 자유롭게 선택할 수 있도록 한다. 예를 들면, 아이스크림 선호도를 분석할 때, 성별과 연령의 상호작용만 포함하고, 소득 수준의 효과는 제외하고자 할 때 사용자 정의 모형을 사용한다.

4) 단계선택 (Stepwise Selection)

단계선택 방법은 알고리즘을 사용하여 모델에 포함할 변수들을 자동으로 선택하는 방식이다, 이는 주어진 기준에 따라 변수를 추가하거나 제거하여 최적의 모델을 구성한다. 일반적으로 전진 선택(Forward Selection), 후진 제거(Backward Elimination), 단계적 선택(Stepwise Selection) 방식이 있다. 모델을 자동으로 구축하고자 할 때 사용한다. 이는 많은 변수들 중에서 중요한 변수만을 선택하여 최적의 모델을 만들 수 있다. 예를 들면, 아이스크림 선호도에 영향을 미칠 수 있는 많은 변수를 가지고 있고, 이 중 어떤 변수가 중요한지 모르는 경우 단계선택 방법을 사용하여 중요한 변수를 자동으로 선택한다.

이들 모형을 비교하면, 주효과 모형은 단순하고 해석이 용이하고, 독립변수 간 상호작용을 무시한다. 완전요인모형은 모든 상호작용을 포함하여 복잡한 관계를 분석하고, 해석이 어려울 수 있다. 사용자 정의 모형은 특정 가설 검증을 위해 특정 변수와 상호작용 항을 선택하고, 유연성이 높다. 단계선택모형은 알고리즘을 사용하여 최적의 변수 집합을 자동 선택하고, 변수 선택에 있어서 효율적이다. 분석 목적에 맞는 모형 설정을 선택하면 정확하고 유의미한 결과를 도출할 수 있다.

4) 다항 로지스틱 모형 - 항설정

다항 로지스틱 회귀 모형 설정에서 항(terms)을 설정할 때 상호작용 항을 포함하는 다양한 방식이 있다. 항 설정에서 상호작용, 주효과, 모든 2원효과, 모든 3원효과, 모든 4원효과, 모든 5원효과 등이 있다. 먼저, 주효과는 각각의 독립 변수가 종속 변수에 미치는 직접적인 영향을 모델에 포함하므로 이전 설명으로 대체한다.

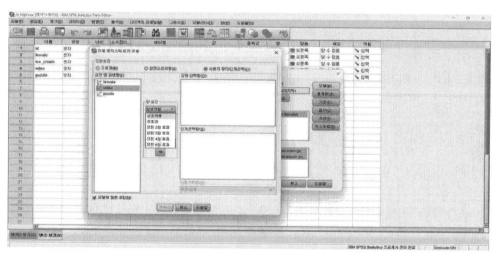

[그림 18] 모형의 항 설정하기

둘째, 모든 2원 상호작용 효과(All 2-Way Interactions)는 각 두 개의 독립변수 간의 상호작용을 포함한다. 이는 두 변수의 결합 효과가 종속변수에 미치는 영향을 분석한다. 변수들 간의 상호작용이 있을 것으로 예상될 때, 두 변수의 결합이 종속변수에 미치는 영향을 분석하고자 할 때 사용한다. 예를 들면, 성별과 연령, 성별과 소득, 연령과 소득 간의 상호작용이 아이스크림 선호도에 미치는 영향을 분석할 수 있다.

셋째, 모든 3원 상호작용 효과 (All 3-Way Interactions)는 세 개의 독립변수 간의 상호작용을 포함한다. 이는 세 변수의 결합 효과가 종속변수에 미치는 영향을 분석한다. 변수들 간의 다차원적인 상호작용이 있을 것으로 예상될 때, 세 변수의 결합이 종속변수에 미치는 영향을 분석하고자 할 때 사용한다. 예를 들면, 성별, 연령, 소득 수준의 세 변수 간의 상호작용이 아이스크림 선호도에 미치는 영향을 분석한다.

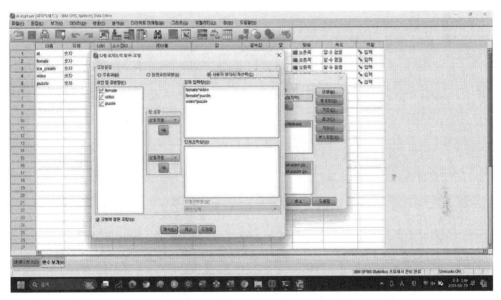

[그림 19] 2원 상호작용효과 설정

넷째, 모든 4원 상호작용 효과 (All 4-Way Interactions)는 네 개의 독립변수 간의 상호작용을 포함한다. 이는 네 변수의 결합 효과가 종속변수에 미치는 영향을 분석한다. 다차원적인 상호작용이 복잡하게 얽혀 있을 때, 네 변수의 결합이 종속변수에 미치는 영향을 분석하고자 할 때 사용한다. 예를 들면, 성별, 연령, 소득 수준, 교육 수준의 네 변수 간의 상호작용이 아이스크림 선호도에 미치는 영향을 분석한다.

다섯째, 모든 5원 상호작용 효과 (All 5-Way Interactions)는 다섯 개의 독립변수 간의 상호작용을 포함한다. 이는 다섯 변수의 결합 효과가 종속변수에 미치는 영향을 분석한다. 아주 복잡한 상호작용 구조를 고려해야 할 때, 다섯 변수의 결합이 종속변수에 미치는 영향을 분석하고자 할 때 사용한다. 예를 들면, 성별, 연령, 소득 수준, 교육 수준, 직업의 다섯 변수 간의 상호작용이 아이스크림 선호도에 미치는 영향을 분석한다.

유의할 요소로는 상호작용 항을 많이 포함할수록 모델은 더 복잡해지고 해석이 어려워질 수 있다. 상호작용 항이 많아지면 더 많은 데이터가 필요하다. 그렇지 않으면 과적합(overfitting)될 위험이 있다. 분석의 목적에 따라 적절한 항 설정을 선택해야 한다. 주효과만으로 충분한 경우도 있고, 복잡한 상호작용을 분석해야 하는 경우도 있다. 이렇게 다양한 항 설정 옵션을 통해 분석 목적에 맞는 최적의 모델을 구성할 수 있다.

5) 다항 로지스틱 통계량 설정

다항 로지스틱 회귀 분석에서 다양한 통계량 설정과 관련된 요소들을 설정할 수 있다. 각 요소를 설명하고, 어떻게 사용할 수 있는지를 설명한다.

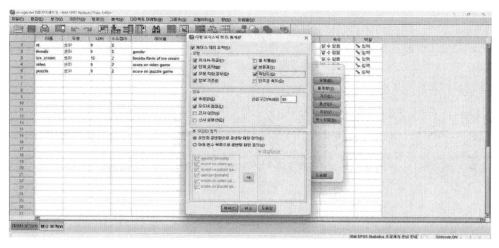

[그림 20] 다항 로지스틱 통계량 설정

통계량 설정에서 먼저 케이스 처리요약에 체크하면 케이스처리 요약표가 제공된다. 모형 박스에는 유사 R 제곱, 단계 요약, 모형 적합 정보, 정보기준, 셀확률, 분류표, 적합도, 단조성 측도가 있다. 모수 박스에는 추정값, 우도비 검정, 근사상관, 근사 공분산과 신뢰구간 95%가 있다.

부-모집단 정의 박스에는 요인과 공변량으로 공변량 패턴 정의와 아래 변수목록으로 공변량 패턴 정의로 구성되어 있다.

1) 케이스처리 요약 (Case Processing Summary)

케이스처리 요약은 분석에 사용된 데이터의 요약 정보를 제공한다. 여기에는 유효 케이스 수, 결측치 수, 전체 케이스 수 등이 포함한다. 데이터의 유효성을 확인하고, 결측치가 분석에 미치는 영향을 파악할 수 있다. 예를 들면, 200명의 데이터 중 190명의 유효한 데이터를 사용하고, 10명의 데이터는 결측치로 인해 제외되었음을 보여준다.

2) 모형 박스(Model Box)

유사 R 제곱 (Pseudo R-Square)에는 모델의 적합도를 평가하기 위한 지표다. Cox & Snell, Nagelkerke, McFadden 지표가 포함 제공된다. 모델의 설명력을 평가한다. 예를 들면, Nagelkerke의 유사 R 제곱 값이 0.25라면, 모델이 데이터의 변동성을 25% 설명할 수 있음을 나타낸다.

단계 요약 (Step Summary)에는 단계적 선택 과정에서 추가되거나 제거된 변수들의 요약 정보를 제공한다. 변수 선택 과정에서 어떤 변수가 모델에 포함되었는지 또는 제거되었는지 확인할 수 있다. 예를 들어, 성별 변수가 1단계에서 포함되고, 연령 변수가 2단계에서 포함되었음을 보여준다.

모형 적합 정보 (Model Fit Information)에는 모델의 적합도를 평가하는 지표로, -2 로그 우도, AIC, BIC 등의 정보가 포함된다. 모델의 적합도를 비교하고 최적의 모델을 선택할 수 있다. 예를 들면, 최종 모델의 -2 로그 우도 값이 332.641이라면, 이 값을 사용하여 다른 모델과 비교할 수 있다.

정보기준 (Information Criteria)에는 AIC와 BIC와 같은 지표를 사용하여 모델의 적합도를 평가한다. 모델 선택에 있어 적합도를 비교하는 데 사용한다. 예를 들면, AIC 값이 낮을수록 모델의 적합도가 높음을 나타낸다.

셀 확률 (Cell Probabilities)에는 각 범주의 예측 확률을 제공한다. 각 사례가 특정 범주에 속할 확률을 확인한다. 예를 들면, 특정 사례가 바닐라를 선호할 확률이 0.7이라면, 이 값을 확인할 수 있다.

분류표 (Classification Table)에는 실제 범주와 예측 범주의 일치율을 보여준다. 모델의 예측 정확도를 평가한다. 예를 들면, 모델이 80%의 정확도로 아이스크림 선호도를 예측했음을 보여준다.

적합도 (Goodness-of-Fit)에는 모델의 적합도를 평가하는 지표다. 모델이 데이터에 얼마나 잘 맞는지 평가한다. 예를 들면, 적합도 지표가 높다면, 모델이 데이터를 잘 설명하고 있음을 나타낸다.

단조성 측도(Monotonicity Measures)에는 모델의 단조성(일관성)을 평가하는 지표이다. 모델이 일관되게 예측하고 있는지 확인한다. 예를 들면, 단조성 측도가 높은 경우, 모델의 예측이 일관됨을 나타낸다.

3) 모수 박스(Parameter Box)

추정값 (Estimates)에는 각 예측 변수의 회귀계수 추정값을 제공한다. 각 변수의 영향을 평가한다. 예를 들면, 성별이 남성일 때 초콜릿을 선호할 확률이 얼마나 증가하는지 추정값으로 확인할 수 있다.

우도비 검정 (Likelihood Ratio Tests)에는 변수의 중요성을 평가하는 지표로, 각 변수의 카이제곱 통계량과 p-값을 제공한다. 변수의 유의성을 평가한다. 예를 들면, p-값이 0.05보다 작다면, 해당 변수가 유의미한 영향을 미침을 나타낸다.

근사상관 (Approximate Correlation)에는 변수 간의 상관관계를 제공한다. 다중 공선성을 확인한다. 예를 들면, 두 변수 간의 상관계수가 높다면, 다중 공선성이 있을 수 있음을 나타낸다.

근사 공분산 (Approximate Covariance)에는 변수 간의 공분산 값을 제공한다. 변수 간의 변동성을 평가한다. 예를 들면, 공분산 값이 크다면, 두 변수 간의 변동성이 높음을 나타낸다.

신뢰구간 95% (95% Confidence Interval)에는 회귀계수의 95% 신뢰구간을 제공한다. 회귀계수의 불확실성을 평가한다. 예를 들면, 성별이 남성일 때 초콜릿을 선호할 확률의 신뢰구간이 (0.5, 1.5)라면, 실제 값이 이 범위 내에 있을 확률이 95%임을 나타낸다.

4) 부-모집단 정의 박스 (Subset Population Definition Box)

요인과 공변량으로 공변량 패턴 정의(Define Covariate Pattern by Factors and Covariates)에는 특정 요인과 공변량을 기준으로 모집단을 정의한다. 특정 패턴에 맞는 데이터만을 분석에 포함할 때 사용한다. 예를 들면, 특정 연령대와 성별의 데이터를 포함하여 아이스크림 선호도를 분석할 수 있다.

아래 변수목록으로 공변량 패턴 정의 (Define Covariate Pattern by

Variable List Below)에는 변수목록을 기준으로 모집단을 정의한다. 선택한 변수에 따라 데이터를 필터링한다. 예를 들면, 소득 수준과 직업을 기준으로 데이터를 필터링하여 분석한다.

이들의 차이점을 비교하면, 첫째, 주효과 vs. 상호작용 효과에서 주효과는 각 변수의 개별 효과를 분석하는 반면, 상호작용 효과는 변수 간의 결합 효과를 분석한다. 상호작용 항이 많을수록 모델은 더 복잡해진다. 둘째, 단계선택 vs. 사용자 정의 모형에서 단계선택은 알고리즘을 사용하여 변수를 자동 선택하는 반면, 사용자 정의 모형은 분석자가 선택한 변수를 포함한다. 단계 선택은 효율적이지만, 사용자 정의 모형은 분석자의 가설에 더 잘 맞을 수 있다. 셋째, 케이스처리 요약 vs. 모형 박스에서 케이스처리 요약은 데이터의 유효성을 평가하는 데 사용되고, 모형 박스는 모델의 적합도를 평가하는 다양한 지표를 제공한다.

이러한 다양한 설정 옵션을 통해 분석자는 데이터를 보다 효과적으로 분석하고, 모델의 적합도를 평가하며, 유의미한 결과를 도출할 수 있다.

6) 다항 로지스틱 수렴기준

수렴 기준 설정에서 반복 박스에 포함된 각 요소들을 상세하게 설명한다. 수렴기준에서 반복 박스에는 최대반복계산 100, 최대단계 이분 5, 로그-우도 수렴 0 모수수렴 0.000001 다음 단계마다 반복계산과정 출력 단계, 데이터가 분리된 반복계산 단계 체크 20 전진, 델타 0 비정칙성 공차 0.00000001로 구성되어 있다.

1) 최대 반복 계산 (Maximum Iterations)

모델이 수렴할 때까지 수행할 최대 반복 횟수를 설정한다. 반복 계산은 모델이 수렴되지 않을 때 무한히 계속될 수 있으므로 이를 방지하기 위해 최대 반복 횟수를 설정한다. 모델이 수렴하지 않을 경우 분석이 끝나지 않는 문제를 방지한다. 예를 들면, 최대 반복 계산을 100으로 설정하면, 모델이 100번 반복 후에도 수렴하지 않으면 계산을 중지하고 경고 메시지를 출력한다.

2) 최대 단계 이분 (Maximum Step Halving)

반복 과정에서 단계 크기를 줄일 수 있는 최대 횟수를 설정한다. 단계 이분은 수렴 속도를 높이기 위해 단계 크기를 조정하는 과정이다. 수렴 과정이 너무 느릴 때 단계 크기를 줄여 수렴을 촉진한다. 예를 들면, 최대 단계 이분을 5로 설정하면, 단계 크기를 최대 5번까지 줄일 수 있다.

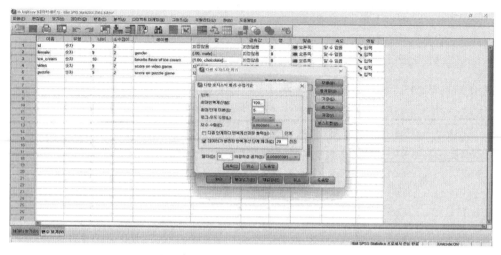

[그림 21] 다항 로지스틱 수렴기준

3) 로그-우도 수렴 (Log-Likelihood Convergence)

로그-우도 함수의 수렴기준을 설정한다. 반복 과정에서 로그-우도의 변화가 설정된 값보다 작아지면 모델이 수렴된 것으로 간주한다. 모델이 충분히 수렴했는지 판단한다. 예를 들면, 로그-우도 수렴 기준을 0으로 설정하면, 로그-우도의 변화가 0이 되면 수렴된 것으로 간주한다.

4) 모수 수렴 (Parameter Convergence)

모수 추정치의 수렴기준을 설정한다. 반복 과정에서 모수 추정치의 변화가 설정된 값보다 작아지면 모델이 수렴된 것으로 간주한다. 개별 모수의 변화가 충분히 작아졌는지 판단한다. 예를 들면, 모수 수렴 기준을 0.000001로 설정하면, 모수의 변화가 0.000001보다 작아지면 수렴된 것으로 간주한다.

5) 반복 계산 과정 출력 (Iteration Process Output)

반복 계산 과정의 세부 정보를 출력할지 여부를 설정한다. 모델의 수렴 과정을 모니터링할 수 있다. 예를 들면, 매 반복 계산마다 로그-우도와 모수의 변화를 출력하도록 설정할 수 있다.

6) 데이터가 분리된 반복 계산 단계(Separated Iteration Steps)

데이터가 분리된 경우 반복 계산 단계를 체크하는 옵션이다. 데이터 분리는 특정 조합의 예측 변수 값이 특정 범주로 완전히 예측되는 상황을 의미한다. 데이터 분리를 감지하고 문제를 해결한다. 예를 들면, 체크 단계 20으로 설정하면, 20번째 반복에서 데이터가 분리되었는지 확인한다.

7) 델타 (Delta)

작은 변화량을 의미하며, 주로 수렴기준이나 단계 크기 조정에 사용한다. 반복 과정에서 수렴 속도를 조절한다. 예를 들면, 델타 값을 0으로 설정하면, 단계 크기를 조정하지 않는다.

8) 비정칙성 공차 (Singularity Tolerance)

행렬이 비정칙성(단수)을 가지는 경우를 처리하기 위한 공차 값을 설정한다. 공차 값이 작을수록 행렬이 단수일 가능성이 높아진다. 수치적 안정성을 높이고 계산 오류를 방지한다. 예를 들면, 비정칙성 공차를 0.00000001로 설정하면, 매우 작은 공차 값을 사용하여 행렬의 단수를 감지한다.

요약하면, 최대 반복 계산과 최대 단계 이분에서 최대 반복 계산은 수렴되지 않을 경우를 방지하기 위한 횟수 제한이며, 최대 단계 이분은 수렴 속도를 높이기 위한 단계 크기 조정이다. 로그-우도 수렴과 모수 수렴에서 로그-우도 수렴은 모델 전체의 적합도를 기준으로, 모수 수렴은 개별 모수의 변화를 기준으로 수렴 여부를 판단한다. 반복 계산 과정 출력과 데이터 분리 체크에서 반복 계산 과정 출력은 수렴 과정을 모니터링하기 위한 옵션이고, 데이터 분리 체크는 특정 조합의 예측 변수 값이 특정 범주로 완전히 예측되는 상황을 감지하기 위한 옵션이다.

이와 같이 다양한 수렴 기준과 반복 설정 옵션을 통해 모델의 적합도를 평가하고, 수렴 과정을 모니터링하며, 데이터 문제를 해결할 수 있다.

7) 다항 로지스틱 옵션

다항 로지스틱 회귀의 옵션에서 산포 척도 박스에서 척도는 없음으로 선택한다.

단계선택옵션 박스에서 1) 입력확률: .05, 2) 항 입력방법: 우도비, 3) 제거 확률 0.1, 4) 항 제거 방법 우도비, 5) 모형내 최소 다단효과(우신법) 0, 6) 모형내 최대 다단효과(전진법)가 있다.

계측 결정시 입력 및 제거 항에 대한 제약 적용에서 1) 계측 결정시 공변량을 요인으로 처리, 2) 계층 결정시 요인 항만 고려(공변량이 있는 항은 언제든지 입력할 수 있음), 3) 계측 결정시 공변량 효과 내에서 요인 항만 고려 있다.

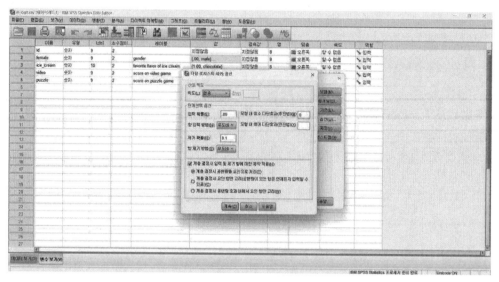

[그림 22] 다항 로지스틱 옵션

다항 로지스틱 회귀의 옵션을 설명한다.

첫째, 산포 척도 박스에서 척도는 없음 선택한다. 산포 척도 옵션을 없음으로 선택하면 모델에 추가적인 산포 척도를 적용하지 않는다. 산포 척도는 데이터의 산포를 조정하는 데 사용되며, 없음으로 설정하면 기본적인 모형으로 분석을 수행한다.

척도는 없음, 사용자정의, 피어슨, 편차 등을 설정할 수 있다. 이들 산포 척도 옵션을 설명한다.

1) 척도는 없음(No Scaling)

산포 척도를 적용하지 않고 기본 모델을 사용한다. 기본적인 로지스틱 회귀 모델을 적용할 때 사용한다. 데이터의 산포를 조정하지 않는 경우에 사용한다. 예를 들면, 기본 모델로 데이터 분석을 수행할 때 선정한다.

2) 사용자정의(Custom Scaling)

사용자가 직접 정의한 산포 척도를 적용할 수 있다. 특별한 분석 요구에 따라 사용자가 정의한 산포 척도를 적용한다. 표준 산포 척도로 충분하지 않은 경우에 사용한다. 예를 들면, 특정 연구 설계나 데이터 특성에 맞춰 사용자 정의 산포 척도를 적용할 때가 있다.

3) 피어슨 (Pearson Scaling)

피어슨 잔차(Pearson residuals)를 사용하여 산포 척도를 조정한다. 데이터의 산포가 과대 또는 과소 추정될 때 이를 보정하기 위해 사용한다. 로지스틱 회귀 모델에서 잔차 분석을 통해 모델의 적합성을 평가할 때 사용한다. 예를 들면, 모델의 적합성이 좋지 않아 피어슨 잔차를 통해 산포를 보정하고 분석할 때 사용할 수 있다. 피어슨 잔차는 오차의 제곱을 통해 잔차를 평가한다.

4) 편차(Deviance Scaling)

편차(Deviance) 잔차를 사용하여 산포 척도를 조정한다. 모델의 적합성을 평가하기 위해 편차를 기반으로 산포를 보정한다. 로지스틱 회귀 모델의 잔차 분석에서 편차를 사용하여 산포를 보정하고 분석할 때 사용한다. 예를 들면, 모델의 적합성이 좋지 않아 편차 잔차를 통해 산포를 보정하고 분석할 때 사용한다. 편차 잔차는 모델의 로그 우도를 사용하여 잔차를 평가한다.

둘째, 단계 선택 옵션 박스

1) 입력 확률 (Entry Probability)

변수를 모델에 포함시키기 위한 기준 p-값이다. 변수가 이 값보다 작은 p-값을 가지면 모델에 포함된다. 예를 들면, 입력 확률을 0.05로 설정하면, p-값이 0.05 미만인 변수만 모델에 포함된다.

2) 항 입력 방법 (Entry Method)

변수를 모델에 포함시키는 방법을 결정한다. 일반적으로 우도비(Likelihood Ratio)를 사용한다. 예를 들면, 우도비를 사용하면, 변수의 포함 여부가 모델의 우도비에 기반하여 결정한다.

3) 제거 확률 (Removal Probability)

변수를 모델에서 제거하기 위한 기준 p-값이다. 변수가 이 값보다 큰 p-값을 가지면 모델에서 제거한다. 예를 들면, 제거 확률을 0.1로 설정하면, p-값이 0.1 이상인 변수는 모델에서 제거된다.

4) 항 제거 방법 (Removal Method)

변수를 모델에서 제거하는 방법을 결정한다. 일반적으로 우도비(Likelihood Ratio)를 사용한다. 예를 들면, 우도비를 사용하면, 변수의 제거 여부가 모델의 우도비에 기반하여 결정한다.

5) 모형내 최소 다단 효과 (후진법)(Minimum Effects in Model for Backward Stepwise)

후진 제거 방법에서 모델에 유지되어야 하는 최소 효과 수를 설정한다. 예를 들면, 최소 다단 효과를 0으로 설정하면, 모든 변수를 제거할 수 있다.

6) 모형내 최대 다단 효과(전진법) (Maximum Effects in Model for Forward Stepwise)

전진 선택 방법에서 모델에 포함될 수 있는 최대 효과 수를 설정한다. 예를 들면, 최대 다단 효과를 0으로 설정하면, 변수가 추가되지 않는다.

셋째, 계층 결정 시 입력 및 제거 항에 대한 제약 적용

1) 계층 결정 시 공변량을 요인으로 처리 (Covariate Treated as Factors in Stepwise)

공변량을 요인으로 처리하여 단계 선택 과정에서 요인처럼 다룬다. 예를 들면, 공변량(연속 변수)을 범주형 변수처럼 처리하여 단계 선택 과정을 진행한다.

2) 계층 결정 시 요인 항만 고려 (공변량이 있는 항은 언제든지 입력할 수 있음) (Only Consider Factor Effects in Stepwise)

단계 선택 과정에서 요인 항만 고려하고, 공변량이 포함된 항은 별도로 입력할 수 있게 한다. 예를 들면, 요인 항만 단계 선택 과정에서 추가하거나 제거하고, 공변량 항은 언제든지 모델에 포함될 수 있다.

3) 계층 결정 시 공변량 효과 내에서 요인 항만 고려 (Only Consider Factor Effects within Covariate Effects in Stepwise)

공변량 효과 내에서 요인 항만 고려하여 단계 선택 과정을 진행한다. 예를 들면, 공변량의 영향을 고려하여 요인 항만 선택하거나 제거한다.

이와 같이 다양한 옵션을 통해 다항 로지스틱 회귀 분석을 더욱 세밀하게 설정하고, 모델의 적합도를 높이며, 분석 결과를 해석할 수 있다.

2.2.4. 다항 로지스틱 회귀 해석

다항 로지스틱 회귀는 종속변수가 세 개 이상의 범주를 가지는 경우에 사용되는 회귀 분석 방법이다. 이 방법은 각 범주에 대한 예측 확률을 추정하기 위해 독립변수를 사용한다. 다항 로지스틱 회귀의 결과를 해석하는 일반적인 단계를 보면, 다음과 같다. 모형 적합성 평가, 설명 변수의 유의성 검정, 오즈비 해석, 모델의 예측 성능 평가 등의 단계를 거쳐 이루어진다. 각 단계에서 산출된 통계량과 지표를 종합적으로 고려하여 모델의 유의성, 설명

력, 예측력을 평가할 수 있다.

1) 케이스 처리 요약

N은 첫 번째 열의 설명에 맞는 관측치 수를 제공한다. 예를 들어, 처음 세 개의 값은 피험자가 선호하는 아이스크림 맛이 각각 초콜릿, 바닐라 또는 딸기인 관측치 수를 나타낸다.

주변 퍼센트 또는 한계 백분율은 각 결과 변수 그룹에서 발견된 유효한 관측치의 비율을 나열한다. 이는 각 그룹의 N을 유효에 대한 N으로 나누어 계산할 수 있다. 유효한 데이터가 있는 200명의 피험자 중 47명은 바닐라와 딸기보다 초콜릿 아이스크림을 선호했다. 따라서 이 그룹의 한계 백분율은 (47/200) * 100 = 23.5%다.

[표 19] 케이스 처리 요약

케이스 처리 요약			
		N	주변 퍼센트
아이스크림 선호하는 맛	chocolate	47	23.5%
	vanilla	95	47.5%
	strawberry	58	29.0%
성별	male	91	45.5%
	female	109	54.5%
유효		200	100.0%
결측		0	
전체		200	
부-모집단		143a	
a. 종속변수에는 117 (81.8%) 부-모집단에 관측된 값이 하나만 있습니다.			

아이스크림 선호하는 맛(ice_cream) 항에서 이 회귀 분석에서 결과 변수는 피험자가 가장 좋아하는 아이스크림 맛에 대한 숫자 코드가 포함된 아이스크림 선호하는 맛이다. 데이터에는 세 가지 선호하는 맛, 1=초콜릿, 2=바닐라, 3=딸기를 나타내는 세 가지 수준의 아이스크림이 포함되어 있다.

유효 항에서 결과 변수와 모든 예측 변수가 누락되지 않은 데이터세트의 관측치 수를 나타낸다.

누락 항에서 결과 변수 또는 예측 변수에서 데이터가 누락된 데이터 세트의 관측치 수를 나타낸다.

총계 항에서 데이터세트의 총 관측치 수, 즉 데이터가 누락된 관측치 수와 유효한 데이터가 있는 관측치 수의 합계를 나타낸다.

하위 모집단 항에서 데이터에 포함된 하위 모집단의 수를 나타낸다. 데이터의 하위 모집단은 모델에 대해 지정된 예측 변수의 하나의 조합으로 구성된다. 예를 들어 여성 = 0, 비디오 = 42, 퍼즐 = 26인 모든 기록은 데이터의 하나의 하위 모집단으로 간주한다. SPSS가 제공하는 각주는 결과 변수에서 모두 동일한 값을 갖는 레코드로 구성되는 예측 변수의 조합 수를 나타낸다. 이 경우 데이터에 등장하는 여자, 비디오, 퍼즐의 조합은 143개이며, 이 중 117개의 조합은 동일한 선호 아이스크림 맛을 지닌 기록으로 구성된다.

수의해야 할 부분에서 첫째, 부-모집단의 크기다. 부-모집단에 속하는 143명이 전체 200명 중 117명(81.8%)과 관련된 데이터만을 가지고 있다. 이는 특정 범주에 치우친 데이터를 의미할 수 있다. 이로 인해 분석 결과가 왜곡될 가능성이 있으며, 회귀 분석 시 모델의 적합도나 해석에 영향을 미칠 수 있다.

둘째, 데이터 균형이다. 아이스크림 선호 맛에서 바닐라가 47.5%로 다른 맛보다 크게 높다. 데이터 불균형이 존재하여 모델이 특정 범주에 더 치우칠 수 있다. 또한, 성별 분포는 비교적 균등하나, 독립변수와 종속변수 간의 관계를 분석할 때 각 범주 간의 균형을 고려해야 한다.

셋째, 종속변수의 관측 값이다. 종속변수에 하나만 관측된 값이 81.8%를 차지하는 경우, 데이터의 다양성이 부족할 수 있다. 이는 모델의 예측 성능에 부정적인 영향을 미칠 수 있다. 이 부분에 대한 추가적인 검토와 필요시 데이터를 보강하거나, 분석 방법을 조정할 필요가 있다.

넷째, 다항 로지스틱 회귀 분석의 적합성이다. 다항 로지스틱 회귀 분석을 수행할 때, 각 범주의 충분한 표본 수가 필요하다. 데이터의 불균형이나 특정 범주에 치우친 값이 많으면 분석 결과가 신뢰할 수 없게 될 수 있다. 변수 선택 과정에서 적절한 검증을 통해 유의미한 변수를 선정하고 모델의 적합성을 평가해야 한다.

2) 모형 적합 정보

모형 또는 모델 항에서 모델 적합도가 계산되는 모델의 매개변수를 나타낸다. 절편 만 항은 예측 변수를 제어하지 않고 단순히 절편을 맞춰 결과 변수를 예측하는 모델을 설명한다. 최종 항은 지정된 예측 변수를 포함하고 결과 변수에 표시되는 결과의 로그 가능성을 최대화하는 반복 프로세스를 통해 도달한 모델을 설명한다. 예측 변수를 포함하고 데이터에 표시된 결과의 로그 가능성을 최대화함으로써 최종 모델은 절편 만 모델보다 향상되어야 한다.

이는 모델과 관련된 -2(Log Likelihood) 값의 차이에서 볼 수 있다.

[표 20] 모형 적합 정보

모형 적합 정보						
모형	모형 적합 기준			우도비 검정		
	AIC	BIC	-2 로그 우도	카이제곱	자유도	유의확률
절편 만	369.736	376.333	365.736			
최종	348.641	375.027	332.641	33.095	6	.000

-2(로그 우도) 항은 -2와 널 모델(null model) 및 적합된 최종 모델의 로그 우도를 곱한 것이다. 모델의 우도는 모델에 있는 모든 예측 변수의 회귀계수가 동시에 0인지 여부를 테스트하고 중첩 모델을 테스트하는 데 사용한다.

카이제곱 항은 예측 변수의 회귀계수 중 하나 이상이 모델에서 0이 아니라는 LR(우도비) 카이제곱 테스트다. LR 카이제곱 통계량은 -2*L(null model) - (-2*L(적합 모델)) = 365.736 - 332.641 = 33.095로 계산할 수 있다. 여기서 L(null model)은 다음과 같은 로그 우도에서 나온 것이다. 모델(절편만) 및 L(적합모델)의 응답 변수는 모든 매개변수를 사용한 최종 반복 또는 모델이 수렴되었다고 가정한 경우의 로그 우도다.

자유도(df) 항은 LR 카이제곱 통계를 테스트하는 데 사용되는 카이제곱 분포의 자유도를 나타내며 모델의 예측 변수 수 또는 두 모델의 예측 변수 3개로 정의한다.

유의확률 항에서 LR 테스트 통계가 귀무가설 하에서 관찰된 통계만큼 또는 그 이상으로 극단적일 확률이다. 귀무가설은 모델의 모든 회귀계수가 0이라는 것이다. 즉, 이는 카이제곱 통계(33.095)를 얻을 확률이거나 실제로 예측 변수의 영향이 없는 경우 하나 이상의 극단적인 확률이다. 이 p-값은 지정된 알파 수준, 즉 일반적으로 0.05 또는 0.01로 설정되는 제1종 오류를 허용하려는 의지와 비교된다. LR 테스트의 작은 p-값인 <0.00001은 모델의 회귀계수 중 하나 이상이 0이 아니라는 결론을 내린다. 귀무가설을 검정하는 데 사용되는 카이제곱 분포의 모수는 이전 열의 자유도로 정의한다.

모형 적합 정보에서 정보 기준은 AIC와 BIC 값을 이용한다. AIC(Akaike Information Criterion)는 절편만 포함된 모형 369.736, 최종 모형 348.641로 AIC 값이 작을수록 모형의 적합도가 높다. 최종 모형의 AIC 값이 절편만 포함된 모형보다 작아 모형 적합도가 더 좋음을 알 수 있다. BIC(Bayesian Information Criterion)의 절편만 포함된 모형 376.333, 최종 모형 375.027로 BIC 값이 작을수록 모형의 적합도가 높다. 최종 모형의 BIC 값도 절편만 포함된 모형보다 작아 모형 적합도가 더 좋다.

-2 로그 우도(-2 Log Likelihood)의 절편만 포함된 모형 365.736, 최종 모형 332.641로 -2 로그 우도 값이 작을수록 모형의 적합도가 높다. 최종 모형의 -2 로그 우도 값이 더 작아 모형 적합도가 개선되었다.

우도비 검정(Likelihood Ratio Test)에서 카이제곱(Chi-Square) 값 33.095, 자유도(Degrees of Freedom) 값 6, 유의확률(p-value) 값 .000으로 p-value가 .000으로 매우 낮아, 최종 모형이 절편만 포함된 모형보다 유의하게 더 적합하다. 일반적으로 $p < 0.05$를 기준으로 유의미한 차이가 있다.

모형 적합도를 비교해서 요약하면, 절편만 포함된 모형과 최종 모형을 비교할 때, AIC, BIC, -2 로그 우도 값이 모두 최종 모형에서 더 낮아졌다. 이는 최종 모형이 데이터를 더 잘 설명하고 있다. AIC와 BIC는 모형의 복잡성과 적합도를 모두 고려한 지표다. 값이 낮을수록 적합도가 높은데, 최종 모형의 AIC와 BIC가 낮아 적합도가 개선되었다. 우도비 검정 결과, 카이제곱 값이 33.095로 자유도 6에서 유의확률이 .000으로 나타났다. 이는 최종 모형이 통계적으로 유의미하게 절편만 포함된 모형보다 적합하다.

그러나 유의해야 할 부분은 첫째, 모형의 유의성에서 우도비 검정에서 유의확률이 .000으로 나타났지만, 실제 데이터 분석 상황에서는 p-value가 낮다고 무조건 좋은 모형이라고 단정할 수는 없다. 모형의 해석 가능성과 실제 현상에 대한 타당성도 고려해야 한다.

둘째, 과적합 가능성으로 모형이 너무 많은 변수를 포함하여 과적합(overfitting)될 가능성을 고려해야 한다. 이는 훈련 데이터에는 적합하지만 새로운 데이터에 대해 일반화 성능이 떨어질 수 있다. 이를 방지하기 위해 교차 검증(cross-validation) 등을 활용할 수 있다.

셋째, 변수 선택에서 최종 모형에서 사용된 변수들이 실제로 의미 있는지, 과도하게 변수가 포함되어 있지는 않은지 검토해야 한다. 변수 선택 절차가 적절하게 이루어졌는지 확인이 필요하다.

넷째, 모형 해석에서 최종 모형의 해석이 중요하다. 회귀 계수의 부호와 크기, 변수 간의 상호작용 등을 고려하여 결과를 해석해야 한다. 특히, 다항 로지스틱 회귀분석의 경우 각 범주에 대한 예측 확률을 해석하는 것이 중요하다.

다섯째, 데이터의 특성에서 데이터가 충분히 균형 잡혀 있는지, 특히 종속 변수의 각 범주가 충분한 관측값을 가지고 있는지 확인이 필요하다. 불균형 데이터일 경우 예측 성능이 떨어질 수 있다.

3) 의사 R-제곱

유사 R-제곱 (Pseudo R-squared)은 로지스틱 회귀 분석에서 모델의 설명력을 평가하기 위한 지표다. 선형 회귀 분석에서의 R-제곱과는 다르지만, 유사하게 모델의 적합도를 나타낸다.

[표 21] 유사 R-제곱

유사 R-제곱	
Cox 및 Snell	.153
Nagelkerke	.174
McFadden	.079

유사 R-제곱에는 세 개의 유사 R-제곱 값이 있다. 로지스틱 회귀에는 OLS 회귀에서 발견되는 R-제곱과 동등한 것이 없다. 그러나 많은 사람이 하나를 생각해내려고 노력했다. 모순된 결론을 내릴 수 있는 다양한 의사 R-제곱 통계가 있다. 이러한 통계는 OLS 회귀, 즉 예측변수가 설명하는 반응 변수의 분산 비율에서 R-제곱이 의미하는 바를 의미하지 않으므로 매우 주의해서 해석하는 것이 좋다.

첫째, Cox 및 Snell (Cox & Snell R-squared)[18]로 값이 0.153이다. 이 지표는 최대값이 1에 도달하지 않는다는 한계가 있다. 그러나 모델이 데이터를 즉, 모델이 독립변수들을 사용하여 종속변수의 변동성을 얼마나 잘 설명하는지를 나타낸다. Cox & Snell R-제곱 값이 0.153인 경우, 모델이 데이터 변동의 약 15.3%를 설명한다.

둘째, Nagelkerke (Nagelkerke R-squared)[19]로 값 0.174이다. 이 지표는 Cox & Snell R-제곱을 보정한 값으로, 최대값이 1에 도달할 수 있도록 조

---

18) Cox & Snell R-제곱의 계산 방법은 $R_{CS}^2 = 1 - \left(\dfrac{L_o}{L_M}\right)^{\frac{2}{n}}$ 식으로 계산한다. 여기서 L_o 는 절편만 포함된 모형의 로그 우도, L_M은 최종 모형의 로그 우도, n은 관측값의 개수다.

정된 지표다. Nagelkerke R-제곱 값이 0.174인 경우, 모델이 데이터 변동의 약 17.4%를 설명한다. 또한, 모델의 적합도를 보다 직관적으로 이해할 수 있게 해준다.

셋째, McFadden(McFadden R-squared)[20]으로 값 0.079다. McFadden R-제곱은 로그 우도를 기준으로 계산되며, 값이 낮더라도 유의미한 모델을 나타낼 수 있다. 선형회귀의 R-제곱과 유사하지만, 선형회귀의 R-제곱보다 일반적으로 낮게 나타난다. McFadden R-제곱 값이 0.079인 경우, 모델이 데이터 변동의 약 7.9%를 설명한다.

해석에서 유의해야 할 부분은 첫째, 유사 R-제곱 값의 해석에서 유사 R-제곱 값은 선형회귀의 R-제곱 값과 동일한 방식으로 해석되지 않지만, 값이 낮더라도 모델이 의미 있는 예측력을 가질 수 있다. Cox & Snell, Nagelkerke, McFadden 각각의 값이 의미하는 바를 정확히 이해하고, 단순히 수치만으로 모델의 성능을 판단하지 않도록 해야 한다.

둘째, 모델의 설명력에서 유사 R-제곱 값들이 상대적으로 낮은 경우, 모델이 종속변수의 변동성을 충분히 설명하지 못할 수 있다. 이러한 경우 추가 변수의 포함, 변수 변환, 다른 분석 기법 적용 등을 고려해 볼 필요가 있다.

셋째, 다른 적합도 지표와의 비교를 통하여 적합모형을 선택한다. 유사 R-제곱 값만으로 모델의 적합도를 판단하기보다는, 이전에 제시된 AIC, BIC, -2 로그 우도, 우도비 검정 등 다른 적합도 지표들과 함께 종합적으로 평가한다. 여러 지표를 종합적으로 검토함으로써 모델의 전반적인 성능과 적합도를 더 정확하게 평가할 수 있다.

넷째, 모형의 복잡성에서 유사 R-제곱 값이 낮다고 해서 항상 모델을 복잡하게 만들 필요는 없다. 지나치게 많은 변수를 포함하면 과적합(overfitting)의 위험이 있다. 단순한 모델이 더 일반화 능력이 뛰어날 수 있으므로, 모델의 복잡성과 설명력 간의 균형을 잘 맞추는 것이 중요하다.

---

19) Nagelkerke R-제곱의 계산 방법은 $R_N^2 = \left(\dfrac{R_{CS}^2}{1 - L_o^{\frac{2}{n}}} \right)$ 이다. 여기서 R_{CS}^2 는 Cox & Snell R-제곱 값이다.

20) McFadden R-제곱의 계산 방법은 $R_{McF}^2 = 1 - \left(\dfrac{\ln L_M}{\ln L_o} \right)$ 식으로 계산한다. 여기서 $\ln L_M$은 최종 모형의 로그 우도, $\ln L_o$는 절편만 포함된 모형의 로그 우도다.

4) 우도비 검정

우도비 검정(Likelihood Ratio Test) 결과를 바탕으로 효과 별 우도비 검정은 절편만 포함된 모형에서 축소모형의 AIC 348.641, 축소모형의 BIC 375.027 등의 이 축소모형은 최종모형과 동일하다. 즉, 영가설을 검정할 수 없다.

[표 22] 우도비 검정

효과	모형 적합 기준			우도비 검정		
	축소모형의 AIC	축소모형의 BIC	축소모형의 -2 로그 우도	카이제곱	자유도	유의확률
절편	348.641	375.027	332.641a	.000	0	.
비디오게임 점수	348.139	367.929	336.139	3.498	2	.174
퍼즐게임 점수	357.602	377.392	345.602	12.962	2	.002
성별	349.730	369.520	337.730	5.090	2	.078
카이제곱 통계량은 최종모형과 축소모형 사이의 -2 로그 우도 차이다. 축소모형은 최종모형에서 효과 하나를 생략하여 만든 모형이다. 영가설은 효과의 모든 모수가 0이다.						
a. 이 축소모형은 효과를 생략해도 자유도가 증가되지 않으므로 최종모형과 동일하다.						

비디오게임 점수에서 축소모형의 AIC 348.139, 축소모형의 BIC 367.929, 축소모형의 -2 로그 우도 336.139, 카이제곱 3.498, 자유도 2, 유의확률 .174로 비디오게임 점수를 생략한 모형과 최종모형 간의 차이는 유의하지 않았다(p>.05).

퍼즐게임 점수에서 축소모형의 AIC 357.602, 축소모형의 BIC 377.392, 축소모형의 -2 로그 우도 345.602, 카이제곱 12.962, 자유도 2, 유의확률 .002로 퍼즐게임 점수를 생략한 모형과 최종모형 간의 차이는 유의하다(p< .05).

성별에서 축소모형의 AIC 349.730, 축소모형의 BIC 369.520, 축소모형의 -2 로그 우도 337.730, 카이제곱 5.090, 자유도 2, 유의확률 .078로 성별을 생략한 모형과 최종모형 간의 차이는 유의하지 않았다(p>.05). 그러나 10% 유의수준에서 유의하다.

우도비 검정은 두 모형 간의 적합도를 비교하는 데 사용한다. 여기서는 최종모형에서 효과 하나를 생략하여 만든 축소모형과 최종모형을 비교한다. 카이제곱 통계량은 최종모형과 축소모형 사이의 -2 로그 우도 차이로 계산한다. 이 값이 크고 유의확률이 낮을수록(p<.05) 해당 효과가 모델에 유의미하게 기여하고 있음을 나타낸다.

비디오게임 점수를 생략한 축소모형과 최종모형 간의 카이제곱 통계량은 3.498이며, 유의확률은 .174로 비디오게임 점수가 모델에 유의미한 영향을 미치지 않았다(p>.05).

퍼즐게임 점수를 생략한 축소모형과 최종모형 간의 카이제곱 통계량은 12.962이며, 유의확률은 .002로 퍼즐게임 점수가 모델에 유의미한 영향을 미쳤다(p<.05).

성별을 생략한 축소모형과 최종모형 간의 카이제곱 통계량은 5.090이며, 유의확률은 .078로 성별이 모델에 유의미한 영향을 미치지 않았다(p>.05).

그러므로 효과의 유의성 평가를 하면, 우도비 검정 결과는 각 효과가 모델에 유의미하게 기여하는지를 평가하는 데 중요하다. 유의확률이 .05보다 낮은 경우 해당 효과가 유의미하다고 판단한다. 여기서는 퍼즐게임 점수만이 유의미한 효과를 가지고 있다.

5) 모수 추정값

B(계수)는 모델에 대해 추정된 다항 로지스틱 회귀 계수이다. 다항 로짓 모델의 중요한 특징은 k-1 모델을 추정한다. 여기서 k는 결과 변수의 수준 수다. 이 경우 SPSS는 바닐라를 참조 그룹으로 취급하므로 바닐라를 기준으로 초콜릿 모델을 추정하고 바닐라를 기준으로 딸기 모델을 추정한다.

따라서 모수 추정치는 참조 그룹(바닐라)에 상대적이므로 다항 로짓의 표준 해석은 모델의 변수가 일정하게 유지된다는 가정 하에 예측 변수의 단위 변경에 대해 참조 그룹에 대한 결과 계수의 로짓이 로그 확률 단위의 해당 모수 추정치에 따라 변경될 것으로 예상된다는 것이다.

유의해야 할 부분으로 유의확률(p-value)이 .05 미만인 경우만 유의미하다고 판단한다. 퍼즐게임 점수와 성별(남성)은 chocolate 선택에 유의미한 영향을 미친다. 비디오게임 점수는 두 맛 모두에 대해 유의미하지 않았다 (p>.05). 성별은 strawberry 선택에 유의미하지 않았다(p>.05). 또한, Exp(B) 해석에서 Exp(B) 값은 오즈비라 하며, 1보다 크면 해당 변수가 증가할 때 해당 범주를 선택할 확률이 증가함을, 1보다 작으면 감소함을 의미한다. 그리고 독립변수 간의 상호작용에서 각 독립변수가 종속변수에 독립적으로 영향을 미치지 않고 상호작용할 수 있다. 상호작용 효과가 있는지 추가적으로 검토할 필요가 있다. 마지막으로 표준오차와 신뢰구간에서 표준오차가 큰 경우, 신뢰구간이 넓어지고 이는 추정값의 불확실성을 증가시킨다. 신뢰구간이 1을 포함하는 경우 해당 변수의 효과가 통계적으로 유의하지 않음을 나타낸다.

[표 23] 모수 추정값

모수 추정값									
아이스크림 선호하는 맛a		B	표준오차	Wald	자유도	유의확률	Exp(B)	Exp(B)에 대한 95% 신뢰구간	
								하한	상한
chocolate	절편	1.912	1.127	2.878	1	.090			
	비디오게임 점수	-.024	.021	1.262	1	.261	.977	.937	1.018
	퍼즐게임 점수	-.039	.020	3.978	1	.046	.962	.926	.999
	[성별=.00]	.817	.391	4.362	1	.037	2.263	1.052	4.869
	[성별=1.00]	0b	.	.	0	.	.	.	.
strawberry	절편	-4.057	1.223	11.007	1	.001			
	비디오게임 점수	.023	.021	1.206	1	.272	1.023	.982	1.066
	퍼즐게임 점수	.043	.020	4.675	1	.031	1.044	1.004	1.085
	[성별=.00]	-.033	.350	.009	1	.925	.968	.487	1.922
	[성별=1.00]	0b	.	.	0	.	.	.	.
a. 참조 범주는\ vanilla입니다.									
b. 이 모수는 중복되었으므로 0으로 설정됩니다.									

표에 제공된 부분에서 표준 오차는 추정된 두 해당 모델에 대한 개별 회귀계수의 표준 오차를 의미한다. 왈드(Wald) 값은 추정치가 0이라는 귀무가설을 테스트하는 Wald 카이제곱 검정 값을 의미한다. 자유도(df)는 모델에 포함된 각 변수의 자유도가 나열된다. 각 변수에 대한 자유도는 1이다. 신뢰구간은 주어진 모델 내에서 나머지 예측 변수가 모델에 있는 경우 특정 예측변수의 회귀계수가 0이라는 귀무가설이 되는 확률 또는 계수의 p-값이다. 이는 예측 변수의 추정치 제곱을 표준오차의 제곱으로 나누어 계산할 수 있는 예측 변수의 Wald 테스트 통계를 기반으로 계산한다. 특정 Wald 검정 통계량이 귀무가설 하에서 관찰된 것보다 극단적이거나 그 이상일 확률은 p-값으로 정의되고 여기에 표시된다. 다항 로지스틱 회귀 분석에서 모수 추정치의 유의성에 대한 해석은 모수 추정치가 계산된 모델로 제한된다. 예를 들어, 바닐라 모델과 관련된 초콜릿의 모수 추정치의 유의성은 바닐라 모델과 관련된 딸기에서 유지된다고 가정할 수 없다.

6) 바닐라에 비해 초콜릿

1) 절편

절편 항은 모델의 예측 변수가 0으로 평가될 때 바닐라에 대한 초콜릿의 다항 로짓 추정치다. 비디오 및 퍼즐 점수가 0인 남성 즉 0으로 평가된 변수 여성의 경우 바닐라보다 초콜릿을 선호하는 로짓은 1.912다. 즉, 절편 B 1.912, 표준오차 1.127, Wald 2.878, 유의확률 .090이다, 절편은 유의미하지 않지만(p>.05), 10% 유의수준으로 유의확률을 낮추면 유의하다. 이는 참조 집단(바닐라)과 비교할 때 chocolate를 선택할 기본 확률을 니티낸다. 비디오와 퍼즐을 0으로 평가하는 것은 그럴듯한 점수 범위를 벗어나며 점수가 평균 중심인 경우 절편은 자연스러운 해석을 갖게 된다. 평균 비디오 및 퍼즐 점수를 가진 남성이 바닐라보다 초콜릿을 선호할 확률을 보여준다.

2) 비디오게임 점수

비디오게임 점수에서 모델의 다른 변수가 일정하게 유지되는 경우 바닐라에 비해 초콜릿의 비디오 점수가 1단위 증가하는 다항 로짓 추정치다. 피험자가 비디오 점수를 1점 높이면 바닐라보다 초콜릿을 선호하는 다항 로그 확률은 모델의 다른 모든 변수를 상수로 유지하면서 0.024 단위만큼 감소할 것으로 예상된다. 비디오게임 점수의 B −.024, 유의확률 .261, Exp(B) .977, 신뢰구간 .937 − 1.018로 비디오게임 점수는 chocolate 선택에 유의미하지 않다(p>.05). 비디오게임 점수의 계수가 음(−)수이므로, 초콜릿에 대한 부정적인 영향을 제공하여, 1단위 증가할 때 1보다 작은 단위로 증가함을 의미한다. 즉 97.7% 증가는 하지만, 2.3% 감소하고, 이 감소 폭은 초콜렛보다는 바닐라를 선택하였음을 보여준다. 비디오게임 점수가 1 단위 증가할 때 chocolate를 선택할 오즈는 약 0.977배로 약간 감소하지만, 이는 통계적으로 유의미하지 않다. 즉, 바닐라를 초콜렛보다 2.3% 더 선택하였지만, 유의하지 않다.

3) 퍼즐게임 점수

퍼즐게임 점수에서 모델의 다른 변수가 일정하게 유지되는 경우 바닐라에 비해 초콜릿의 퍼즐 점수가 1단위 증가하는 다항 로짓 추정치다. 피험자가 퍼즐 점수를 1점 높이면 바닐라보다 초콜릿을 선호하는 다항 로그 확률은 모델의 다른 모든 변수를 상수로 유지하면서 0.039 단위만큼 감소할 것으로 예상된다. 즉, 퍼즐게임 점수 B −.039, 유의확률 .046, Exp(B) .962, 신뢰구간 .926 - .999으로 퍼즐게임 점수는 유의미하다(p<.05). 퍼즐게임 점수가 1 단위 증가할 때 chocolate를 선택할 오즈는 약 0.962배로 감소한다. 즉, 퍼즐점수의 계수가 음(-)수이므로 1단위 증가하면, 1 증가보다 96.2% 증가한다. 그러므로 3.8%가 감소하고, 이 감소 폭은 바닐라를 선호하는 쪽으로 증가하게 된다.

4) 여성

여성 항에서 모델의 다른 변수가 일정하게 유지되는 경우 바닐라와 비교하여 초콜릿에 대해 여성과 남성을 비교하는 다항 로짓 추정다. 모델의 다른 모든 예측 변수가 일정하게 유지되는 경우 남성에 비해 여성에 대한 다항 로짓은 바닐라에 비해 초콜릿을 선호하는 경우 0.817 단위 더 높다. 즉, 여성은 남성보다 바닐라 아이스크림보다 초콜릿 아이스크림을 더 선호하는 것으로 나타났다. 성별이 여성인 경우 B .817, 유의확률 .037, Exp(B) 2.263, 신뢰구간 1.052 - 4.869이다. 성별이 여성인 경우, chocolate를 선택할 오즈는 약 2.263배로 유의미하게 증가한다(p<.05). 성별 여성의 계수가 양(+)으로 초콜릿에 양의 영향관계를 보인다. 오즈비를 보면, 2.263으로 여성은 남성보다 1.263배 초콜릿 선호가 증가함을 보인다.

5) 바닐라에 비해 초콜릿의 경우

바닐라에 비해 초콜릿의 경우, 예측자(predictor) 비디오에 대한 Wald 검정 통계량은 1.262이고 관련 p-값은 0.261이다. 알파 수준을 0.05로 설정하면 귀무가설을 기각하지 못하고 바닐라에 비해 초콜릿의 경우 비디오의 회귀계수가 모델에 여성이 있고 퍼즐이 있는 경우 0과 통계적으로 다르지 않다는 결론을 내릴 수 있다. 즉, p-값이 0.261으로 알파 수준 0.05보다 크기 때문에, 비디오게임 점수의 회귀계수가 0이라는 귀무가설을 기각하지 못한다. 이는 비디오게임 점수가 바닐라와 초콜릿의 선택에 통계적으로 유의미한 영향을 미치지 않는다는 의미이다.

바닐라에 비해 초콜릿의 경우 예측 퍼즐에 대한 Wald 검정 통계량은 3.978이고 관련 p-값은 0.046이다. 알파 수준을 다시 0.05로 설정하면 귀무가설을 기각하고 모델에 비디오와 여성이 포함되어 있다는 점은 고려하면 퍼즐의 회귀 계수가 바닐라에 비해 초콜릿의 경우 통계적으로 0과 다르다는 결론을 내릴 수 있다. 즉, p-값이 0.046으로 알파 수준 0.05보다 작기 때문에, 퍼즐게임 점수의 회귀계수가 0이라는 귀무가설을 기각할 수 있다. 이는 퍼즐게임 점수가 바닐라에 비해 초콜릿을 선택할 확률에 유의미한 영향을 미친다는 것을 의미한다.

바닐라와 관련된 초콜릿의 경우 예측 변수 여성에 대한 Wald 검정 통계량은 4.362이고 관련 p-값은 0.037이다. 알파 수준을 다시 0.05로 설정하면 귀무가설을 기각하고 모델에 비디오와 여성이 포함되어 있다는 점을 고려하면 바닐라와 초콜릿의 경우 남성과 여성의 차이가 통계적으로 다르다는 결론을 내릴 수 있다. 즉, p-값이 0.037으로 알파 수준 0.05보다 작기 때문에, 성별의 회귀계수가 0이라는 귀무가설을 기각할 수 있다. 이는 성별이 바닐라에 비해 초콜릿을 선택할 확률에 유의미한 영향을 미친다는 것을 의미한다.

바닐라에 비해 초콜릿의 경우 절편에 대한 Wald 검정 통계량인 절편은 2.878이고 연관된 p-값은 0.090이다. 알파 수준이 0.05인 경우 귀무가설을 기각하지 못한다. 즉, 절편에 대한 Wald 검정 통계량이 2.878이고 p-값이 0.090이다. p-값이 0.05보다 크기 때문에 절편이 통계적으로 유의미하지 않다는 의미이다. 그르므로 다음과 같은 결론을 내릴 수 있다.

알파 수준이 0.05이면 귀무가설을 기각하고 a) 남성의 다항 로짓(0에서 평가된 변수 여성)과 바닐라에 대한 딸기의 비디오 및 퍼즐게임 점수가 0인 경우가 통계적으로 0과 다르다는 결론을 내린다. 비디오 및 퍼즐게임 점수가 0인 남성의 경우 딸기 또는 바닐라로 분류될 가능성 사이에 통계적으로 유의한 차이가 있다. 절편을 특정 공변량 프로파일(비디오 및 퍼즐게임 점수가 0인 남성)로 간주하면 두 번째 해석을 할 수 있다. 계수의 방향과 유의성에 기초하여 절편은 프로파일이 다른 수준보다 결과 변수의 한 수준에서 분류되는 경향이 더 큰지 여부를 나타낸다. 즉, 절편은 특정 공변량 프로필(이 경우 비디오 및 퍼즐게임 점수가 0인 남성)에 대해 결과 변수(아이스크림 선호도) 중 한 수준(초콜릿)으로 분류될 가능성을 나타낸다. 절편의 유의성을 확인하면 해당 프로필이 다른 수준(바닐라)보다 초콜릿으로 분류될 경향이 있는지 알 수 있다.

7) 바닐라에 비해 딸기

1) 절편

절편항에서 모델의 예측 변수가 0으로 평가될 때 바닐라에 대한 딸기에 대한 다항 로짓 추정치다. 비디오게임과 퍼즐게임 점수가 0인 남성 즉, 0으로 평가된 변수 여성의 경우 바닐라보다 딸기를 선호하는 로짓은 -4.057이다. 즉, 절편의 계수 B -4.057, 유의확률 .001, 절편은 유의미하다(p<.05). 참조

집단(바닐라)과 비교할 때 딸기(strawberry)를 선택할 기본 확률이 매우 낮음을 나타낸다.

2) 비디오게임 점수

비디오게임 점수에서 모델의 다른 변수가 일정하게 유지되는 경우 바닐라에 비해 딸기의 비디오 점수가 1단위 증가하는 다항 로짓 추정치다. 피험자가 비디오 점수를 1점 높이면 바닐라보다 딸기를 선호하는 다항 로그 확률은 모델의 다른 모든 변수를 상수로 유지하면서 0.023 단위 증가할 것으로 예상된다.

비디오게임 점수의 계수 B .023, 유의확률 .272, Exp(B) 1.023, 신뢰구간 .982 - 1.066이다. 계수가 양(+)로 긍정적인 영향관계를 보인다. 비디오게임 점수는 딸기 선택에 유의미하지 않다(p>.05). 비디오게임 점수가 1 단위 증가할 때 딸기를 선택할 오즈는 약 1.023배로 증가하지만, 이는 통계적으로 유의미하지 않다. 즉 비디오게임 점수 1 단위 증가하면, 딸기를 선택할 확률은 2.3% 증가함을 보인다. 1.023배는 1배를 차감하면 2.3%만 남게 된다.

3) 퍼즐게임 점수

퍼즐게임 점수에서 모델의 다른 변수가 일정하게 유지되는 경우 바닐라에 비해 딸기의 퍼즐 점수가 1단위 증가하는 다항 로짓 추정치다. 피험자가 퍼즐 점수를 1점 높이면 바닐라보다 딸기를 선호하는 다항 로그 확률은 모델의 다른 모든 변수를 상수로 유지하면서 0.043 단위 증가할 것으로 예상한다. 즉, 퍼즐게임 점수 B .043, 유의확률 .031, Exp(B) 1.044, 신뢰구간 1.004 - 1.085로 퍼즐게임 점수는 유의미하다(p<.05). 퍼즐게임 점수가 1 단위 증가할 때 딸기를 선택할 오즈는 약 1.044배로 증가한다. 이는 퍼즐게임 점수 1 단위 증가하면 참조 집단인 바닐라보다 딸기를 선택할 확률이 4.4% 더 높다는 의미다.

4) 여성

여성 성별에서 모델의 다른 변수가 일정하게 유지되는 경우 바닐라와 딸기에 대해 여성과 남성을 비교하는 다항 로짓 추정치다. 모델의 다른 모든 예측 변수가 일정하게 유지되는 경우 남성에 비해 여성에 대한 다항 로짓은 바닐라보다 딸기를 선호하는 경우 0.033 단위 더 낮다. 즉, 남성은 여성보다 바닐라 아이스크림보다 딸기 아이스크림을 더 선호하는 것으로 나타났다.

성별에서 B −.033, 유의확률 .925, Exp(B) .968, 신뢰구간 .487 - 1.922
로 성별이 여성인 경우, 딸기를 선택할 오즈는 약간 감소하지만 유의미하지
않다(p>.05). 오즈비가 .968로 여성은 딸기를 선택할 확률이 1단위보다 적
다. 그러므로 3.2% 감소하는 효과가 발생한다.

5) 바닐라에 비해 딸기의 경우

바닐라에 비해 딸기의 경우 예측자 비디오에 대한 Wald 검정 통계량은
1.206이고 관련 p-값은 0.272입니다. 알파 수준을 0.05로 설정하면 귀무가
설을 기각하지 못하고 바닐라에 비해 딸기의 경우 비디오의 회귀계수가 모델
에 여성이 있고 퍼즐이 있는 경우 0과 통계적으로 다르지 않다는 결론을 내
릴 수 있습니다. 바닐라와 비교하여 딸기의 경우 예측 퍼즐에 대한 Wald 검
정 통계량은 4.675이고 관련 p-값은 0.031입니다. 알파 수준을 다시 0.05
로 설정하면 귀무가설을 기각하고 모델에 비디오와 여성이 포함되어 있다는
점을 고려하면 퍼즐의 회귀계수가 바닐라에 비해 딸기의 경우 통계적으로 0
과 다르다는 결론을 내릴 수 있다.

바닐라에 비해 딸기의 경우 예측자 여성에 대한 Wald 검정 통계량은
0.009이고 관련 p-값은 0.925다. 알파 수준을 다시 0.05로 설정하면 귀무가
설을 기각하지 못하고 바닐라에 비해 딸기의 경우 여성에 대한 회귀계수가
퍼즐과 비디오가 모델에 있는 경우 통계적으로 0과 다르지 않다.

바닐라에 상대적인 딸기의 경우 절편에 대한 Wald 검정 통계량인 절편은
11.007이고 연관된 p-값은 0.001이다. 알파 수준이 0.05인 경우 귀무가설을
기각하고 a) 바닐라에 비해 딸기의 비디오 및 퍼즐게임 점수가 0인 남성(변
수 여성이 0으로 평가됨)에 대한 다항 로짓이 통계적으로 0과 다르다는 결
론을 내린다. 또는 b) 비디오 및 퍼즐게임 점수가 0인 남성의 경우 딸기 또
는 바닐라로 분류될 가능성 사이에 통계적으로 유의미한 차이가 있다. 절편
을 특정 공변량 프로필(비디오 및 퍼즐게임 점수가 0인 남성)로 볼 때 두 번
째 해석을 할 수 있다.

계수의 방향과 중요도에 따라 절편은 프로필이 다른 수준보다 결과 변수의
한 수준으로 분류되는 경향이 더 큰지 여부를 나타낸다.

6) Exp(B)

Exp(B)는 예측 변수의 승산비로 계수의 지수화 값이다. 선호 아이스크림
(자유도가 2인 변수)이 로지스틱 회귀 방정식에 입력되지 않았기 때문에 변

수 아이스크림에 대한 승산비가 없다. 계수의 승산비는 참조 그룹에 속하는 결과의 위험과 비교 그룹에 속하는 결과의 위험이 해당 변수에 따라 어떻게 변하는지를 나타낸다. 승산비 > 1은 변수가 증가함에 따라 결과가 참조 그룹에 속하는 위험에 비해 비교 그룹에 속하는 결과의 위험이 증가함을 나타낸다. 즉, 비교 결과가 나올 가능성이 더 높다. 승산비가 1보다 작다는 것은 결과가 참조 그룹에 속할 위험에 비해 결과가 비교 그룹에 속할 위험이 변수가 증가함에 따라 감소함을 나타낸다. 일반적으로 승산비가 1보다 작으면 결과가 참조 그룹에 속할 가능성이 더 높다.

8) 바닐라에 비해 초콜릿의 상대위험률

1) 비디오게임 점수

비디오게임 점수에서 모델의 다른 변수가 일정하게 유지되는 경우 바닐라 수준에 비해 초콜릿 비디오 점수가 1단위 증가할 확률 또는 상대 위험 (relative risk) 비율이다. 피험자가 비디오 점수를 한 단위 높이면 바닐라보다 초콜릿을 선호하는 상대 위험은 모델의 다른 변수가 일정하게 유지된다는 점을 고려할 때 0.977배 감소할 것으로 예상한다. 따라서 비디오가 1단위 증가하면 모델의 다른 변수가 일정하게 유지될 때 초콜릿 그룹에 속할 상대 위험이 0.977배 더 높아진다. 보다 일반적으로 피험자가 비디오 점수를 높이면 초콜릿 아이스크림보다 바닐라 아이스크림을 더 선호할 가능성이 높다고 말할 수 있다.

2) 퍼즐게임 점수

퍼즐게임 점수에서 모델의 다른 변수가 일정하게 유지되는 경우 바닐라 레벨에 비해 초콜릿 퍼즐 점수가 1단위 증가할 때의 상대 위험 비율이다. 피험자가 퍼즐 점수를 한 단위 높이면 모델의 다른 변수가 일정하게 유지되면 바닐라보다 초콜릿을 선호할 상대 위험이 0.962배 감소할 것으로 예상한다. 보다 일반적으로, 두 명의 피험자가 동일한 비디오 점수를 갖고 둘 다 여성 또는 둘 다 남성인 경우 퍼즐 점수가 높은 피험자는 퍼즐 점수가 낮은 피험자보다 초콜릿 아이스크림보다 바닐라 아이스크림을 더 선호할 가능성이 더 높다고 말할 수 있다.

3) 여성

여성에서 이는 모델의 다른 변수가 일정하게 유지된다는 점을 고려하여 바닐라 수준과 관련하여 초콜릿에 대해 여성과 남성을 비교하는 상대 위험 비율이다. 남성에 비해 여성의 경우 바닐라에 비해 초콜릿을 선호하는 상대 위험은 모델의 다른 변수가 일정하게 유지되는 경우 2.263배 증가할 것으로 예상한다. 즉, 여성은 남성보다 바닐라 아이스크림보다 초콜릿 아이스크림을 더 선호하는 것으로 나타났다.

9) 바닐라에 비해 딸기의 상대위험률

1) 비디오게임 점수

비디오게임 점수에서 이는 모델의 다른 변수가 일정하게 유지되는 경우, 바닐라 수준에 비해 딸기의 비디오 점수가 1단위 증가할 때의 상대 위험 비율이다. 피험자가 비디오 점수를 1단위 증가시키면 바닐라에 비해 딸기의 상대 위험은 모델의 다른 변수가 일정하게 유지된다는 점을 고려할 때 1.023배 증가할 것으로 예상한다. 보다 일반적으로 피험자가 비디오 점수를 높이면 바닐라 아이스크림보다 딸기 아이스크림을 더 선호할 가능성이 높다고 말할 수 있다.

2) 퍼즐게임 점수

퍼즐게임 점수에서 이는 모델의 다른 변수가 일정하게 유지되는 경우 바닐라 수준에 비해 딸기 퍼즐 점수가 1단위 증가할 때의 상대 위험 비율이다. 피험자가 퍼즐 점수를 1단위 증가시키면 바닐라에 비해 딸기의 상대적 위험은 모델의 다른 변수가 일정하게 유지된다는 점을 고려할 때 1.044배 증가할 것으로 예상한다. 보다 일반적으로, 두 명의 피험자가 동일한 비디오 점수를 갖고 둘 다 여성 또는 둘 다 남성인 경우 퍼즐 점수가 높은 피험자는 퍼즐 점수가 낮은 피험자보다 바닐라 아이스크림보다 딸기 아이스크림을 더 선호할 가능성이 더 높다고 말할 수 있다.

3) 여성

여성에서 이는 모델의 다른 변수가 일정하게 유지된다는 점을 고려하여 바닐라 와 딸기에 대한 여성과 남성을 비교하는 상대 위험 비율이다. 남성에 비해 여성의 경우 바닐라보다 딸기를 선호하는 상대적 위험은 모델의 다른 변수가 일정하게 유지된다는 점을 고려할 때 0.968배 감소할 것으로 예상한다. 즉, 여성은 남성보다 딸기 아이스크림을 바닐라 아이스크림보다 선호하는 경향이 적다.

4) Exp(B)에 대한 95% 신뢰 구간

신뢰구간에서 다른 예측 변수가 참조 그룹에 비해 결과 m에 대한 모델에 있는 경우 개별 다항 승산비에 대한 신뢰 구간(CI)이다. 95% 신뢰 수준을 갖는 특정 예측 변수에 대해 실제 모집단 다항 승산비가 참조 그룹에 대한 결과 m 구간의 하한과 상한 사이에 있다고 95% 확신한다고 말할 수 있다. 이는 $Exp(B(z_{\alpha/2})*(Std.Error))$로 계산한다. 여기서 $z_{\alpha/2}$는 표준 정규 분포의 임계 값이다. 이 CI는 z 검정 통계량과 동일하다. CI에 1이 포함되어 있으면 모델에 다른 예측 변수가 있는 경우 특정 회귀계수가 0이라는 귀무가설을 기각할 수 없다. CI의 장점은 설명이 가능하다는 것이다. 이는 실제 승산비가 있을 수 있는 범위를 제공한다.

계산식을 보면, CI 하한 = exp(B−1.96×SE), CI 상한 = exp(B+1.96×SE)이다. 여기서 exp는 자연 로그의 역함수다. CI의 해석에서 CI에 1이 포함되지 않으면, 특정 예측 변수의 회귀계수가 0이 아니라는 귀무가설을 기각할 수 있다. 이는 예측 변수가 종속변수에 유의미한 영향을 미친다는 것을 의미한다. 반면에, CI에 1이 포함하면, 특정 예측 변수의 회귀계수가 0이라는 귀무가설을 기각할 수 없다. 이는 예측 변수가 종속변수에 유의미한 영향을 미치지 않는다는 것을 의미한다.

2.3. 다중로지스틱 회귀분석

다음은 노령연금 이용의향에 대한 다중로지스틱 회귀분석 결과이다. 노령연금 이용의향에는 꼭 이용할 것이다를 참조 집단으로 분석하면, 다음과 같다. 즉, 참조집단은 꼭 이용할 것이다 집단이다. 모델의 다른 변수가 일정하게 유지되는 경우 꼭 이용할 것이다 집단과 비교하여 이용할 것이다 집단에 대해 수도권 집단과 영남권 집단을 비교하는 다항 로짓 추정 계수(B) 1.344이고 오즈비가 3.833이다. 모델의 다른 모든 예측 변수가 일정하게 유지되는 경우 영남권 집단에 비해 수도권 집단은 꼭 이용할 것이다에 비해 이용할 것이다를 선호하는 경우가 1.344 단위 더 높았다. 즉, 수도권 집단은 영남권 집단보다 꼭 이용할 것이다 보다 이용할 것이다를 3.833배 더 선호하는 것으로 나타났다. 통계적으로 5% 유의수준에서 유의하였다.

또한, 모델의 다른 변수가 일정하게 유지되는 경우 꼭 이용할 것이다 집단과 비교하여 이용할 것이다 집단에 대해 호남권 집단과 영남권 집단을 비교하는 다항 로짓 추정 계수(B) 1.869이고. 오즈비가 6.481이다.

[표 24] 노령연금 이용의향 분석 결과

		B	표준오차	Wald	유의확률	Exp(B)
이용할 것이다	절편	19.427	5129.170	0.000	0.997	
	부채규모	-0.118	0.228	0.270	0.603	0.889
	농사경력	0.024	0.025	0.897	0.344	1.024
	평균수입	0.000	0.000	0.071	0.790	1.000
	평균지출	0.000	0.000	0.571	0.450	1.000
	목돈자금	0.000	0.000	0.040	0.841	1.000
	남성	0.584	0.607	0.926	0.336	1.794
	60~64세	-19.213	5129.170	0.000	0.997	0.000
	65~69세	-18.736	5129.170	0.000	0.997	0.000
	70~74세	-18.163	5129.170	0.000	0.997	0.000
	75~79세	-1.165	4875.104	0.000	1.000	0.312
	수도권	1.344	0.684	3.861	0.049	3.833
	충청권	18.266	4460.061	0.000	0.997	8.569E+07
	호남권	1.869	0.847	4.874	0.027	6.481
	1,000㎡이상 ~ 5,000㎡ 미만	0.609	0.657	0.859	0.354	1.839
	5,000㎡ 이상 ~ 10,000㎡ 미만	-0.411	0.818	0.252	0.615	0.663
	10,000㎡ 이상 ~ 30,000㎡ 미만	-0.491	0.724	0.460	0.498	0.612
	이용안함	0.454	0.630	0.519	0.471	1.575
이용하지 않을 것이다	절편	-2.249	3944.485	0.000	1.000	
	부채규모	0.681	0.368	3.431	0.064	1.976
	농사경력	-0.012	0.033	0.132	0.716	0.988
	평균수입	0.000	0.000	0.030	0.863	1.000
	평균지출	0.000	0.000	0.556	0.456	1.000
	목돈자금	0.000	0.000	1.809	0.179	1.000
	남성	1.611	0.833	3.738	0.053	5.006
	60~64세	-17.991	3687.008	0.000	0.996	0.000
	65~69세	-19.459	3687.008	0.000	0.996	0.000
	70~74세	-16.188	3687.008	0.000	0.996	0.000
	75~79세	0.375	0.000			1.456
	수도권	0.071	1.152	0.004	0.951	1.073
	충청권	18.485	4460.061	0.000	0.997	1.066E+08
	호남권	2.122	1.072	3.919	0.048	8.347
	1,000㎡이상 ~ 5,000㎡ 미만	19.932	1691.911	0.000	0.991	4.532E+08
	5,000㎡ 이상 ~ 10,000㎡ 미만	18.042	1691.911	0.000	0.991	6.851E+07
	10,000㎡ 이상 ~ 30,000㎡ 미만	19.392	1691.911	0.000	0.991	2.641E+08
	이용안함	-2.039	0.840	5.900	0.015	0.130

a. 참조 범주는\ 꼭 이용할 것이다 입니다.

모델의 다른 모든 예측 변수가 일정하게 유지되는 경우 영남권 집단에 비해 호남권 집단은 꼭 이용할 것이다 에 비해 이용할 것이다를 선호하는 경우가 1.869 단위 더 높았다. 즉, 호남권 집단은 영남권 집단보다 꼭 이용할 것이다 보다 이용할 것이다를 6.471배 더 선호하는 것으로 나타났다. 통계적으로 5% 유의수준에서 유의하였다.

　노령연금 이용의향에서 이용하지 않을 것이다를 분석하면, 다음과 같다. 모델의 다른 변수가 일정하게 유지되는 경우 꼭 이용할 것이다와 비교하여 부채규모 점수가 1단위 증가하면, 이용하지 않을 것이다 답변이 증가함을 보여주는 추정치이다. 즉, 응답자의 부채규모 점수를 1단위 높이면 꼭 이용할 것이다보다 이용하지 않을 것이다를 선호하였다. 모델의 다른 모든 변수를 일정하게 유지하면 부채규모 점수를 1단위 높이면 이용하지 않을 것이다 답변이 0.681 단위 증가함을 추정할 수 있다. 오즈비가 1.976으로 1.976배 승가할 수 있다. 통계적으로 10%유의수준에서 유의하였다.

　또한, 남성 집단과 여성 집단을 비교하는 다항 로짓 추정 계수(B) 1.611이고. 오즈비가 5.006이다. 모델의 다른 모든 예측 변수가 일정하게 유지되는 경우 여성 집단에 비해 남성 집단은 꼭 이용할 것이다에 비해 이용하지 않을 것이다를 선호하는 경우가 1.611 단위 더 높았다. 즉, 남성 집단은 여성 집단보다 꼭 이용할 것이다 보다 이용하지 않을 것이다를 5.006배 더 선호하는 것으로 나타났다. 통계적으로 10% 유의수준에서 유의하였다.

　호남권 집단과 영남권 집단을 비교하는 다항 로짓 추정 계수(B) 2.122이고 오즈비가 8.347이다. 모델의 다른 모든 예측 변수가 일정하게 유지되는 경우 영남권 집단에 비해 호남권 집단은 꼭 이용할 것이다에 비해 이용하지 않을 것이다를 선호하는 경우가 2.122 단위 더 높았다. 즉, 호남권 집단은 영남권 집단보다 꼭 이용할 것이다 보다 이용하지 않을 것이다를 8.347배 더 선호하는 것으로 나타났다. 통계적으로 5%유의수준에서 유의하였다.

　모델의 다른 변수가 일정하게 유지되는 경우 꼭 이용할 것이다와 이용하지 않을 것이다에 대해 이용안함과 이용함을 비교하는 다항 로짓 추정치다. 모델의 다른 모든 예측 변수가 일정하게 유지되는 경우 이용함에 비해 이용안함에 대한 다항 로짓은 꼭 이용할 것이다보다 이용하지 않을 것이다를 선호하는 경우가 2.039 단위 더 낮았다. 이용함은 이용안함보다 꼭 이용할 것이다보다 이용하지 않을 것이다를 더 선호하는 것으로 나타났다. 즉, 이용안함은 이용함보다 꼭 이용할 것이다를 선호한다. 오즈비 0.130으로 이용안함은 이용하지 않을 것이다를 13% 선택하는 반면, 꼭 이용할 것이다를 87% 선택하였나. 이는 통계적으로 5% 유의수준에서 유의하였다.

　노령연금 이용의향에 대한 다중로지스틱 회귀분석 결과를 요약하면, 이용할 것이다에서 수도권 집단은 영남권 집단보다 꼭 이용할 것이다 보다 이용할 것이다를 3.833배 더 선호하였다. 또한, 호남권 집단은 영남권 집단보다 꼭 이용할 것이다 보다 이용할 것이다를 6.481배 더 선호하였다.

이용하지 않을 것이다에서 부채규모 점수가 1단위 증가할 때 꼭 이용할 것이다보다 이용하지 않을 것이다를 1.976배 더 선호하였다. 남성 집단은 여성 집단보다 꼭 이용할 것이다 보다 이용하지 않을 것이다를 5.006배 더 선호하였다. 호남권 집단은 영남권 집단보다 꼭 이용할 것이다 보다 이용하지 않을 것이다를 8.347배 더 선호하였다. 이용안함 집단은 이용함 집단보다 이용하지 않을 것이다보다 꼭 이용할 것이다를 87% 선택하였다.

2.4. 주거실태조사 다항로지스틱 분석결과

2.4.1. 전반적인 만족도 결정요인 분석

특성가구에서 고령가구, 소득하위가구 에서의 결정요인 분석을 실시하였다. 아래 표는 각 특성가구 결정요인분석을 정리한 표이다. 표를 설명하면, 구분에는 분석에 사용된 변수이고, 각 변수의 회귀계수, 표준오차, Wald 검정 통계량, 유의확률과 Exp(B)는 계수(B)의 오즈비 (odds ratio)를 나타낸다.

지역으로 수도권과 비수도권을, 주택유형으로 단독주택, 아파트, 다세대주택과 오피스텔을, 점유형태로 자가, 전세와 월세를, 주택경과연수로 2010년 이후, 1995년~2010년, 1994년이전을, 주택구조에서 원룸형 여부, 가구소득으로 10만원미만, 10만원이상~200만원미만, 210만원이상~400만원, 410만원 이상을, 가구원수에서 1인가구, 2인가구와 3인이상으로, 학력에서 초등학교 졸업이하, 중학교졸업, 고등학교졸업, 대학졸업, 대학원졸업이상을, 주거지원프로그램의 필요성 여부를 변수로 활용하였다.

1) 고령 가구

참조집단은 매우 만족집단이다. 매우 불만족 답변 집단을 보면, 고령가구의 주택유형에서 단독주택의 계수 -4.425이고 오즈비는 0.012이다. 단독주택 집단은 참조집단 오피스텔보다 98.2% 매우 불만족을 선택할 확률이 낮았다. 즉 단독주택 집단은 고령가구에서 참조집단보다 높은 주택 만족도를 선택할 수 있음을 추정할 수 있다.

마찬가지로 아파트와 다세대주택도 계수가 각각 -5.699, -4.256이고, 오즈비는 0.003과 0.014이다. 즉 아파트와 다세대주택 집단은 참조집단보다

99.7%와 98.6%매우 불만족을 선택할 확률이 낮았다. 즉 고령가구의 주택유형에서 오피스텔보다 주거만족도가 높음을 추정할 수 있다.

주거지원프로그램필요성에 관하여 고령가구에서 주거지원프로그램필요의 계수가 1.663으로 오즈비 5.276으로. 주거지원프로그램이 필요하다고 답변한 집단은 그렇지 않은 집단보다 5.276배 매우 불만족 답변을 선택 확률이 높았다.

주택 경과 연수에서 2010년 이후 집단은 참조집단보다 계수 -2.604만큼 매우 불만족을 선택할 확률이 났았다. 오즈비 0.074로 2010년이후 집딘은 92.6% 매우불만족을 답변할 확률이 낮음 추정할 수 있다. 1995년~2010년 1995년 이전 집단도 비슷한 결과를 보이지만, 80.7%정도 매우 불만족을 선택하지 않을 것임을 추정할 수 있다.

약간 불만족 집단에서는 지역에서 수도권은 계수 0.160으로 약간 불만족을 선택할 확률이 높았다. 오즈비로 보면, 비수도권보다 1.174배 높았다. 그러므로 수도권 거주자가 주택 전반만족도에 약간 불만족 응답자가 비수도권보다 높았음을 추정할 수 있다.

주택유형에서 단독주택, 다세대주택, 아파트는 매우 불만족 답변 집단과 유사하였다. 고령가구 점유 형태에서 자가 집단은 참조집단 월세보다 약간 불만족 답변을 할 가능성이 -0.634로 영향을 주고 있다. 즉 자가 집단은 참조집단 대비 액간 불만족 답변을 48.9% 낮게 하였음을 추정할 수 있었다. 주택 경과 연수는 이전 설명과 유사한 결론을 보였다.

주거지원프로그램필요성에 관하여 고령가구에서 주거지원프로그램필요의 계수가 0.821로 오즈비 2.273으로. 주거지원프로그램이 필요하다고 답변한 집단은 그렇지 않은 집단보다 2.273배 약간 불만족 답변을 선택 확률이 높았다.

학력에서 참조 집단 대학원 졸업 이상보다 초등학교 졸업 이하, 중학교 졸업, 고등학교 졸업, 대학 졸업은 대체로 만족 답변할 확률이 각 3.995배, 3.384배, 2.124배, 1.547배 높았다. 학력에서 약간 불만족 집단이 참조집단보다 강하게 만족도에 영향을 주고 있음을 확인할 수 있다.

대체로 만족 답변 집단에서 단독주택과 아파트 집단은 참조집단 대비 대체로 만족 납변을 하지 싫었다. 또힌, 첨유 형태 자가 집단에서 대체로 마족에 답변을 하지 않았다. 초등학교 졸업이하, 중학교 졸업, 고등학교 졸업, 대학 졸업 집단은 참조집단보다 더 높은 대체로 만족 답변을 하였다.

2) 소득하위 가구

참조집단은 매우 만족집단이다. 매우 불만족 답변을 한 집단에서 아파트 거주 집단은 계수 -1.015로 매우 불만족을 감소시켰다. 오즈비 0.362로 63.8% 매우 불만족 답변의 가능성이 감소하였음을 추정할 수 있다.

주택 경과 연수에서 2010년 이후 집단과 1995년~2010년 집단은 참조집단 1995년 이전집단보다 매우 불만족을 답변할 가능성이 0.057, 0.196 감소하였다. 가구 소득 10만원이상~200만원미만 집단은 참조집단(400만원 이상) 대비 계수 0.812 오즈비 2.252로 매우 불만족 답변할 가능성이 2.252배 증가하였다.

초등학교 졸업이하 집단은 매울 불만족에 답변할 가능성이 계수 2.423, 오즈비 11.277로 참조집단보다 11.277배 높았다. 그러므로 학력이 주거만족도 미치는 영향이 매우 중요함을 확인할 수 있었다.

주거지원프로그램 필요 집단은 계수 1.072, 오즈비 2.922로 참조집단보다 2.922배 매우 불만족을 선택하였다. 그러므로 주거지원프로그램은 소득하위 가구나 저소득 가구, 저학력 가구 등에 중대한 영향을 미치고 있음을 확인할 수 있었다.

약간 불만족 답변 집단에서 단독주택, 아파트, 자가, 2010년 이후, 1995년~2010년 집단 등은 약간 불만족 답변하지 않았다. 오즈비가 0.649, 0.378, 0.590, 0.590, 0.056, 0.270으로 약간 불만족을 선택할 가능성이 감소하였다. 반면에 10만원이상~200만원미만, 초등학교 졸업 이하, 중학교 졸업, 주거지원프로그램 필요 집단은 각 계수가 0.194, 0.845, 1.011, 0.427로 약간 불만족을 답변하였다. 즉 각 참조집단 대비 1.214배, 2.328배, 2.749배, 1.533배 증가하였다.

대체로 만족 답변 집단에서 자가, 2010년 이후, 1995년~2010년 집단은 대체로 만족을 선택할 가능성이 감소하였다. 그러나 다세대주택 집단은 참조집단 대비 1.589배 대체로 만족을 선택할 가능성이 높았다.

고령가구와 소득하위가구의 분석을 통해 시사점을 도출하면, 고령가구 지원 강화 방안으로 첫째, 주거지원프로그램 확대로 주거지원프로그램 필요성이 매우 큰 고령가구를 대상으로 프로그램을 강화하여 불만족도를 줄이고, 주거 안정성을 높이는 것이 중요함을 확인할 수 있었다.

둘째, 주택 유형별 지원으로, 단독주택, 아파트, 다세대주택에 거주하는 고령가구의 만족도가 높으므로, 이들 유형의 주택에 대한 지원을 늘리고, 오피스텔 거주 고령가구에 대한 특별한 지원 프로그램을 마련해야 한다. 셋째, 교육 수준에 따른 주거지원으로 학력이 낮은 고령가구의 주거 만족도를 높이기 위해 교육 수준별 맞춤형 주거지원 프로그램을 제공해야 한다.

[표 25] 고령가구와 소득하위가구 요인 추정값

구분		고령가구					소득하위가구				
		계수	표준오차	Wald	유의확률	Exp(B)	계수	표준오차	Wald	유의확률	Exp(B)
매우 불만족	절편	0.491	22.475	0.000	0.983		-2.290	13.976	0.027	0.870	
	지역	-0.129	0.140	0.857	0.355	0.879	-0.043	0.159	0.074	0.785	0.958
	단독주택	-4.425	0.561	62.233	0.000	0.012	-0.521	0.356	2.141	0.143	0.594
	아파트	-5.699	0.576	97.866	0.000	0.003	-1.015	0.388	6.839	0.009	0.362
	다세대주택	-4.256	0.594	51.370	0.000	0.014	0.245	0.395	0.386	0.534	1.278
	자가	-0.323	0.194	2.765	0.096	0.724	-0.120	0.191	0.393	0.531	0.887
	전세	-0.307	0.338	0.825	0.364	0.735	-0.237	0.259	0.839	0.360	0.789
	2010년이후	-2.604	0.289	80.968	0.000	0.074	-2.859	0.291	96.446	0.000	0.057
	1995년~2010년	-1.644	0.254	41.718	0.000	0.193	-1.628	0.273	35.582	0.000	0.196
	원룸형	-0.308	0.352	0.762	0.383	0.735	-0.432	0.280	2.377	0.123	0.649
	10만원미만	0.489	0.320	2.338	0.126	1.631	0.235	0.235	1.002	0.317	1.265
	10만원이상~200만원미만	0.407	0.319	1.629	0.202	1.503	0.812	0.189	18.445	0.000	2.252
	1인가구	-0.044	0.287	0.023	0.878	0.957	-0.018	0.217	0.007	0.934	0.982
	2인가구	-0.280	0.280	0.999	0.318	0.756	-0.120	0.212	0.322	0.570	0.887
	초등학교 졸업이하	0.990	0.761	1.693	0.193	2.692	2.423	0.654	13.744	0.000	11.277
	중학교졸업	0.440	0.770	0.327	0.567	1.553	0.402	0.641	0.393	0.531	1.495
	고등학교졸업	-0.008	0.771	0.000	0.992	0.992	-0.529	0.622	0.724	0.395	0.589
	대학졸업	-0.465	0.848	0.301	0.584	0.628	-1.039	0.643	2.610	0.106	0.354
	주거지원프로그램필요	1.663	0.143	134.772	0.000	5.276	1.072	0.165	42.105	0.000	2.922
약간 불만족	절편	0.941	9.642	0.010	0.922		-0.473	5.419	0.008	0.930	
	지역	0.160	0.070	5.314	0.021	1.174	0.106	0.074	2.076	0.150	1.112
	단독주택	-2.268	0.521	18.965	0.000	0.103	-0.432	0.139	9.712	0.002	0.649
	아파트	-3.323	0.522	40.492	0.000	0.036	-0.972	0.151	41.561	0.000	0.378
	다세대주택	-1.568	0.530	8.767	0.003	0.208	0.190	0.164	1.343	0.246	1.210
	자가	-0.634	0.107	34.787	0.000	0.531	-0.527	0.094	31.120	0.000	0.590
	전세	0.097	0.165	0.347	0.556	1.102	-0.051	0.108	0.223	0.637	0.950
	2010년이후	-3.334	0.140	566.034	0.000	0.036	-2.885	0.100	828.463	0.000	0.056
	1995년~2010년	-1.840	0.105	305.683	0.000	0.159	-1.310	0.103	160.897	0.000	0.270
	원룸형	-0.075	0.215	0.121	0.728	0.928	-0.060	0.116	0.266	0.606	0.942
	10만원미만	0.070	0.128	0.301	0.583	1.073	-0.092	0.101	0.841	0.359	0.912
	10만원이상~200만원미만	-0.002	0.130	0.000	0.986	0.998	0.194	0.086	5.122	0.024	1.214
	1인가구	0.106	0.144	0.538	0.463	1.111	0.068	0.101	0.450	0.502	1.070
	2인가구	-0.003	0.135	0.000	0.985	0.997	-0.101	0.097	1.099	0.294	0.904
	초등학교 졸업이하	1.385	0.413	11.229	0.001	3.995	0.845	0.416	4.123	0.042	2.328
	중학교졸업	1.219	0.415	8.627	0.003	3.384	1.011	0.369	7.527	0.006	2.749
	고등학교졸업	0.753	0.414	3.312	0.069	2.124	0.685	0.351	3.812	0.051	1.984
	대학졸업	0.437	0.430	1.030	0.310	1.547	0.240	0.352	0.465	0.495	1.272
	주거지원프로그램필요	0.821	0.084	95.039	0.000	2.273	0.427	0.076	31.522	0.000	1.533
대체로 만족	절편	4.599	7.692	0.358	0.550		3.173	4.171	0.579	0.447	
	지역	0.053	0.057	0.864	0.353	1.054	-0.031	0.058	0.275	0.600	0.970
	단독주택	-1.490	0.496	9.025	0.003	0.225	0.159	0.110	2.079	0.149	1.173
	아파트	-1.553	0.495	9.827	0.002	0.212	0.142	0.116	1.505	0.220	1.153
	다세대주택	-0.978	0.503	3.779	0.052	0.376	0.463	0.133	12.167	0.000	1.589
	자가	-0.394	0.090	19.103	0.000	0.674	-0.300	0.075	15.966	0.000	0.741
	전세	-0.026	0.142	0.034	0.855	0.974	0.075	0.086	0.764	0.382	1.078
	2010년이후	-2.009	0.066	914.135	0.000	0.134	-1.545	0.066	554.022	0.000	0.213
	1995년~2010년	-0.954	0.069	190.172	0.000	0.385	-0.362	0.081	19.716	0.000	0.697
	원룸형	-0.055	0.185	0.089	0.766	0.946	0.128	0.092	1.939	0.164	1.137
	10만원미만	0.028	0.098	0.084	0.772	1.029	-0.148	0.077	3.750	0.053	0.862
	10만원이상~200만원미만	-0.024	0.101	0.058	0.809	0.976	-0.035	0.070	0.252	0.615	0.965
	1인가구	0.011	0.114	0.010	0.921	1.011	0.143	0.079	3.301	0.069	1.154
	2인가구	0.029	0.105	0.074	0.782	1.030	0.050	0.074	0.463	0.496	1.051
	초등학교 졸업이하	1.036	0.225	21.203	0.000	2.818	-0.183	0.304	0.362	0.547	0.833
	중학교졸업	1.132	0.226	25.084	0.000	3.103	-0.080	0.250	0.101	0.750	0.923
	고등학교졸업	0.756	0.223	11.504	0.001	2.131	-0.076	0.228	0.096	0.756	0.932
	대학졸업	0.459	0.232	3.937	0.047	1.583	-0.266	0.228	1.366	0.242	0.766
	주거지원프로그램필요	0.101	0.074	1.892	0.169	1.107	-0.020	0.060	0.105	0.746	0.901
모형적합도		-2 로그 우도 8173.102					-2 로그 우도 27155.965				
		Nagelkerke 0.126					Nagelkerke 0.000				
a. 참조 범주는\ 매우 만족 입니다.											

소득하위가구 지원 강화 방안으로 첫째, 저소득 가구 주거지원으로 소득 10만원 이상~200만원 미만의 저소득 가구에 대한 주거지원 프로그램을 강화하여 불만족도를 줄여야 한다. 둘째, 학력에 따른 지원으로 초등학교 졸업 이하의 저학력 가구에 대한 주거지원 프로그램을 강화하여 불만족도를 낮추는 것이 중요하다. 셋째, 주택 유형 및 주택 경과 연수별 지원으로 2010년 이후와 1995년~2010년 주택에 거주하는 가구의 만족도가 상대적으로 높으므로, 이러한 주택 유형과 연수별 지원 정책을 마련하여 주거 환경을 개선해야 한다. 넷째, 사가 소유자 지원으로 자가 소유자의 대체로 만족 선택 가능성이 낮으므로, 자가 소유자에 대한 금융 지원, 유지보수 지원 등을 통해 만족도를 높이는 정책을 마련해야 한다. 이를 통해 고령가구와 소득하위가구의 주택 만족도를 높이고, 주거 안정성을 강화할 수 있다.

3. 헤도닉 회귀(Hedonic Regression)

헤도닉 회귀는 어떤 제품이나 서비스의 가치를 추정하는 방법이다. 이 방법은 제품을 구성하는 여러 특성 또는 요소들이 그 제품의 총 가치를 어떻게 결정하는지를 분석한다. 이를 통해 각 특성의 기여가치를 계산할 수 있다.

경제학에서 헤도닉 수요 이론(hedonic demand theory) 또는 헤도닉 회귀는 수요나 가치 또는 경제적 가치를 추정하기 위한 밝혀진 선호방법(revealed preference method[21])이다. 연구 중인 항목을 구성 특성으로 분해하고 각각에 대한 기여가치의 추정치를 얻는다. 이를 위해서는 복합재(연

---

21) 드러난 선호 이론은 개인의 선호도를 실제 선택 행위를 관찰함으로써 추론하는 경제학적 방법론으로 1938년 폴 앤서니 새뮤엘슨(Paul Anthony Samuelson)에 의해 처음 제시된 이 이론은 소비자 행동 분석, 특히 정책 변화가 소비에 미치는 영향을 평가하는 데 유용한 도구로 자리 잡았다. 드러난 선호 이론은 기존 소비자 수요 이론이 한계대체율(MRS) 감소 개념에 기반하고 있다는 비판에서 비롯되었다. 기존 이론은 소비자가 자신의 효용을 극대화하기 위해 행동한다고 가정했지만, 효용 측정의 어려움으로 인해 이 가정의 타당성에 대한 논란이 있었다. 드러난 선호 이론은 행동 관찰을 통해 효용 함수를 정의함으로써 이러한 문제를 해결하고자 했다. 드러난 선호 이론의 핵심 개념은 다음과 같다. 1) 선호도는 개인이 서로 다른 선택지에 대해 가진 선호 순위를 의미한다. 2) 선택 집합은 개인이 이용 가능한 모든 선택지의 집합을 의미한다. 3) 제한 조건은 예산, 시간, 정보 제약 등 개인의 선택을 제한하는 요소들을 의미한다. 4) 선택은 개인이 제한 조건 하에서 선택한 최적의 선택지를 의미한다. 드러난 선호 이론은 다음과 같은 기본 가정을 기반으로 한다. 1) 선택 일관성은 개인은 자신의 선호도와 제한 조건에 따라 일관적으로 선택한다. 2) 비선택은 선택 집합에 속하지 않은 선택지는 개인에게 무관하거나 선택될 가능성이 매우 낮다. 3) 지속 가능성은 선택 가능한 모든 선택지가 소비자에게 경제적으로 이용 가능하다. 드러난 선호 이론은 다음과 같은 방법으로 개인의 선호도를 도출한다. 1) 선택 관찰로 개인의 과거 또는 현재 선택 행위를 관찰한다. 2) 선택 비교로 동일한 제한 조건 하에서 개인이 서로 다른 상황에서 어떻게 선택하는지 비교한다. 3) 선택 추론으로 관찰된 선택 행위를 바탕으로 개인의 선호도를 추론한다. 드러난 선호 이론은 다음과 같은 장점을 가지고 있다. 1) 선호도를 직접 측정하는 것이 아닌 실제 선택 행위를 관찰하기 때문에 비교적 실증적인 분석이 가능하다. 2) 개인의 주관적인 의견이나 설문 조사에 의존하지 않기 때문에 객관적인 분석이 가능하다. 3) 비교적 간단하고 이해하기 쉬운 방법론이다. 하지만 드러난 선호 이론은 다음과 같은 한계도 가지고 있다. 1) 선호 일관성, 비선택, 지속 가능성과 같은 기본 가정이 충족되지 않으면 이론이 적용될 수 없다. 2) 개인의 선택 행위는 선호도 외에도 다양한 요인에 의해 영향을 받을 수 있기 때문에 선택 동기를 파악하기 어려울 수 있다. 3) 개인의 선택 행위를 추적하고 기록하는 과정에서 윤리적 문제가 발생할 수 있다. 드러난 선호 이론은 다음과 같은 분야에서 활용한다. 1) 소비자 행동 분석에서 정책 변화가 소비에 미치는 영향, 소비자 선호도 변화 추이, 소비 패턴 분석 등에 활용한다. 2) 시장 분석에서 시장 구조, 경쟁 분석, 소비자 여과 등에 활용한다. 3) 정책 평가에서 정부 정책이 소비자에게 미치는 영향을 평가하는 데 활용한다. 4) 제품 설계에서 소비자 선호도를 반영하여 제품을 설계하는 데 활용한다. 5) 마케팅 전략 수립에서 소비자를 대상으로 한 효과적인 마케팅 전략을 수립하는 데 활용한다.

구되고 가치가 평가되는 품목)가 구성 부분으로 축소될 수 있어야 하며, 결과적인 부분이 어떤 방식으로든 시장에서 평가되어야 한다. 헤도닉 모델은 회귀 분석을 사용하여 가장 일반적으로 추정되지만, 판매 조정 그리드와 같은 일부 일반화된 모델은그렇지 않은 특수한 경우이다.

3.1. 판매 비교 접근 방식

판매 비교 접근법(Sales Comparison Approach, SCA)은 부동산의 속성 또는 중요한 특징의 매트릭스가 그 가치를 결정한다는 가정에 의존하는 부동산 감정 평가 방법(Real estate appraisal, property valuation or land valuation)[22]이다. 예를 들어, 단독 주택의 경우 이러한 속성에는 바닥 면적, 전망, 위치, 욕실 수, 부지 크기, 부동산 연수 및 부동산 상태가 포함될 수 있다. 이 방법은 부동산에 대한 두 가지 주요 가격 책정 방법인 비용 접근 방식(cost approach)과 소득 접근 방식(income approach)과 대조된다.

판매비교접근법은 수요공급(supply and demand)의 원리와 대체(substitution)의 원리를 바탕으로 한다. 수요와 공급은 구매자와 판매자 모두의 일반적인 시장 행동을 통해 가치를 나타낸다. 대체는 건설이 과도하게 지연되지 않는다는 가정 하에 구매자가 동등한 효용을 가진 부지에서 대체할 수 있는 것보다 더 높은 가치로 개선된 부동산을 구매하지 않을 것임을 나타낸다.

실제로 부동산 중개인과 부동산 감정사가 사용하는 가장 일반적인 SCA 방법은 판매 조정 그리드(sales adjustment grid)다. 이는 해당 속성의 가치를 추정하기 위해 대상 부동산 바로 근처에 있는 소수의 최근 판매된 부동산을 사용한다. 비교 대상에 대한 조정은 추세 분석(trend analysis), 일치쌍 분석(matched-pairs analysis) 또는 간단한 시장 조사(simple surveys of the market)를 통해 결정될 수 있다.

---

22) 부동산 평가, 부동산 평가 또는 토지평가는 부동산 가치(보통 시장가치)에 대한 의견을 전개하는 과정이다. 매일 거래되고 동일한 기업 주식과 달리 부동산 거래는 드물게 발생하고 모든 부동산이 고유하기 때문에 특히 부동산의 상태, 가치 평가의 주요 요소로 평가가 필요한 경우가 많다. 따라서 증권 거래소와 같은 중앙화된 왈라시아 경매는 비현실적이다. 입지도 평가에 중요한 역할을 한다. 그러나 부동산은 위치를 변경할 수 없기 때문에 주택의 가치를 변경할 수 있는 것은 주택을 업그레이드하거나 개선하는 경우가 많다. 감정 보고서는 모기지 대출, 재산정리 및 이혼, 과세 등의 기초를 형성한다. 때때로 감정 보고서는 부동산 판매 가격을 결정하는 데 사용한다.

감정 평가자는 일반적으로 지리적으로 분산된 다수의 부동산 거래를 비교하여 다양한 속성이 부동산 가치에 미치는 영향의 중요성과 크기를 결정하는 다중 회귀 방법(multiple regression methods)을 기반으로 하는 통계 기법을 사용한다. 연구에 따르면 매출 조정 그리드(sales adjustment grid)와 다중 회귀 모델은 이론적으로 동일하며, 전자는 더 많은 휴리스틱 방법을 적용하고 후자는 통계 기법을 사용한다.

공간 자동 회귀(Spatial auto regression)는 이러한 통계 기법에 문제가 된다. 왜냐하면 고가의 부동산은 서로 뭉쳐지는 경향이 있고 따라서 하나의 부동산 가격은 이웃과 독립적이지 않기 때문이다. 부동산 인플레이션(property inflation)과 가격 주기(price cycles)를 고려할 때 샘플링된 거래 간의 시간 간격이 과도할 경우 두 비교 기술 모두 신뢰할 수 없게 될 수 있다. SCA의 단순한 사용을 저해하는 또 다른 요인은 도시 주변 지역의 진화하는 성격이다. 그러나 실제로 도시 진화는 가치에 대한 이러한 접근 방식에 미치는 영향을 최소화할 만큼 점진적으로 발생한다.

소송이나 부당한 부동산 감정과 같은 보다 복잡한 상황에서 감정인은 시간 경과에 따른 주택 가격 상승 측정하기 위해 반복 판매 모델(repeat sales models), 조건부 가치 평가와 같은 설문조사 연구, 복잡한 상황에서 조정을 개발하기 위해서 사례 연구, 또는 기타 통계 기반 기술와 같이 널리 받아들여지는 고급 기술을 사용하여 SCA 조정(SCA adjustments)을 해야 한다.

3.1.1. 비용 접근법

비용 접근법의 기본 전제는 부동산의 잠재적 사용자가 부동산에 대해 동등한 건물을 짓는 데 드는 비용보다 더 많은 비용을 지불하거나 지불해서는 안된다는 것이다. 따라서 건설 비용에서 감가상각비와 토지를 뺀 금액이 시장 가치의 한도이거나 최소한 척도이다.

그러나 이 접근 방식에는 상당히 큰 가정이 포함되어 있다. 기본 중 하나는 건축 가능한 토지가 충분히 공급되어 건설이 기존 부동산 구입에 대한 실행 가능한 대안이라는 것이다. 오늘날 미국을 포함하여 세계의 일부 지역에는 안전처 개발되었거나 계획 승인이 제한되어 토지가 부족하기 때문에 새로운 건설을 선택할 수 없는 지역이 있다.

관련된 질문은 문제의 건물이 해당 시장에서 실제로 다시 건설될 건물인지 여부다. 개발 추세가 대량 창고업을 선호한다면 다층 제조 시설 건설을 고려하는 사람이 있을까요? 고밀도 콘도미니엄이 추세라면, 단독주택을 짓는 것을 고려하는 사람이 있을까요? 노후된 건물을 건설하는 데 드는 비용은 시장 가치와 관련이 있는 것으로 간주되지 않는다.

문제가 될 수 있는 다른 방법론적 문제도 있다. 비용은 어떻게 추정하나요? 정확한 복제품의 복제에 기초한 것인가, 아니면 기능적으로 동등하다고 판단되는 것인가? 비용을 아주 정확하게 추정할 수 있나요? 프로젝트가 입찰되면 일반적으로 동일한 계획과 사양에 대해 다양한 가격이 제공되지 않습니까? 프로젝트의 최종 비용은 원래 입찰과 동일합니까? 이익은 어떻게 처리되어야 하는가?

일부에서는 비용 접근법이 일반적으로 세 가지 접근법23) 중 가장 높은 접근법이 될 것이라고 주장한다. 동시에, 프로젝트의 예상 비용이 완료 가치보다 적을 경우에만 프로젝트가 실현 가능하다는 것은 자명한 사실이다.

새로운 것과 완전히 쓸모없는 것 사이에는 시대, 패션, 변화(감가상각)와 관련된 다양한 부정적인 요소가 누적될 것이다. 이는 물리적(마모, 찢김 및 품질 저하), 기능적(외관, 느낌, 형태 및 스타일), 위치적(자산 자체 외부 요인의 영향)로 묶인다.

일반적으로 문제의 부동산이 새 것이고 적절한(최고 및 최상의) 용도일 때 비용 접근법이 시장 가치를 가장 잘 나타내는 것으로 간주한다.

3.1.2. 소득 접근 방식

소득 접근법은 부동산 감정 평가 방법이다. 이는 평가자가 사용하는 가치 평가접근법이라고 불리는 세 가지 주요 방법론 그룹 중 하나다. 특히 상업용 부동산 평가와 사업 평가에서 흔히 볼 수 있다. 기본적인 수학 공식은 재무 평가, 증권 분석 또는 채권 가격 책정에 사용되는 방법과 유사하다. 그러나 부동산이나 기업 가치 평가에 사용될 때 몇 가지 중요하고 중요한 수정 사항이 있다.

소득 접근법의 기준에 따라 허용되는 방법이 꽤 많이 있지만 이러한 방법의 대부분은 직접 자본화(direct capitalization), 현금 흐름 할인(discounted cash flow) 및 총소득 승수(gross income multiplier)의 세 가지 범주에 속한다.

---

23) 개별 부동산의 가격을 책정하는 데 사용되는 부동산 평가 평가 방법으로 시장접근법, 매출비교접근법(비용접근법), 소득 접근법의 세 가지 방법 중 하나이다.

1) 직접 자본화(direct capitalization)

이는 단순히 연간 순영업소득(NOI, net operating income)을 적절한 자본화율(CAP rate, appropriate capitalization rate)로 나눈 몫이다. 소득 창출 부동산의 경우 NOI는 부동산의 순이익(사업 이익은 아님)에 이자 비용과 비현금 항목 예를 들면, 감가상각비를 더한 금액에서 대체 준비금을 뺀 금액이다. CAP 비율은 시장 추출, 투자 밴드 또는 구축 방법을 포함한 여러 방법 중 하나로 결정될 수 있다. 복잡한 부동산이나 비정상적인 요인 예를 들면, 오염 등으로 인해 위험 조정이 필요한 부동산을 평가할 때는 위험 조정 한도율이 적절하다. 직접 자본화의 암묵적인 가정은 현금 흐름이 영속적이고 자본 비율이 일정하다는 것이다. 현금 흐름이나 위험 수준이 변경될 것으로 예상되는 경우 직접 자본화는 실패하며 할인된 현금 흐름 방법을 사용해야 한다.

영국 실무에서 순이익은 시장에서 파생된 수익률을 사용하여 자본화한다. 부동산이 임대인 경우(rack-rented[24]) 모든 위험 수익률(All Risks Yield)이 사용된다. 그러나 통과 임대료가 추정 임대 가치(ERV, Estimated Rental Value)와 다른 경우 기간 및 복귀(Term & Reversion), 계층 또는 등가 수익률 방법(Layer or Equivalent Yield methods)이 사용됩니다. 본질적으로 이는 다양한 소득 흐름(현재 또는 현재 임대료, 전체 임대 가치로의 복귀 소득)을 다양한 조정 수익률로 할인하는 것을 수반한다.

영국의 부동산 평가 방법을 쉽게 설명하면, 다음과 같다. 영국의 부동산 평가에는 여러 가지 방법이 있는데, 영국에서는 주로 순이익을 시장에서 유래한 수익률로 자본화하는 방법을 사용한다. 이를 통해 건물의 가치를 평가한다.

그러나 자본화율에는 본질적으로 투자별 위험프리미엄이 포함된다. 각 투자자는 위험에 대해 서로 다른 관점을 가질 수 있으므로 특정 투자에 대해 서로 다른 자본화 비율에 도달한다. 자본화율이 자본 축적 비용 모델을 사용

---

24) Rack-rent라는 단어는 두 가지 뜻을 가지고 있다. 1) 초과 임대료(excessive rent)로 이 경우는 불공정하게 높은 임대료를 의미한다. 역사적으로는 농부들이 지주에게 너무 높은 임대료를 내야 했을 때 항의의 목소리로 쓰였던 단어이다. rack이라는 단어는 중세 고문 도구에서 유래했다. 2) 시장 임대료(market rent)로 이 경우는 건체 임대료를 의미한다. 땅 자체의 가치와 건물 등 개선된 부분 모두를 포함하여, 현재 시장 상황에서 매길 수 있는 최대 임대료를 말한다. 반드시 과도하게 높은 금액은 아니다. 그러므로 rack-rent라는 단어는 임대료에 대한 두 가지 관점을 나타낸다. 과도하게 높은 임대료를 비판하는 의미와 시장 상황에 맞는 적절한 임대료를 의미하는 경우가 있다. 문맥에 따라 어떤 의미로 쓰였는지 구분해야 한다.

하여 할인율에서 파생되면 관계가 명확해진다. 수익 증가율이 0이 될 때마다 이 둘은 동일하다.

2) 할인된 현금 흐름(discounted cash flow)

Discounted Cash Flow (DCF) 모델은 미래의 현금 흐름을 현재 가치로 계산하는 방법이다. 이는 투자 결정을 내리는 데 사용되는 매우 중요한 도구이다. DCF 모델을 사용하면 특정 자산의 현재 가치를 평가할 수 있다. DCF 모델은 금융에서 사용되는 순현재가치(NPV) 계산과 유사하다. 둘 다 미래의 현금 흐름을 현재 가치로 할인하여 계산한다. NPV는 미래의 현금 흐름에서 투자 비용을 뺀 값이다. 그러나 평가자(appraisers)는 할인율 또는 연간 현금 흐름을 대신하여 시장에서 도출된 한도율(market-derived cap rate)과 NOI를 실수로 사용하는 경우가 많다. 캡 요율(Cap rate)은 할인율에 예상 성장 요인을 더하거나 뺀 값과 같다. 시장 가치가 목표라면 NOI를 사용할 수 있지만, 투자 가치가 목표라면 현금 흐름을 측정하는 다른 방법이 적합하다.

DCF 모델의 기본 요소로 1) 현금 흐름 (Cash Flow)으로 자산이 매년 벌어들이는 돈이다. 2) 할인율 (Discount Rate)로 미래의 현금 흐름을 현재 가치로 할인하는 데 사용되는 비율이다. 3) 미래 현금 흐름의 합계로 미래에 예상되는 모든 현금 흐름을 할인율을 적용해 현재 가치로 합산한 것이다.

캡 레이트(Cap Rate)와 순운영소득(NOI)는 자산 가치를 평가하는 또 다른 방법이다. 그러나 DCF 모델과는 약간 다르다.

1) 캡 레이트 (Cap Rate)는 할인율과 비슷하지만, 예상되는 성장률을 더하거나 빼서 조정할 수 있다. 예를 들어, 할인율이 5%이고 성장률이 2%라면 캡 레이트는 5% - 2% = 3%이다.

2) 순운영소득 (NOI)은 자산이 매년 벌어들이는 순수익이다. 이를 통해 자산의 가치를 계산할 수 있다. 예를 들어, 자산의 NOI가 £10,000이고 캡 레이트가 5%라면 자산 가치는 £10,000 ? 0.05 = £200,000이다.

그러므로 목표에 따른 접근 방법을 선택한다. 시장에서의 가치를 알고 싶다면 캡 레이트와 NOI를 사용한다. 투자 가치를 알고 싶다면 DCF 모델을 사용하여 미래 현금 흐름을 현재 가치로 할인해 계산한다. DCF 모델은 미래의 현금 흐름을 현재 가치로 계산하여 자산의 가치를 평가하는 방법이고, 캡 레이트와 NOI도 자산 가치를 평가하는 데 사용되지만, DCF 모델은 더 세밀하게 미래의 현금 흐름을 분석하는 데 유용하다. 각각의 방법은 평가 목적에 따라 적절히 사용될 수 있다.

3) 총 임대료 승수(gross income multiplier)

Gross Rent Multiplier (GRM)은 부동산의 가치를 빠르고 간단하게 평가하는 방법이다. 주택, 듀플렉스, 간단한 상업용 건물 같은 임대용 부동산에 자주 사용된다. GRM은 단순히 월 또는 연간 임대료를 판매 가격으로 나눈 비율이다. 즉, 부동산의 매매 가격을 임대료로 나눈 값이다. 부동산 가격이 임대료의 몇 배인지를 나타낸다. 최근에 유사한 부동산이 여러 개 판매된 경우 해당 부동산에 대한 GRM을 계산하여 해당 부동산의 예상 월 임대료에 적용할 수 있다. GRM은 보다 잘 개발된 다른 방법을 보완하여 사용할 경우 임대주택, 복층 건물 및 단순 상업용 부동산에 유용하다.

GRM 계산 방법으로 부동산 매매 가격으로 부동산이 얼마에 팔렸는지 알아야 한다 임대료에서 부동산에서 매달 또는 매년 벌어들이는 임대료를 알면 된다.

GRM의 장점과 한계를 보면, 장점으로 계산이 쉽고 빠르다. 비슷한 부동산의 시장 가치를 대략적으로 파악할 수 있다. 한계로는 부동산의 운영 비용이나 공실률 같은 세부적인 요소를 반영하지 않는다. 다른 평가 방법과 함께 사용해야 더 정확한 가치를 알 수 있다.

그러므로, Gross Rent Multiplier (GRM)는 부동산의 매매 가격을 임대료로 나눈 값으로, 부동산의 대략적인 가치를 빠르고 간단하게 평가할 수 있는 방법이다. GRM을 사용하면 비슷한 부동산의 매매 가격과 임대료를 비교하여 내 부동산의 가치를 추정할 수 있다. 그러나 GRM은 단독으로 사용하기보다는 다른 평가 방법과 함께 사용하는 것이 더 좋다.

4) 단축 DCF(Short-cut DCF)

Short-cut DCF 방법은 레딩 대학교의 Neil Crosby교수가 개발한 모델로 궁극적으로 Wood and Greaves의 이전 연구를 기반으로 한다. RICS[25]는 적절한 상황에서 이 방법을 사용하도록 권장했다. Short-cut DCF는 금융에서 널리 사용되는 DCF 방법의 자산 가치 평가를 응용한 것이다. 부동산 가치를 빠르고 효율적으로 평가하는 방법으로 이 방법은 DCF 모델의 변형으로, 부동산의 현재 임대료와 미래 임대료를 할인하여 현재 가치를 계산한다.

---

25) RICS(Royal Institution of Chartered Surveyors)는 건축 환경, 건설, 토지, 부동산 및 부동산 분야에서 일하는 사람들을 위한 글로벌 전문 기관이다. RICS는 1868년 런던에서 설립되었다. 이는 정부 간 수준에서 작동하며, 토지평가, 부동산, 건설및 인프라, 관리 및 개발에 있어 가장 높은 국제 표준을 촉진하고 시행하는 것을 목표로 한다.

기본 개념으로 현재 임대료가 있다. 현재 받고 있는 임대료로, 일정 기간 동안 변하지 않는다. 또한, 할인율이 있고, 이는 미래의 현금 흐름을 현재 가치로 할인하는 비율로, 정부 채권의 무위험 수익률에 리스크와 유동성 할인을 더해 계산한다. 재조정 소득이 있는데, 이는 임대 계약이 끝난 후 받게 될 예상 임대료(ERV, Estimated Rental Value)이다.

Short-cut DCF의 단계로 현재 임대료 할인이 있고, 이는 현재 받고 있는 임대료를 적절한 할인율로 할인하여 현재 가치를 계산한다. 재조정 소득 할인으로 예상 임대료를 시장에서 유도된 모든 위험 수익률(ARY)로 할인하여 재조정 소득의 현재 가치를 계산한다. 성장률 적용으로 재조정 소득에 적용될 연간 성장률을 계산한다. 성장률은 수익률과 모든 위험 수익률의 차이로 계산한다.

Short-cut DCF에서는 임대 기간 동안 일정한 명목 또는 실질 기준으로 현재 임대료가 적절한 수익률 아마도 무위험 수익률을 참조하여 도출한 것으로 할인한다. 위험에 대한 충당금과 부동산 자산의 비유동성에 대한 충당금이 추가된 국채에서 얻은 금액이다. 재조정은 시장에서 파생된 모든 위험 수익률(ARY)으로 할인되며, 이는 재조정 소득 흐름의 성장을 정확하게 의미한다. 재조정 소득은 적절한 연간 성장 인자 또는 CAGR- 복합 연간 성장률에 의해 부풀려진 현재 추정 임대 가치(ERV)이다. Crosby-Wood 모델의 핵심이자 기존 DCF와 구별되는 점은 성장 인자가 수익률과 모든 위험 수익률의 함수로서 공식을 통해 도출된다는 것이다.

예를 들어 수익률이 연 10%, ARY가 연 8%, 임대료를 매년 검토한다면 성장율은 2%가 된다. 이 간단한 빼기는 매년 임대료를 검토할 때만 작동한다. 다른 모든 상황에서는 성장 요인이 Crosby 공식을 사용하여 파생된다. 따라서 Short-cut DCF는 수학적으로 일관된 가치 평가를 생성한다.

3.2. 영국의 부동산 평가 방법

즉, 영국의 부동산 평가 방법을 쉽게 설명하면, 다음과 같다. 영국의 부동산 평가에는 여러 가지 방법이 있는데, 영국에서는 주로 순이익을 시장에서 유래한 수익률로 자본화하는 방법을 사용한다. 이를 통해 건물의 가치를 평가한다. 여기에서 몇 가지 중요한 개념과 방법이 있다. 이를 설명하면 다음과 같다.

3.2.1. 기본 개념

첫째, 순이익(Net Income)으로 이는 건물이 벌어들이는 연간 수익이다.

둘째, 수익률(Yield)로 투자에 대한 연간 수익 비율이다. 예를 들어, 5%의 수익률은 투자 금액의 5%를 매년 수익으로 얻는다는 의미이다.

셋째, 임대료(ERV – Estimated Rental Value)로 시장에서 건물이 임대될 수 있는 예상 임대료를 의미한다.

넷째, 현 임대료(Passing Rent)로 현재 실제로 받고 있는 임대료를 의미한다.

3.2.2. 평가 방법

1) 모든 위험 수익률(All Risks Yield) 방식

모든 위험 수익률(All Risks Yield) 방식을 사용하면, 다음과 같다.

적용 상황으로 보면, 건물이 시장 임대료와 같은 금액으로 임대된 경우를 말한다.

평가 방법으로 순이익을 수익률로 나눠서 건물의 가치를 계산한다. 예를 들면, 연간 순이익이 £10,000이고 수익률이 5%라면, 건물의 가치는 £10,000 / 0.05 = £200,000이다. 또한, 여러분이 건물을 소유하고 있고 현재 임대료는 £8,000, 예상 임대료는 £10,000다. 수익률은 5%다. 모든 위험 수익률을 적용하면, 현재 임대료가 예상 임대료와 동일하다면, 건물 가치는 £10,000 / 0.05 = £200,000이다. 이 방법은 현재 임대료와 예상 임대료가 같을 때 더 유용하지만, 현재 임대료와 예상 임대료가 다를 때도 참고로 사용할 수 있다.

2) 임대 기간 및 환가(Term & Reversion) 방식

임대 기간 및 환가(Term & Reversion) 방식을 사용하면 다음과 같다.

적용 상황으로 보면, 현재 임대료가 예상 임대료와 다른 경우를 적용한다.

평가 방법은 현재 임대료와 예상 임대료로 구분하여 각각 다른 수익률을 적용해 가치를 계산한다. 예를 들면, 현재 임대료 기간에서 현재 임대료가 지속되는 기간 동안의 수익을 계산한다. 미래 임대료 기간에서 연재 임내 세약이 끝나고 예상 임대료로 임대될 때의 수익을 계산한다. 또한, 여러분이 건물을 소유하고 있고 현재 임대료는 £8,000, 예상 임대료는 £10,000다. 수익률은 5%다. 임대 기간 및 환가 방식을 적용하면, 현재 임대료가 £8,000이라면,

먼저 현재 임대료의 가치를 계산하고, 임대 기간이 끝난 후 예상 임대료 £10,000의 가치를 계산해 더하면 된다.

현재 임대료 기간 (Term)에서 현재 임대료 £8,000, 수익률 5%, 현재 임대료 기간의 가치는 £8,000 / 0.05 = £160,000이다. 미래 임대료 기간 (Reversion)에서 예상 임대료 £10,000, 수익률 5%, 임대 기간 종료 후의 현재 가치는 £10,000 / 0.05 = £200,000이다. 이제 두 가치를 더해서 건물의 총 가치를 계산한다. 건물의 총 가치 = £160,000 + £200,000 = £360,000 이다. 그러나 이 방법은 현재 임대료 기간이 끝난 후 미래 임대료로 전환되는 상황을 단순하게 가정했다. 실제로는 미래 임대료의 현재 가치를 할인율을 적용해 계산해야 한다. 예를 들어, 현재 임대 계약이 5년 후에 끝난다고 가정해 보겠다. 그러면 미래 임대료의 현재 가치를 할인율을 적용해 계산한다.

미래 임대료의 현재 가치(Reversion)에서 현재 가치 = 미래 임대료/ (1 + 수익률)^년수 = £200,000 / (1 + 0.05)^5이다. 계산을 계속하면, 현재 가치 = £200,000/ 1.27628 = £156,696이다. 최종적으로, 현재 임대료와 미래 임대료의 현재 가치를 합치면, 건물의 총 가치 = £160,000 + £156,696 = £316,696이다.

3) 계층 방법(Layer Method) 방식

계층 방법(Layer Method) 방식을 사용하면, 다음과 같다.

적용 상황을 보면, 임대료가 다층적인 경우에 적용한다.

평가 방법은 임대료를 여러 층으로 나누어 각 층별로 다른 수익률을 적용해 가치를 계산한다. 예를 들면, 하위 층(현 임대료)과 상위 층(예상 임대료)로 나누어 각각 다른 수익률을 적용하여 계산한다.

계층 방법(Layer Method)을 적용하면, 하위 층(현재 임대료)에서 현재 임대료 £8,000, 수익률 5%, 현재 임대료의 가치는 £8,000 / 0.05 = £160,000 이다.

상위 층(미래 임대료 - 현재 임대료의 차이)에서 예상 임대료 £10,000, 현재 임대료 £8,000, 상위 층의 추가 임대료 £10,000 - £8,000 = £2,000이다. 수익률 5%, 상위 층의 가치는 £2,000 / 0.05 = £40,000이다.

최종적으로, 현재 임대료와 상위 층의 가치를 합치면, 건물의 총 가치 = £160,000 + £40,000 = £200,000이다.

그러나 상위 층의 가치를 현재 가치로 할인해서 계산할 수도 있다.

미래 임대료의 현재 가치(Reversion)는 현재 가치 = £40,000 / (1 + 0.05)^5 = £40,000 / 1.27628} = £31,332이다. 최종적으로, 현재 임대료와 상위 층의 현재 가치를 합치면, 건물의 총 가치 = £160,000 + £31,332 = £191,332이다.

4) 등가 수익률 방법(Equivalent Yield Method) 방식

등가 수익률 방법(Equivalent Yield Method) 방식을 사용하면, 다음과 같다. 적용 상황을 보면, 복잡한 임대 구조를 가진 경우에 적용한다.

평가 방법으로 현재 임대료와 예상 임대료를 모두 고려한 '평균 수익률'을 찾아 가치를 계산한다. 예를 들면, 현재 임대료와 예상 임대료를 모두 반영한 종합적인 수익률을 계산해 이를 사용해 건물의 가치를 산출한다.

여러분이 건물을 소유하고 있고 현재 임대료는 £8,000, 예상 임대료는 £10,000다. 수익률은 5%다. 임대 기간 및 환가 방식을 적용하면, 현재 임대료가 £8,000이라면, 먼저 현재 임대료의 가치를 계산하고, 임대 기간이 끝난 후 예상 임대료 £10,000의 가치를 계산해 더하면 된다.

현재 임대료 £8,000, 예상 임대료 £10,000, 수익률 5%, 임대 기간 5년이다. 등가 수익률 방식으로 계산하면, 현재 임대료의 현재 가치에서 현재 임대료는 매년 £8,000씩 5년 동안 받는다. 이를 현재 가치로 할인한다.

현재 임대료의 현재 가치 = £8,000 * {1 - (1 + 0.05)^{-5}} / {0.05}로 계산하면, = £8,000 * ((1 - 0.783526)/(0.05)) = £8,000 * 4.329478 = £34,635.82이다.

미래 임대료의 현재 가치에서 5년 후부터 매년 £10,000씩 영원히 받는다. 이를 현재 가치로 할인한다.

미래 임대료의 현재 가치 = (£10,000 / 0.05) * (1 + 0.05)^{-5}로 계산하면, 미래 임대료의 현재 가치 = (£10,000 / 0.05) * 0.783526 = £200,000 * 0.783526 = £156,705.21이다.

총 현재 가치 (건물의 가치)로는 현재 임대료의 현재 가치와 미래 임대료의 현재 가치를 더한다.

총 현재 가치 = £34,635.82 + £156,705.21 = £191,341.03

요약하면, 모든 위험 수익률(All Risks Yield) 방식은 £200,000, 임대 기간 및 환가 방식(Term & Reversion)은 약 £316,696, 계층 방법(Layer Method)은 약 £191,332, 등가 수익률 방법(Equivalent Yield Method)은 약 £191,341.03이다.

등가 수익률 방법은 현재와 미래의 임대료를 모두 고려한 종합적인 수익률을 계산하여 건물의 가치를 산출합니다. 이를 통해 건물의 총가치를 보다 균형 있게 평가할 수 있다.

3.2. 헤도닉모형 활용분야

3.2.1. 소비자 물가 지수(CPI) 계산

더미 변수 또는 패널 변수일 수 있는 속성 벡터는 각 특성 또는 특성 그룹에 할당한다. 헤도닉 모델은 비선형성, 다양한 상호 작용 및 기타 복잡한 평가 상황을 수용할 수 있다.

헤도닉 모델은 부동산 평가, 동산 경제 및 소비자 물가 지수(CPI) 계산에 일반적으로 사용된다. CPI 계산에서는 헤도닉 회귀를 사용하여 제품 품질 변화의 영향을 제어한다. 대체효과로 인한 가격 변동은 헤도닉 품질조정에 따른다.

간단한 예로 집 값을 평가하면, 여러분이 집을 사고 팔 때, 집의 가격은 다양한 요소에 의해 결정된다. 방의 개수, 화장실의 개수, 집의 크기 (평수), 위치 (좋은 학군, 교통 편리 등), 집의 상태 (새로 지은 집, 오래된 집 등), 헤도닉 회귀는 이런 요소들이 집의 가격에 얼마나 기여하는지를 알아볼 수 있다.

1) 데이터 수집으로 다양한 특성을 가진 집들의 가격을 기록한다. 2) 특성 분해로 각 집의 특성들을 분해해서 기록한다. 예를 들어, 방의 개수, 화장실의 개수, 위치 등을 각각의 변수로 나눈다. 3) 회귀 분석으로 이 데이터를 이용해 회귀 분석을 수행한다. 이렇게 하면 각 특성이 집 가격에 어떻게 영향을 미치는지 알 수 있다.

더미 변수와 패널 변수를 사용할 수 있다. 더미 변수를 활용할 수 있다. 예를 들어, 집이 좋은 학군에 있는지 여부는 1(좋은 학군) 또는 0(좋지 않은 학군)으로 표시할 수 있다. 또한, 패널 변수를 사용할 수 있다. 시간에 따라 변하는 데이터를 다룰 때 사용할 수 있다. 예를 들어, 매년 집 값 변화를 기록할 때 사용할 수 있다.

헤도닉 모델은 다양한 분야에서 사용할 수 있다. 부동산 평가처럼 집이나 건물의 가격을 평가할 때 사용한다. 소비자 물가 지수(CPI) 계산에서 처럼 제품의 품질 변화에 따른 가격 변동을 조정할 때 사용할 수 있다.

헤도닉 회귀는 제품이나 서비스의 다양한 특성들이 그 가치를 어떻게 결정하는지 분석하는 방법이다. 이를 통해 각 특성의 기여 가치를 계산할 수 있고, 부동산 평가나 소비자 물가 지수 계산 등에 활용할 수 있다. 이 방법을 사용하면 복잡한 제품이나 서비스의 가치를 더 정확하게 평가할 수 있어서, 가격 변동을 더 잘 이해하고 예측할 수 있다.

3.2.2. 헤도닉 모델과 부동산 가치 평가

부동산 경제학에서 헤도닉 회귀는 건물과 같이 이질적인 상품 연구와 관련된 문제를 조정하는 데 사용한다. 개별 건물은 워낙 다르기 때문에 종합적으로 건물 수요를 추정하기는 어렵다. 헤도닉 모델($P = f1, f2, f3, ..., fn$)의 경우 주택 가격에 영향을 미치는 여러 요소의 영향을 연구하는 데 종종 사용한다. Li와 Li는 방정식 $Pi = f(d, s1, s2, ... sn; n1, n2, ..., nm)$를 사용하여 헤도닉 모델을 자세히 설명했다. 여기서 pi는 주택 거래 가격이고 f는 주택 가격과 주거용 건물과 환경 위험 사이의 거리(d) 사이의 관계를 보여주는 함수, s는 건물 구조의 특성, n은 주거 단위 인근 지역의 특성이다[26].

헤도닉 회귀 방정식은 이러한 속성 또는 속성 묶음을 개별적으로 처리하고 각 속성에 대한 가법 모델(additive model)의 경우에는 가격 또는 로그 모델(log model)의 경우에는 탄력성을 추정한다. 이 정보는 여러 도시의 주택 가격을 비교하거나 시계열 분석에 사용할 수 있는 가격 지수를 구성하는 데 사용될 수 있다. CPI 계산과 마찬가지로 헤도닉 가격 책정을 사용하여 1) 주택 가격지수 구축 시 질적 변화에 대한 수정, 2) 특정 시장 거래 데이터가 없는 경우 부동산 가치를 평가, 3) 다양한 주택특성에 따른 수요를 분석하고, 주택수요 전반을 분석을 할 수 있다.

헤도닉 모델의 거시적 특성으로 인해, 대량 평가에 사용될 때 개별 평가의 보다 정확하고 구체적인 접근 방식과 비교할 때 평가에 대한 보다 일반적인 접근 방식과 관련하여 전문 평가의 통일 표준 관행(Uniform Standards of Professional Appraisal Practice, USPAP)은 부동산 평가에 사용될 때 헤도닉 회귀 및 기타 자동화된 평가 모델의 사용을 관리하기 위한 대량 평가 표준을 확립했다.

---

26) Li and Li, Have Housing Prices Gone with the Smelly Wind? Big Data Analysis on Landfill in Hong Kong. Sustainability 2018, 10, 341. https://doi.org/10.3390/su10020341

3.2.3. 부동산 평가 이외의 헤도닉 모델

주택 시장 추정에 사용되는 것 외에도 헤도닉 회귀는 공간 경제학에서 가정을 테스트하기 위한 수단으로 사용되었으며 세금 평가, 소송, 학술 연구 및 기타 대량 평가 프로젝트의 작업에 일반적으로 적용한다.

3.2.4. 헤도닉 회귀와 비교 평가법

헤도닉 회귀와 비교 평가법으로 보면, 헤도닉 회귀는 부동산 평가에서 사용되는 통계적으로 더 강력한 방법으로, 비슷한 상품 간의 가격 차이를 설명하는 데 유용하다. 이는 특히 두 개의 비슷한 상품이 추가적인 요소나 구성 요소에 따라 가치가 크게 달라질 때 사용한다.

비교 평가법은 두 개의 비슷한 상품을 비교하여 가치를 평가하는 방법으로, 예를 들어, 두 개의 주택이 비슷한 크기와 위치에 있지만, 하나는 수영장이 있고 다른 하나는 없을 때, 수영장이 있는 주택의 가치를 더 높게 평가한다.

헤도닉 회귀에서는 비교 평가법을 더 정교하게 만든 방법이다. 상품의 다양한 특성 예를 들면, 주택의 크기, 위치, 수영장 유무 등을 개별적으로 분석하여 각 특성이 가격에 미치는 영향을 계산한다.

예를 들면, 주택 평가에서 두 개의 주택이 있다. 하나는 크기가 200m^2이고, 다른 하나는 180m^2이다. 첫 번째 주택은 수영장이 있고, 두 번째 주택은 수영장이 없다. 헤도닉 회귀를 사용하면, 주택 크기와 수영장 유무가 주택 가격에 미치는 영향을 각각 계산할 수 있다.

부엌용품 세트 평가에서 두 개의 부엌용품 세트가 있다. 하나는 구리 냄비와 팬으로 구성되어 있고, 다른 하나는 주철로 만들어져 있다. 한 세트는 논스틱 코팅이 되어 있고, 다른 세트는 그렇지 않다. 헤도닉 회귀를 사용하면, 재료와 코팅 여부가 부엌용품 세트의 가격에 미치는 영향을 각각 계산할 수 있다.

그러므로, 헤도닉 회귀는 비교 평가법을 더 통계적으로 강력하게 만든 방법이다. 이 방법은 비슷한 상품 간의 가격 차이를 설명하는 데 유용하며, 상품의 다양한 특성이 가격에 미치는 영향을 개별적으로 분석한다. 이를 통해 보다 정확한 가치를 평가할 수 있다.

3.3. 헤도닉 회귀 역사

헤도닉 모델링의 역사는 다양한 경제 및 사회적 요인들이 재화와 서비스의 가격에 미치는 영향을 분석하는 데 중점을 두고 있다. 이 모델링 기법은 시간이 지남에 따라 발전하여 오늘날 다양한 분야에서 널리 사용되고 있다. 헤도닉 모델링의 주요 역사적 발전을 기술하면 다음과 같다.

1) 1920년대: 농지 평가

헤도닉 모델링은 1920년대에 처음으로 농지의 수요와 가격을 평가하는 방법으로 등장했다. 이 초기 연구들은 농지의 다양한 특성(예: 토양의 질, 위치, 접근성 등)이 농지 가격에 어떻게 영향을 미치는지를 분석했다. 이러한 연구는 헤도닉 모델링의 기초를 마련했다.

2) 1939년: 자동차 가격 분석 (Church)

헤도닉 회귀의 중요한 기초는 1939년에 Church가 자동차 가격과 특징을 분석한 연구에 있다. Church는 자동차의 다양한 특성(예: 엔진 크기, 연비, 제조 연도 등)이 자동차 가격에 어떻게 영향을 미치는지를 조사했다. 이 연구는 헤도닉 회귀 분석의 초기 형태를 제시하였다.

3) 1960-70년대: 이론적 발전

1960년대와 1970년대에는 헤도닉 모델링의 이론적 기초가 더욱 확립되었다. 특히, 케빈 랭과 쉐릴 체스킨스키(Kevin Lang & Cheryl Cheskin)는 주택 시장에서 헤도닉 가격 모델을 발전시켰다. 이 시기에 헤도닉 모델링은 다양한 특성들이 재화의 가격에 어떻게 기여하는지를 분석하는 데 중요한 도구로 자리잡았다.

4) 1980년대: 공식적인 정립

1980년대에는 헤도닉 모델링이 경제학 및 통계학에서 공식적으로 정립되었다. 이 시기에 할보르센(Halvorsen)과 팔퀴스트(Palquist)는 보다 정확한 가격 변화율 계산식을 제시하였고, 이는 헤도닉 회귀 분석의 정확성을 높이는 데 기여했다.

5) 1987년: Triplett의 연구

Triplett는 1987년에 대부분의 연구에서 반로그 함수가 사용됨을 밝히고, 개별 특성 양이 한 단위 변동할 때 부동산 가격이 기하급수적으로 변동하기 때문에 현실감이 없을 수 있다고 지적했다. 이는 헤도닉 모델링에서 함수 형태의 선택에 대한 중요성을 강조한 것이다.

6) 1990년대: 부동산과 소비자 물가 지수(CPI)

1990년대에는 헤도닉 모델링이 부동산 평가와 소비자 물가 지수(CPI) 계산에 널리 사용되었다. 특히, 부동산 시장에서 헤도닉 모델링은 주택의 다양한 특성(예: 위치, 크기, 건축 연도 등)이 주택 가격에 미치는 영향을 분석하는 데 중요한 도구가 되었다. 또한, CPI 계산에서는 제품 품질 변화의 영향을 조정하는 데 사용되었다.

7) 2000년대 이후: 다양한 분야로의 확장

2000년대 이후에는 헤도닉 모델링이 다양한 경제 분야로 확장되었다. 예를 들어, IT 제품, 자동차, 농산물 등 다양한 상품의 가격 변동과 품질 조정을 분석하는 데 사용되고 있다. 이와 더불어, 환경 경제학에서도 헤도닉 모델링이 널리 사용되며, 환경적 요인(예: 공기질, 소음 등)이 주택 가격에 미치는 영향을 분석하는 데 활용되고 있다.

헤도닉 모델링은 이러한 발전을 통해 경제학에서 중요한 분석 도구로 자리 잡았으며, 현재도 계속 발전하고 있다.

3.4. 헤도닉 모델에 대한 비판

헤도닉 모델에 대한 비판은 여러 가지가 있으며, 주로 모델의 사용 방법, 적용 결과, 그리고 정책적 영향과 관련이 있다. 아래에서는 헤도닉 모델에 대한 주요 비판점들을 정리하면, 다음과 같다.

1) 인플레이션 계산의 왜곡

첫째, 미국 정부의 CPI 계산에서의 비판으로 오스트리아 경제학자(Austrian economists)들의 비판이 유명하다. 오스트리아 경제학자들은 미국 정부가 소비자 물가 지수(CPI)를 계산할 때 헤도닉 회귀 분석을 사용하는 것이 실제 인플레이션율을 왜곡할 수 있다고 주장한다. 그들의 주요 우려는 다음과 같다.

인플레이션율의 은폐로 헤도닉 조정이 실제 인플레이션율을 낮춰 보여줄 수 있으며, 이는 미국 재무성이 인플레이션 보호 증권(Treasury Inflation-Protected Securities, TIPS) 및 사회 보장생활비 조정(Social Security cost of living adjustments, Social Security COLA)에 지불해야 하는 이자를 낮추는 데 사용될 수 있다. 또한, 정책적 영향에서 낮은 인플레이션율을 보고할 경우, 정책 결정자들이 인플레이션을 적절히 관리하지 못할 수 있으며, 이는 경제 전반에 부정적인 영향을 미칠 수 있다.

둘째, 비헤도닉 방법의 문제점이다. 다른 국가들이 소비자 가격을 분석할 때 헤도닉 모델을 동일하게 사용하지 않으면, 비헤도닉 방법 자체가 품질 변화를 고려하지 않기 때문에 시간이 지남에 따라 인플레이션을 잘못 해석할 수 있다. 품질 변화가 반영되지 않으면 실제 인플레이션율이 과대평가되거나 과소평가될 수 있다.

2) 복잡성과 데이터 요구

첫째, 모델의 복잡성으로 헤도닉 모델은 복잡하며, 많은 데이터를 필요로 한다. 정확한 분석을 위해서는 다양한 특성과 그 상호작용을 고려해야 하므로, 데이터 수집과 분석이 어려울 수 있다.

둘째, 데이터의 품질과 가용성에서 헤도닉 회귀 분석은 고품질의 세부 데이터를 필요로 한다. 특히, 제품이나 서비스의 특성에 대한 정확하고 포괄적인 데이터가 필요하다. 이러한 데이터를 얻기 어려운 경우, 모델의 정확성이 떨어질 수 있다.

3) 주관적인 판단

첫째, 특성 선택의 주관성에서 헤도닉 모델에서 어떤 특성을 포함할지 결정하는 과정은 주관적일 수 있다. 모델링하는 사람이 어떤 특성을 중요하게 여기는지에 따라 결과가 달라질 수 있다. 이는 결과의 일관성과 신뢰성을 떨어뜨릴 수 있다.

둘째, 특성의 가치 평가에서 특정 특성의 가치를 평가하는 과정 역시 주관적일 수 있다. 예를 들어, 동일한 특성에 대해 서로 다른 전문가들이 다른 가치를 부여할 수 있다.

4) 적용 범위의 한계

첫째, 적용 가능한 분야의 제한에서 헤도닉 모델은 주로 부동산, 자동차, 전자제품 등과 같이 특성이 명확하게 정의될 수 있는 분야에 주로 사용된다. 하지만, 예술품이나 고유의 특성을 지닌 제품에 대해서는 적용하기 어려울 수 있다.

둘째, 변동성과 상호작용의 문제에서 특성 간의 상호작용이나 시간에 따른 특성의 변화(예: 기술 발전)에 대한 고려가 어려울 수 있다. 이러한 요소들은 모델의 정확성을 떨어뜨릴 수 있다.

5) 정치적 및 경제적 영향

첫째, 정책적 영향에서 정부가 인플레이션율을 낮추기 위해 헤도닉 모델을 사용할 경우, 이는 재정 정책과 사회 보장 프로그램에 영향을 미칠 수 있다. 이러한 정책적 영향은 장기적으로 경제에 부정적인 영향을 미칠 수 있다.

둘째, 경제적 신뢰성에서 헤도닉 조정으로 인해 보고되는 인플레이션율이 실제와 다를 경우, 경제 주체들(예: 기업, 소비자, 투자자)이 잘못된 결정을 내릴 수 있다. 이는 경제의 신뢰성과 안정성에 부정적인 영향을 미칠 수 있다.

그러므로 헤도닉 모델은 재화와 서비스의 가격 변동을 보다 정확하게 분석하기 위한 유용한 도구이지만, 그 사용에는 여러 가지 비판과 한계가 존재한다. 이러한 비판들은 모델의 복잡성, 데이터 요구, 주관적인 판단, 적용 범위의 한계, 그리고 정치적 및 경제적 영향과 관련이 있다. 따라서 헤도닉 모델을 사용할 때는 이러한 비판점들을 고려하여 신중하게 접근하는 것이 중요하다.

3.5. 헤도닉 함수 유도

헤도닉 가격모형을 이해하기 위해서는 먼저 이 모형이 갖고 있는 가정부터 이해할 필요가 있다. 헤도닉 가격모형은 "(이질적인) 재화 (또는 서비스 이하 재화로 통칭)의 가치는 해당 재화에 내포되어 있는 특성(attributes, characteristics)에 의해 결정된다"는 가정을 전제하고 있다.[27] 여기서 재화

---

27) Rosea, Sherwin, "Hedonic Prices and Implicit Markets : Product Differentiation in

의 특성이란 인간에게 효용을 제공하는 재화의 구성 요소라고 말할 수 있다.

특성 가격을 잠재가격(implicit price)이라고도 부르는 이유는 특성 가격이 관찰되지 않는 데 있었다. 재화에 내재된 특성들은 개별적으로 거래되지 않고 하나의 묶음으로만 거래되기 때문에 특성들의 가격은 관찰되지 않는다. 명시적(explicit)으로 드러나는 재화의 가격과는 달리 특성들의 가격은 추정을 통해 알아낼 수 있기 때문에 잠재(implicit) 가격이라고 부르는 것이다.

특성 가격은 명시적으로 관찰되는 재화의 가격과 특성들의 양(quantity)을 이용하여 구한다.[28] 재화의 가격을 특성들의 양에 대해 회귀(regression)함으로써 득성 가격을 추정하는 것이다. 이를 함수식으로 표현하자면 다음과 같다.

$$P = h(S, N, L)$$

이 식에서 P는 재화의 가격이고, S, N, L은 개별 특성들이고, h( )는 회귀식의 함수 형태를 나타내는데, 이를 흔히 헤도닉 함수(hedonic function)이라고 부른다. 개별 특성들을 재화에 가격에 회귀하면, 개별 특성들의 계수(coefficient)가 추정되는데, 이 계수가 바로 특성가격인 것이다.

중요한 것은 이질적인 재화 시장에는 수요·공급에 의한 가격결정 논리가 적용되지 않는가 하는 점이다. 언뜻 보기에 헤도닉 가격모형은 수요·공급에 의한 가격결정 논리가 적용되지 않는 것처럼 보인다. 재화에 대한 수요와 공급과는 관계없이 특성가격에 의해 재화의 가격이 결정되는 것처럼 보이기 때문이다.

그러나 이질적인 재화를 개별적인 특성들의 묶음으로 보고, 개별 특성가격들이 각각의 특성에 대한 수요·공급에 의해 결정되는 것으로 볼 경우, 이야기는 달라진다. 즉, 재화에 내포되는 있는 각각의 특성들을 개별적인 재화로 볼 경우, 이런 개별 특성들의 묶음 상품에 대한 지불금액은 개별 특성들의 가격에다가 양(quantity)을 곱한 뒤 이를 모두 합한 것과 같을 것이다.

3.5.1. 헤도닉 함수 중류

일반적으로 헤도닉 함수는 선형함수(linear function), 반로그함수(semi-log function), 이중로그함수(double log function) 중 하나를 사용한다.

Pure Conpetition", Journal of Political Economy,Vol. 82, 1974, pp.34~55 "a model of product differentiation based on the hedonic hypothesis that goods are valued for their utility-bearing attributes or chamcteristics."

28) Rosen(1974)

선형함수는 독립변수와 종속변수 간의 관계가 선형(linear)이라고 가정하고, 이를 모형화한 것으로, 다음식과 같이 표현된다.

$$Y = \alpha + \beta_1 X_{1i} + \beta_2 X_{2i} + \epsilon_i$$

i : 관찰된 표본을 표시
Y : 종속변수(단위당 주택실거래가격, 단위당 임대료 등), 관찰 가능 변수
X_1, X_2 : 독립변수로서 특성 변수늘. 관찰 가능 변수
β_1, β_2 : 독립변수인 X_1과 X_2의 계수(coefficient). 회귀를 통해 추정해 할 모수 (parameter)

반로그 함수는 종속변수에 자연로그를 취하고, 독립변수에 자연로그를 취하지 않는 함수 형태로, 다음과 같이 표현되는 함수이다.

$$\log Y_i = \alpha + \beta_1 X_{1i} + \beta_2 X_{2i} + \epsilon_i$$

이 함수 형태는 겉으로 보기에 선형함수처럼 보이지만, 이 식의 원형은 다음과 같이 비선형함수(non-linear function)이다.

$$Y_i = \exp(\alpha + \beta_1 X_{1i} + \beta_2 X_{2i} + \epsilon_i)$$

이중로그함수는 종속변수와 독립변수에 자연로그를 취한 선형함수로서, 다음과 같은 형태를 취하고 있다.

$$\log Y_i = \alpha + \beta_1 \log X_{1i} + \beta_2 \log X_{2i} + \epsilon_i$$

그러나 이식의 원형은 비선형 함수로서 원래는 다음과 같은 형태를 취하고 있다.

$$Y_i = \gamma X_{1i}^{\beta_1} X_{2i}^{\beta_2} v_i$$

이 세 가지 함수형태 중 어떤 함수형태를 취해야 한다는 이론은 없다. 대부분 연구에서는 선형함수와 반로그함수를 사용하여 비교하고자 한다. 먼저, 선형함수의 경우,

추정 결과에 대한 해석이 단순하고 용이하다는 장점이 있다. 그러나 특성의 양이 증가할 때, 부동산 가격이 동일한 배율로 변화한다고 보는 것은 현실적이지 않을 수 있다.

반로그함수의 경우, 추정계수의 값이 해당 특성의 변회에 따른 부동산 가격의 변화율 근사치(approximate percentage change)를 보여주기 때문에 추정 결과의 해석이 단순하고 편리하다.

3.5.2. Malpezzi 반로그함수 장점

Malpezzi(2003)는 반로그함수의 장점으로 5가지를 제시하면서 반로그함수를 선호하는 듯한 입장을 보인 바 있다. Malpezzi (2003)는 반로그 함수의 장점으로 제시한 다섯 가지는 다음과 같다. 1) 직관적인 해석으로, 반로그 함수의 계수는 종속 변수의 로그 변환 값과 독립 변수 사이의 관계를 설명한다. 이는 독립 변수의 한 단위 변화가 종속 변수의 비율 변화를 어떻게 가져오는지를 보여주어 해석이 직관적이다. 2) 이상치의 영향 감소로 로그 변환은 데이터의 분포를 정규화하는 데 도움을 준다. 특히 종속 변수에 이상치가 있는 경우, 반로그 함수는 이상치의 영향을 줄여서 모델의 성능을 개선한다. 3) 비선형 관계 설명으로 반로그 함수는 독립 변수와 종속 변수 사이의 비선형 관계를 설명하는 데 유용하다. 이는 독립 변수의 변화가 종속 변수에 비례하지 않는 경우에 적합하다. 4) 편차의 일정한 비율 변화로 로그 변환은 종속 변수의 변동이 일정한 비율로 변화할 때 적절하다. 예를 들어, 수익률이나 성장률과 같은 경제적 변수는 로그 변환을 통해 더 잘 모델링될 수 있다. 5) 분산 안정화로 종속 변수의 분산이 독립 변수의 수준에 따라 달라지는 경우, 로그 변환은 분산을 안정화하는 데 도움을 준다. 이는 모델의 잔차(residuals)를 더 정규 분포에 가깝게 만들고, 통계적 검정의 유효성을 높인다. 이러한 장점들로 인해 반로그 함수는 경제학, 통계학 및 다양한 응용 분야에서 널리 사용된다.

3.5.3. Halvorsen and Pahnquist 반로그모형

Halvorsen and Palmquist (1980)는 더 정확한 가격 변화율을 계산하기 위해 바로그 모델에서 독립 변수의 계수를 해석하는 방법을 제시했다. 그들은 반로그 모델의 계수를 직접적으로 해석하면 부정확한 결과가 나올 수 있다고 지적했다. 대신, 반로그 모델의 계수를 사용하여 가격 변화율을 계산하는 올바른 방법을 제안했다. 즉 그들은 보다 정확한 가격 변화율 계산식을 제시하고 있는데, 반로그모형에서 가격의 정확한 변화율은 $e^{\beta}-1$이다.

반로그 모델의 계수 해석를 보면, 반로그 모델의 형태는 다음과 같다.

log(Price) = beta_0 + beta_1 X_1 + beta_2 X_2 + ... + beta_k X_k + epsilon

여기서 beta_i는 독립 변수 X_i의 계수다. 이 모델에서 beta_i는 X_i의 한 단위 변화에 따른 log(Price)의 변화율을 나타낸다.

하지만, log(Price)의 변화는 가격의 비율 변화로 해석될 수 있다. 가격의 변화율을 정확하게 계산하기 위해 Halvorsen과 Palmquist는 다음과 같은 공식을 사용해야 한다고 제안했다.

가격 변화율 계산 공식을 보면, X_i의 한 단위 변화에 따른 Price의 비율 변화는 다음과 같이 계산한다.

Percentage Change in Price = ((e^beta_i) − 1) * 100

이 공식은 beta_i를 사용하여 X_i의 한 단위 변화에 따른 가격의 비율 변화를 정확하게 계산한다.

예를 들어 설명하면, 다음과 같은 반로그 모델이 있다고 가정하자.

log(Price) = 5 + 0.2 * {Bedrooms} + 0.1 * {Bathrooms}

침실 수의 변화에서 침실 수가 한 단위 증가할 때의 가격 변화율을 계산해 보자.

beta_{Bedrooms} = 0.2

Percentage Change in Price = (e^{0.2} − 1) * 100

이 계산을 수행하면, e^{0.2} = 1.221

Percentage Change in Price = (1.221 − 1) * 100 = 22.1 %

따라서, 침실 수가 한 단위 증가하면 가격은 약 22.1% 증가한다.

욕실 수의 변화에서 욕실 수가 한 단위 증가할 때의 가격 변화율을 계산해 보자.

beta_{Bathrooms}} = 0.1

Percentage Change in Price = (e^{0.1} − 1) * 100

이 계산을 수행하면, e^{0.1} = 1.105

Percentage Change in Price = (1.105 − 1) * 100 = 10.5 %

따라서, 욕실 수가 한 단위 증가하면 가격은 약 10.5% 증가한다.

Halvorsen과 Palmquist(1980)는 반로그 모델에서 독립 변수의 계수를 해석할 때, 단순히 계수를 사용하는 것이 아니라, e^{beta_i} − 1 공식을 사용하여 가격의 비율 변화를 계산해야 한다고 제안했다. 이 방법을 사용하면 반로그 모델의 계수를 보다 정확하게 해석할 수 있다.

3.5.3. DiPasquale and Wheaton 이중로그함수

DiPasquale and Wheaton(1996)은 이중로그함수가 선형함수보다 현실적이라고 보고 있다. 이는 이중로그함수가 부동산특성과 부동산가격 간의 한계효용체감의 법칙을 반영할 수 있기 때문이다. 이중로그함수에서 추정 계수는 해당 특성변수에 대한가격의 탄력성을 나타낸나. 그러나 이중로그모형은 더미(dummy) 변수의 처리와 해석에 어려움이 존재한다. 더미 변수는 0 또는 1의 값을 갖는데, log0 은 정의되지 않기 때문에 더미변수에 대해서는 자연로그를 취할 수 없다. 이런 문제 때문에 더미변수의 경우, true일 경우 2를 부여하고, false일 경우 1을 부여하는 방법으로 문제를 우회할 수가 있다. false일 경우 log1 = 0이 되고, true일 경우 log2 = 0.6931...이 된다. 아예 더미변수에는 자연로그를 취하지 않고 추정하는 방법도 있다. 이 경우, 더미변수의 추정계수는 해당 변수의 탄력성을 나타내지 않는다.

DiPasquale and Wheaton (1996)은 이중로그 함수가 선형 함수보다 현실적이라고 보고 있는 이중로그 함수가 다양한 경제 변수 간의 관계를 더 잘 설명할 수 있기 때문이고, 이중로그 함수는 두 변수 모두를 로그 변환하여 선형 관계를 설정한다.

log(Price) = alpha + beta log(Income) + epsilon

이 모델에서 **beta**는 소득의 한 단위 백분율 변화가 주택 가격의 한 단위 백분율 변화를 가져오는 비율을 나타낸다. 이중로그 함수의 장점은 다음과 같다.

1) 탄력성 해석 용이로, 이중로그 모델의 계수는 탄력성을 나타내므로 해석이 직관적이다. 예를 들어, 소득이 1% 증가할 때 주택 가격이 몇 % 증가하는지를 직접 알 수 있다.

2) 비율 변화에 대한 적합성으로 많은 경제 변수들은 절대적인 변화보다는 비율 변화에 더 적합하게 반응한다. 이중로그 함수는 이러한 비율 변화를 자연스럽게 모델링한다.

3) 이상치의 영향 감소로 로그 변환은 데이터 분포를 정규화하고 이상치의 영향을 줄이는 데 도움이 된다. 이는 모델의 안정성을 높여준다.

4) 비선형 관계 설명으로 이중로그 모델은 독립 변수와 종속 변수 사이의 비선형 관계를 선형화하여 설명할 수 있다. 이는 실제 경제 데이터의 복잡한 관계를 더 잘

반영한다.

5) 데이터 범위에 따른 변동성 감소로 이중로그 모델은 데이터의 범위에 따라 변동성이 달라지는 문제를 완화한다. 예를 들어, 소득이 낮은 사람들과 높은 사람들 간의 주택 가격 변동성을 더 일관되게 설명할 수 있다.

그러므로 DiPasquale and Wheaton (1996)은 이중로그 함수가 경제 변수 간의 관계를 설명하는 데 있어 선형 함수보다 현실적이라고 보았다. 이는 이중로그 함수가 탄력성을 직관적으로 해석할 수 있게 하고, 비율 변화에 적합하며, 데이터의 이상치 영향을 줄이고, 비선형 관계를 더 잘 설명할 수 있기 때문이다.

3.5.4. Triplett 지적한 문제

Triplett(1987)도 대부분 연구에서 반로그함수가 사용됨을 밝히고 있다. 그러나 개별 특성 양이 한 단위 변동할 때 부동산 가격이 기하적으로 변동하기 때문에 현실감이 없을 수 있다고 한다.

Triplett(1987)은 반로그 함수가 많이 사용되지만, 각 특성이 한 단위 변동할 때 부동산 가격이 기하급수적으로 변동하는 것이 현실적으로 맞지 않을 수 있다고 지적했는 데, 구체적인 예를 들어설명을 하겠다.

반로그 함수에서는 종속 변수를 로그 변환하여 독립 변수와의 관계를 모델링한다. 예를 들어, 부동산 가격을 예측하는 모델이 있다고 가정한다.

$$\ln(\text{Price}) = \beta_0 + \beta_1 (Bedrooms) + \beta_2 (Bathrooms) + \epsilon$$

여기서 Price는 주택 가격, Bedrooms는 침실 수, Bathrooms는 욕실 수를 의미한다. 이 모델은 침실이나 욕실 수가 한 단위 증가할 때마다 부동산 가격이 기하급수적으로 변동한다고 가정한다.

예를 들어, 주택 가격의 로그 값이 다음과 같이 계산된다고 가정한다.

$$\ln(\text{Price}) = 5 + 0.1 (Bedrooms) + 0.05 (Bathrooms)$$

이 모델을 사용하면 다음과 같이 주택 가격을 계산할 수 있다.

$$\text{Price} = e^{\,5 + 0.1 (Bedrooms) + 0.05(Bathrooms)}$$

침실 수의 변화에 따른 주택 가격변화를 보면,

침실이 3개인 주택에서 log(Price) = 5 + 0.1 * 3 = 5.3

Price} = e^{5.3} = 200

침실이 4개인 주택에 따른 주택가격변화를 보면,

log(Price) = 5 + 0.1 * 4 = 5.4

Price = e^{5.4} = 220

욕실 수의 변화에 따른 주택 가격을 보면,

욕실이 2개인 주택은 log(Price) = 5 + 0.05 * 2 = 5.1

Price = e^{5.1} = 165

욕실이 3개인 주택은 log(Price) = 5 + 0.05 * 3 = 5.15

Price} = e^{5.15} = 172

이제 한번 생각해 보자. 침실 수가 3개에서 4개로 늘어났을 때 주택 가격이 약 20만 원 증가한다. 이는 상대적으로 적절해 보일 수 있다. 하지만 동일한 비율 증가가 모든 범위에서 일어날 경우, 비현실적인 상황이 발생할 수 있다. 현실감 없는 경우를 보면, 예를 들어,

침실 수가 10개인 주택에서 log(Price) = 5 + 0.1 * 10 = 6

Price = e^{6} = 403

침실 수가 11개인 주택에서는 log(Price) = 5 + 0.1 * 11 = 6.1

Price = e^{6.1} = 448

침실 수가 10개에서 11개로 늘어날 때 주택 가격이 약 45만 원 증가하는 것은 현실적으로 맞지 않을 수 있다. 이는 고가 주택일수록 각 추가 침실이 가격에 미치는 영향이 지나치게 크게 나타나게 된다.

그러므로 Triplett(1987)이 지적한 문제는 반로그 함수가 각 특성의 한 단위 변동에 대해 가격이 기하급수적으로 변동하는 결과를 초래할 수 있다는 것이다. 이로 인해, 실제 상황과 맞지 않는 비현실적인 예측이 발생할 수 있다. 이러한 문제를 해결하기 위해 다른 모델이나 변환 방법을 고려할 수 있다.

3.6. 혼합모형(선형함수+역준로그)

대부분 이전 연구에서는 선형함수를 기본으로 하고, 여기에 어느 쪽에 로그를 취하느냐에 따라 역준로그함수(inverse semi-log function), 준로그 함수(semi-log function),

이중 로그함수(double log function) 등을 흡합하여 사용하고 있다.

혼합모형(선형함수와 역준로그)을 사용하는 것은 특정 데이터의 특성과 관계를 더 잘 설명할 수 있는 유연성을 제공한다. 이 모형은 독립 변수 중 일부는 선형적으로, 다른 일부는 역준로그(지수 형태)로 처리하여 종속 변수와의 관계를 모델링한다. 이러한 접근 방식의 장점과 단점을 살펴보면 다음과 같다.

장점으로

1) 유연성 증가로, 혼합모형은 데이터의 다양한 특성을 반영할 수 있는 유연성을 제공한다. 어떤 변수는 선형 관계를, 다른 변수는 비선형 관계를 가질 때 이를 효과적으로 모델링할 수 있다.

2) 비선형 관계 포착으로 역준로그 함수는 비선형 관계를 잘 포착한다. 이는 특히 특정 변수가 급격한 증가나 감소를 나타내는 경우에 유용하다.

3) 데이터 변동성 처리로 역준로그 변환은 데이터의 분포를 정규화하여 이상치의 영향을 줄일 수 있다. 이는 모델의 안정성을 높이고 예측의 정확성을 향상시킨다.

4) 해석 용이성에서 선형 부분의 해석은 직관적이고 간단하다. 동시에 역준로그 부분은 비율 변화를 설명하는 데 유용하여 종속 변수의 기하급수적인 변화를 이해하는 데 도움을 준다.

5) 실제 데이터와의 적합성에서 많은 실제 데이터는 단순한 선형 관계보다는 복잡한 비선형 관계를 가진다. 혼합모형은 이러한 복잡한 관계를 더 잘 설명할 수 있다.

반면에 단점으로는

1) 모형의 복잡성에서 혼합모형은 단순 선형 모델보다 더 복잡하다. 이는 데이터 분석과 해석을 더 어렵게 만들 수 있다.

2) 과적합 위험으로 모형이 복잡할수록 과적합의 위험이 증가한다. 이는 훈련 데이터에 지나치게 적합되어 새로운 데이터에 대한 일반화 능력이 떨어질 수 있다.

3) 추정의 어려움으로 선형 부분과 비선형 부분을 동시에 추정하는 것은 어려울 수 있다. 특히 비선형 부분의 추정은 추가적인 계산 복잡성을 초래할 수 있다.

4) 해석의 어려움에서 비선형 부분의 해석은 직관적이지 않을 수 있다. 특히 역준로그 부분은 해석에 있어서 더 많은 주의가 필요하다.

5) 데이터 요구사항에서 혼합모형을 사용하기 위해서는 충분한 데이터가 필요하다. 데이터가 부족할 경우 모형의 성능이 저하될 수 있다.

혼합모형을 이해하기 위해 예시를 들어보면, 주택 가격을 설명하는 모형에서, 주택의 크기(면적)는 선형적으로, 주택의 나이는 역준로그 형태로 종속 변수인 가격에 영향을 미친다고 가정해 본다.

(1) $\log(\text{Price}) = \beta_0 + \beta_1 * \{\text{Size}\} + \beta_2 * \{\text{Age}\} + \text{epsilon}$

(1) Price = beta_0 + beta_1 * {Size} + beta_2 * e^{-{Age}} + epsilon

여기서 {Size}는 주택의 면적, {Age}는 주택의 나이다.

처음 (1) 식은 주태 가격에 로그를 취하므로 {Size}, {Age}를 사용하여 주택 가격의 자연 로그를 예측하는 것이다. log(Price)를 구한 후, 이를 실제 주택 가격으로 변환하려면 자연 로그의 역함수인 지수 함수를 사용한다. 이 모델을 통해 주택의 크기와 나이를 사용하여 주택 가격의 자연 로그를 예측하고, 이를 지수 변환을 통해 실제 주택 가격으로 변환할 수 있다. 로그 변환은 데이터의 분포를 정규화하고, 이상지의 영향을 줄여 모델의 예측 성능을 향상시킬 수 있다.

(2)번 식에서 beta_1은 면적이 증가할 때 주택 가격에 미치는 선형적 영향을 나타내며, beta_2는 주택 나이가 증가할 때 가격이 기하급수적으로 감소하는 영향을 나타낸다. 이 모델은 주택의 면적이 클수록 가격이 선형적으로 증가하고, 주택의 나이가 많을수록 가격이 기하급수적으로 감소하는 현실적인 시나리오를 잘 반영할 수 있다. 혼합모형(선형함수+역준로그)은 데이터의 다양한 특성과 관계를 효과적으로 모델링할 수 있는 유연성을 제공하지만, 모델의 복잡성, 과적합 위험, 추정의 어려움 등의 단점도 존재한다. 이러한 장단점을 고려하여 상황에 맞는 적절한 모델을 선택하는 것이 중요하다.

이렇듯이 대부분 연구에서는 연구의 목적에 따라 혼합모형으로 선형모형 및 역준로그 모형의 함수를 추정하여 분석하고 있다. 이 과정에서 또한 주택가격에 대한 설명력 및 통계적 유의성이 높은 함수 형태를 채택하거나 분석의 목적에 따라 이를 혼용하여 채택하고 있다. 일반적 연구는 연구 문제에 따라 발코니특성, 주택특성, 위치특성이 실거래가, 분양가 및 공시가격 등의 종속변수에 미치는 영향을 추정하기 위하여 종속변수에 로그를 취한 변화율을 관측하기 위하여 역준 로그모형의 함수를 기본으로 분석을 시행한다. 또한 종속변수의 값을 추정하기 위한 검증모형에서는 선형모형의 함수로 회귀분석을 실시하기도 한다.

3.7. 개방형 발코니의 경제적 가치평가 모형

나음은 헤도닉 회귀모델로 종속변수가 불변한 실거래가격이고, 독립변수에는 발코니 특성으로 거래연도, 개방형 발코니를, 단지 특성에서 대로변 접도, 브랜드 인지도를, 건물 특성에는 전용면적, 건축연도, 거래 층수를, 입지특성에서는 교육_학교거리, 도심 접근성을 사용하여 불변화한 실거래가격에

서의 잠재가격을 추정한 것이다.[29]

또한 역준로그 선형함수로는 아래 수식과 같다. 불변화한 실거래가격에 로그를 취한 실거래가격을 사용하였다. 사용할 모형을 정리하면 다음과 같이 8개 모형이다.

<모형 1>

$$\text{실거래가격} = \alpha + \beta_1 \text{개방형발코니} + \beta_2 \text{총세대수} + \beta_3 \text{대로변접도}$$
$$+ \beta_4 \text{브랜드인지도} + \beta_5 \text{전용면적} + \beta_6 \text{건축연도} + \beta_7 \text{거래층수}$$
$$+ \beta_8 \text{교육(학교거리)} + \beta_9 \text{도심접근성} + \beta_{10} \text{거래연도} + \beta_{11} \text{거래계절} + \epsilon$$

<모형 2>

$$\text{실거래가격} = \alpha + \beta_1 \text{개방형발코니} + \beta_2 \text{총세대수} + \beta_3 \text{대로변접도}$$
$$+ \beta_4 \text{브랜드인지도} + \beta_5 \text{건축연도} + \beta_6 \text{거래층수} + \beta_7 \text{교육(학교거리)}$$
$$+ \beta_8 \text{도심접근성} + \beta_9 \text{거래연도} + \beta_{10} \text{거래계절} + \epsilon$$

<모형 3>

$$\ln \text{실거래가격} = \alpha + \beta_1 \text{개방형발코니} + \beta_2 \text{총세대수} + \beta_3 \text{대로변접도}$$
$$+ \beta_4 \text{브랜드인지도} + \beta_5 \text{전용면적} + \beta_6 \text{건축연도} + \beta_7 \text{거래층수}$$
$$+ \beta_8 \text{교육(학교거리)} + \beta_9 \text{도심접근성} + \beta_{10} \text{거래연도} + \beta_{11} \text{거래계절} + \epsilon$$

<모형 4>

$$\ln \text{실거래가격} = \alpha + \beta_1 \text{개방형발코니} + \beta_2 \text{총세대수} + \beta_3 \text{대로변접도}$$
$$+ \beta_4 \text{브랜드인지도} + \beta_5 \text{건축연도} + \beta_6 \text{거래층수} + \beta_7 \text{교육(학교거리)}$$
$$+ \beta_8 \text{도심접근성} + \beta_9 \text{거래연도} + \beta_{10} \text{거래계절} + \epsilon$$

<모형 5>

$$\text{단위면적}(m^2)\text{당실거래가격} = \alpha + \beta_1 \text{개방형발코니} + \beta_2 \text{총세대수} + \beta_3 \text{대로변접도}$$
$$+ \beta_4 \text{브랜드인지도} + \beta_5 \text{전용면적} + \beta_6 \text{건축연도} + \beta_7 \text{거래층수}$$
$$+ \beta_8 \text{교육(학교거리)} + \beta_9 \text{도심접근성} + \beta_{10} \text{거래연도} + \beta_{11} \text{거래계절} + \epsilon$$

<모형 6>

$$\text{단위면적}(m^2)\text{당실거래가격} = \alpha + \beta_1 \text{개방형발코니} + \beta_2 \text{총세대수} + \beta_3 \text{대로변접도}$$
$$+ \beta_4 \text{브랜드인지도} + \beta_5 \text{건축연도} + \beta_6 \text{거래층수} + \beta_7 \text{교육(학교거리)}$$
$$+ \beta_8 \text{도심접근성} + \beta_9 \text{거래연도} + \beta_{10} \text{거래계절} + \epsilon$$

---

[29] 김우곤, 아파트 개방형 발코니의 경제적 가치와 활성화 방안에 관한 연구, 동의대학교 박사학위논문, 2024.

<모형 7>

단위면적(m^2)당 ln 실거래가격 $= \alpha + \beta_1$개방형발코니 $+\beta_2$총세대수 $+\beta_3$대로변접도
$+\beta_4$브랜드인지도 $+\beta_5$전용면적 $+\beta_6$건축연도 $+\beta_7$거래층수
$+\beta_8$교육(학교거리) $+\beta_9$도심 접근성 $+\beta_{10}$거래연도 $+\beta_{11}$거래계절 $+\epsilon$

<모형 8>

단위면적(m^2)당 ln 실거래가격 $= \alpha + \beta_1$개방형발코니 $+\beta_2$총세대수 $+\beta_3$대로변접도
$+\beta_4$브랜드인지도 $+\beta_5$건축연도 $+\beta_6$거래층수 $+\beta_7$교육(학교거리)
$+\beta_8$도심 접근성 $+\beta_9$거래연도 $+\beta_{10}$거래계절 $+\epsilon$

여기에서는 발코니 특성, 단지 특성, 건물 특성, 입지 특성, 거래 특성이 실거래가격, 단위면적당(㎡) 실거래가격에 미치는 영향을 추정하기 위해 선형함수(linear function)모형을 사용한다. 또한, 발코니 특성, 단지 특성, 건물 특성, 입지 특성, 거래 특성이 ln 실거래가격, ln 단위면적당(㎡) 실거래가격에 미치는 영향을 추정하기 위해 반로그함수 또는 역준로그 모형을 사용한다. 그 이유는 먼저, 부동산 가격 분포의 비대칭성으로, 부동산 가격은 일반적으로 오른쪽으로 치우쳐진 비대칭 분포를 나타낸다. 즉, 대부분의 주택은 평균 가격대에 분포하고, 고가 주택은 비교적 적게 존재한다. 역준로그 모형은 이러한 비대칭 분포를 고려하여 변수 간의 관계를 분석할 수 있다.

둘째, 변수 간 비선형 관계가 존재한다. 부동산 가격과 변수 간의 관계는 항상 선형적인 것은 아니다. 역준로그 모형은 변수 간 비선형 관계를 추정할 수 있기 때문에, 실제 부동산 시장 상황을 더 잘 반영할 수 있다.

셋째, 변화율 분석으로 본 연구는 변수 변화에 따른 부동산 가격 변화율을 분석하는 데 관심이 있다. 역준로그 모형은 변수 변화에 따른 종속변수 변화율을 직접적으로 추정할 수 있다. 또한, 로그 변환은 데이터의 왜도를 감소시키고 정규 분포에 가깝게 만든다. 이는 분석결과의 신뢰성을 높이는 데 도움이 된다.

대부분의 연구에서도 부동산 가격 분석에 역준로그 모형을 사용하고 있다. 이는 역준로그 모형이 부동산 가격 분석에 적합한 분석 방법임을 보여준다. 발코니 특성, 단지 특성, 건물 특성, 입지 특성, 거래 특성 등이 부동산 가격에 미치는 영향을 분석하는 것이다. 역준로그 모형은 이러한 연구 문제를 분석하는 데 적합한 분석 방법이다.

다만, 모델 검증방법으로 본 연구는 다양한 모형 검증 중 선형회귀 모형으로 적합성을 검증하였다. 또한, 단위면적당(㎡) 실거래가격을 사용하여 면적

당 경제적 가치를 분석하고, 그리고 순수하게 개방형 발코니 유무에 따른 경제적 가치를 분석하고자 하였다.

여기에서는 개방형 발코니 유무에 따른 아파트 가격의 차이를 분석하기 위해 종속변수와 독립변수가 다른 여러 회귀모형을 개발하였다.

첫째, <모형 1><모형 2>은 종속변수로 아파트 실거래가격을 사용하였으며, 독립변수로는 개방형 발코니 유무, 총세대수, 대로변접도, 브랜드인지도, 전용면적, 건축연도, 거래층수, 교육(학교거리), 도심 접근성과 더미변수(거래연도와 거래계절) 등을 사용하였다. 모형 1에서 베타 값은 개방형 발코니 유무에 따른 실거래가격의 추정 변화를 나타내는 동시에 전용면적, 더미변수(거래연도와 거래계절) 등 다른 요인들을 통제하였다. <모형 2>는 <모형 1>에서 전용면적을 제외한 모형으로 구성하였다.

둘째, <모형 3>는 종속변수로 ln 실거래가격을 사용하였으며, 독립변수로는 개방형 발코니 유무, 총세대수, 대로변접도, 브랜드인지도, 전용면적, 건축연도, 거래층수, 교육(학교거리), 도심 접근성과 더미변수(거래연도와 거래계절) 등을 사용하였다. <모형 4>는 <모형 3>에서 전용면적을 제외한 모형으로 구성하였다.

셋째, <모형 5>는 종속변수로 단위면적(m^2)당 실거래가격으로 실거래가격을 전용면적으로 나눈 값으로 사용한다. 전용면적을 포함하며, <모형 1>과 <모형 3>과 동일한 독립변수를 사용하였다. <모형 6>는 <모형 5>에서 전용면적을 제외한 모형으로 구성하였다.

넷째, <모형 7>의 종속변수는 <모형 5>와 유사하게 아파트 가격을 전용면적으로 나눈 값으로, 로그를 취한 값을 사용한다. 전용면적을 포함하며, <모형 1>과 <모형 3>과 동일한 독립변수를 사용하였다. <모형 8>은 <모형 7>에서 전용면적을 제외한 모형으로 구성하였다.

이러한 모형을 사용하여 개방형 발코니 유무 변수에 대한 베타 값을 추정하여, 이들 모델 간의 베타 값을 비교함으로써 다양한 요인을 통제하면서 개방형 발코니가 아파트 가격에 미치는 영향을 평가할 수 있다.

3.8. 랜덤 포레스트 알고리즘

랜덤 포레스트 알고리즘은 최근 각광받는 기계 학습 기법 중 하나로, 전통적인 의사결정나무 알고리즘의 앙상블 기법이다. 이는 의사결정나무의 단점인 과적합 가능성을 극복하고, 높은 예측력과 안정성을 제공한다. 문헌에 따르면, 랜덤 포레스트 기반 부동산 대량평가모형이 헤도닉 모형보다 더 정확하다고 한다(Antipov and Pokryshevskaya, 2012; Hong et al., 2020). 그러나 랜덤 포레스트 기법을 활용한 분석은 아직 초기 단계이다. 기존 연구는 주로 랜덤 포레스트와 다른 모형의 예측력 비교에 집중하고 있으며, 랜덤 포레스트 모형을 효율적으로 구현하는 방법에 대해서는 지엽적으로만 다루고 있다.

수택시장 분석에서 랜덤 포레스드 모형을 효과적으로 구현하는 빙법을 연구하는 것이 필요하다. 헤도닉 모형의 경우 변수 관계를 자연로그나 Box-cox 함수로 표현하거나, 주요 시설과의 유클리드 거리, 행정구역, 지역소득 등의 변수 표현 방식에 대한 다양한 이슈가 존재한다. 그러나 랜덤 포레스트 모형은 이러한 세부적 구현 방안에 대한 연구가 거의 없다. 랜덤 포레스트의 예측력과 활용성은 연구자가 설정한 모형의 세부사항에 따라 크게 달라질 수 있으므로, 주택시장 분석에서 이 방법론의 효율적 구현에 대한 논의가 필요하다.

그러므로 먼저 랜덤 포레스트 기법과 주택 가격 결정구조의 특징에 대해 고찰한다. 헤도닉 모형과 달리, 랜덤 포레스트는 변수 간 관계를 묘사하는 특정한 함수가 없는 비직관적 구조를 가지고 있다. 그러므로 랜덤 포레스트가 변수 즉, 주택 가격를 포착하는 방식을 먼저 이해할 수 있어야, 그러한 방식이 주택 시장이 가진 어떤 특성을 포착하는 데에 활용되는지를 논의할 수 있다. 그리고, 이와 같은 랜덤 포레스트가 변수를 포착하는 방식과 주택 가격 결정 구조의 특성 간 관계에 기반하여, 연구자가 어떻게 효율적인 모형을 설정(specification)할 수 있는지를 논의할 수 있다. 그리고 논의된 내용을 바탕으로 다양한 모형 설정 즉, 변수 선택, 입지 변수의 표현, 모형의 복잡성과 깊이, 최대 변수 개수의 제한 등에 따른 설명력의 변화를 정량적으로 비교 분석한다.

전체 표본은 임의로 두 집단 하나는 학습표본으로 분류되어, 한 집단은 모형의 추정에 나머지 집단은 모형의 평가에 활용된다 또 다른 하나는 평가표본이다. 이때 평가표본에 대한 설명력은 모형의 정확성과 효율성에 대한 지표로 할용이 가능하다.

4. 순서형 로짓 모델

4.1. 프로빗(Probit)과 이항 로짓(Binary Logit) 모델

프로빗(Probit) 모델과 이항 로짓(Binary Logit) 모델은 둘 다 이항 종속 변수를 예측하는 데 사용되는 통계 모델이다. 하지만, 두 모델은 각각 다른 방식으로 확률을 계산한다. 쉽게 설명하면, 프로빗 모델은 표준 정규 분포를 사용하고, 이항 로짓 모델은 로시스틱 분포를 사용한다.

1. 이항 로짓 모델

종속 변수는 두 가지 결과(예 성공/실패, 예/아니오) 중 하나를 가진다. 그러나 로지스틱 분포를 사용하여 확률을 계산한다.

예측 확률은 $P(Y=1) = 1/ \{1 + e^{-(beta\_0 + beta\_1\ X\_1 + ... + beta\_k\ X\_k)}\}$로 계산한다.

2. 프로빗 모델

이항 로짓 모델과 마찬가지로 종속 변수는 두 가지 결과 중 하나를 가진다. 표준 정규 분포를 사용하여 확률을 계산한다.

예측 확률은 $P(Y=1) = Phi(beta\_0 + beta\_1\ X\_1 + ... + beta\_k\ X\_k)$로 계산되며, 여기서 Phi는 표준 정규 누적 분포 함수(CDF)다.

차이점을 보면,

1) 확률 분포에서 이항 로짓은 로지스틱 분포를 사용하여 S자형 곡선을 생성한다. 꼬리가 두껍고, 극단적인 값에서 더 천천히 수렴한다. 반면에, 프로빗은 표준 정규 분포를 사용하여 S자형 곡선을 생성한다. 꼬리가 더 얇고, 극단적인 값에서 더 빠르게 수렴한다.

2) 두 분포의 해석에서 이항 로짓은 계수의 해석이 조금 더 직관적이다. 로짓 계수는 로그 오즈 비율의 변화량을 나타낸다. 반면에, 프로빗은 계수는 단위 변화에 따른 표준 정규 분포에서의 변화량을 나타낸다.

3) 계산의 용이성에서 이항 로짓은 수학적으로 간단하고, 계산이 더 용이하다. 반면에, 프로빗은 표준 정규 분포의 누적 분포 함수(CDF)를 사용하기 때문에 계산이 더 복잡하다.

예를 들어 설명하면, 어떤 사람이 특정 제품을 구매할지 여부를 예측하려고 한다. 이항 로짓 모델에서는 이 모델을 사용하여, 우리는 특정 사람이 제품을 구매할 확률을 계산할 수 있다. 예를 들어, 나이, 소득, 과거 구매 이력 등을 사용하여 구매 확률을 예측한다. 결과는 로지스틱 분포를 따르며, 예측된 확률은 로지스틱 함수에 의해 계산한다.

반면에, 프로빗 모델에서는 동일한 데이터를 사용하여, 우리는 표준 정규 분포를 사용하여 구매 확률을 예측한다. 결과는 표준 정규 누적 분포 함수(CDF)를 사용하여 계산한다.

그러므로 이항 로짓 모델과 프로빗 모델은 둘 다 이항 결과를 예측하는 데 사용되지만, 각각 로지스틱 분포와 표준 정규 분포를 사용하여 확률을 계산한다. 이항 로짓 모델은 더 직관적이고 계산이 용이하나, 프로빗 모델은 표준 정규 분포를 사용하여 약간 더 복잡하다. 두 모델의 선택은 주로 연구자가 선호하는 분포와 해석 방식에 따라 달라질 수 있다.

실제로는 결과가 크게 다르지 않지만, 이론적인 차이로 인해 일부 상황에서 한 모델이 더 적합할 수 있다.

4.2. 순서형 로짓 모델 (Ordered Logit Model)

종속 변수가 순서가 있는 여러 값 예를 들면, 만족도 – 매우 불만족, 불만족, 보통, 만족, 매우 만족 등을 가질 때 사용할 수 있다. 예측 변수들이 주어졌을 때 관찰값이 어떤 순서형 범주에 속할 확률을 예측한다.

예를 들면, 고객의 만족도를 예측하기 위해 서비스 품질, 가격, 고객 서비스 등의 예측 변수를 사용할 수 있다.

특징으로 종속 변수가 순서가 있는 범주형 변수라는 점에서 이항 로짓 및 프로빗 모델과 다르다. 순서형 로짓 함수 또는 순서형 로지스틱 함수를 사용하여 확률을 예측한다. 관찰값이 여러 순서형 범주 중 하나에 속할 확률을 예측한다.

4.2.1. 순서형 회귀 설정

순서형 회귀(Ordinal Regression)는 종속변수가 순서형인 경우에 사용한다. 그러므로 사회 경제적 지위(ses)와 같이 '낮음', '중간', '높음'과 같이 순서가 있는 변수를 예측하는 데 사용할 수 있다.

순서형 회귀에서 종속변수 박스에 종속변수 ses 를 선정한다. 종속변수로 순서형 변수인 ses를 사용한다. 사회 경제적 지위로 낮음, 중간, 높음과 같이 순서가 있는 변수이다. 요인 박스에는 요인에 해당하는 범주형 변수를 선정한다. 요인 변수는 범주형으로 female, race를 선정한다.

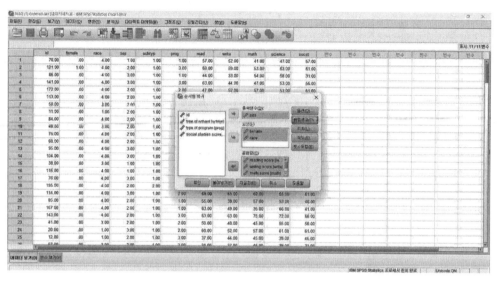

[그림 23] 순서형 회귀 설정하기 (1)

공병변량에는 연속형 변수를 선정한다. 수학 시험 점수(math), 독해 시험 점수(read), 쓰기 시험 점수(write), 과학 시험 점수(science), 사회 과학 시험 점수(socst) 등을 선정한다. 다음으로 필요에 따라 출력 옵션을 설정한다. 예를 들어, 모델 적합도, 가정 검토 등 추가 옵션을 선택할 수 있다. 다음으로 SPSS가 분석을 완료하면 출력 창에서 결과를 확인할 수 있다. 모델 요약, 회귀 계수, 적합도 통계 등을 통해 변수들이 종속변수에 어떤 영향을 미치는지 해석할 수 있다.

4.2.2. 순서형 회귀 옵션 설정

순서형 회귀 분석의 설정에서 각 옵션이 모델의 성능과 수렴에 미치는 영향을 이해하는 것이 중요하다. SPSS에서 순서형 회귀 분석을 수행할 때 사용할 수 있는 설정을 보면, 다음과 같다. 순서형 회귀 옵션에서 반복 박스에는 최대반복계산 100, 최대 단계 이분 5, 로그-우도 수렴 0, 모수수렴 0.000001로 설정한다. 신뢰구간은 95, 델타 0, 비정칙성 공차 0.0000001, 연결 로짓 으로 설정한다. 연결항에는 cauchit, 보 로그-로그, 로짓, 음 로그

−로그, 프로빗 등이 있다

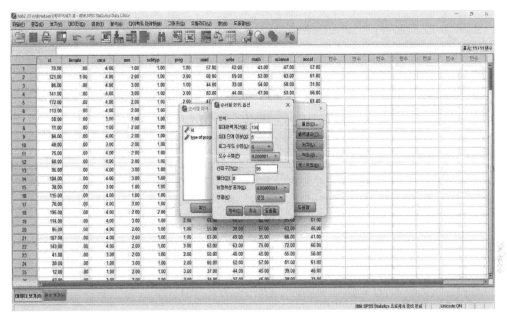

[그림 24] 순서형 회귀 옵션 설정 (2)

1) 최대 반복 계산 (Maximum Iterations)

최대 반복 계산은 회귀 알고리즘이 수렴을 시도하는 최대 횟수다. 기본 설정은 보통 100이다. 설정에서 낮은 값은 수렴하지 않을 수 있다. 높은 값은 더 많은 계산 자원이 필요할 수 있지만, 수렴할 가능성이 높아진다. 일반 설정 값은 100이다.

2) 최대 단계 이분 (Maximum Step-halving)

최대 단계 이분은 알고리즘이 수렴하지 않을 때 단계 길이를 반으로 줄이는 최대 횟수다. 기본 설정은 보통 5다. 설정에서 낮은 값은 알고리즘이 수렴하지 않을 수 있다. 높은 값은 수렴할 가능성이 높아지지만 계산 시간이 길어질 수 있다. 일반 실정 값은 5다.

3) 로그-우도 수렴 (Log-likelihood Convergence)

로그-우도 수렴 기준은 로그-우도 함수의 변화가 이 값보다 작을 때 알고리즘이 수렴했다고 판단하는 기준이다. 기본값은 0이다. 설정에서 낮은 값은 더 정확한 수렴이 필요하다. 높은 값은 수렴이 더 빠르게 발생할 수 있지만 덜 정확할 수 있다. 일반 설정 값은 0이다.

4) 모수 수렴 (Parameter Convergence)

모수 수렴 기준은 각 모수의 변화가 이 값보다 작을 때 알고리즘이 수렴했다고 판단하는 기준이다. 기본 설정은 0.000001이다. 설정에서 낮은 값은 더 정확한 수렴이 필요하다. 높은 값은 수렴이 더 빠르게 발생할 수 있지만 덜 정확할 수 있다. 일반 설정 값은 0.000001.

5) 신뢰 구간 (Confidence Interval)

신뢰 구간은 회귀 계수에 대한 신뢰 구간을 설정할 수 있다. 일반적으로 95%가 사용한다. 설정에서 낮은 값은 신뢰 구간이 좁아지며 더 정확한 추정이 가능하다. 높은 값은 신뢰 구간이 넓어지며 더 많은 불확실성을 포함한다. 일반 설정 값은 95%이다.

6) 델타 (Delta)

델타는 모델에 사용되는 작은 변경을 설정하는 데 사용한다. 일반적으로 0으로 설정한다.

일반적으로 0으로 설정되며, 특별한 경우에만 조정한다[30].

---

30) 델타(Delta) 매개변수는 순서형 회귀 모델에서 민감도 분석 또는 작은 변화에 대한 반응을 조정하는 데 사용한다. 이는 특정 데이터 패턴이나 모델링 요구에 따라 미세 조정이 필요한 경우에 사용한다. 일반적으로 0으로 설정되어 있지만, 특별한 경우에 이를 조정할 수 있다. 델타를 조정하는 특별한 경우 1) 과적합 방지로 데이터셋이 매우 크고, 독립 변수의 수가 많아 과적합(overfitting)이 우려되는 경우, 델타 값을 증가시키면 모델이 데이터를 조금 덜 민감하게 학습하여 과적합을 방지할 수 있다. 만약 데이터셋 A는 독립 변수의 수가 많고, 모델이 과적합되는 경향이 있다. 그러면, 델타 값을 0.1로 설정하여 모델의 민감도를 줄이고, 일반화 성능을 향상시킬 수 있다. 2) 데이터의 특수한 분포에서 데이터가 매우 비대칭적이거나 이상치(outliers)가 많은 경우로, 델타 값을 조정하여 모델이 이러한 특수한 데이터 패턴을 더 잘 처리하도록 할 수 있다. 데이터셋 B는 이상치가 많아 로짓 모델이 수렴하지 않는다. 그러면, 델타 값을 0.05로 설정하여 모델이 이상치의 영향을 덜 받도록 한다. 3) 수렴 문제 해결로 모델이 특정 데이터셋에서 수렴하지 않는 경우로 델타 값을 조정하여 알고리즘이 수렴하도록 도와준다. 예를 들어, 델타 값을 약간 증가시키면 수렴이 더 용이해질 수 있다. 데이터셋 C에서 모델이 수렴하지 않고, 로그-우도 함수 값이 계속 변동한다. 그러면, 델타 값을 0.01로 설정하여 알고리즘이 수렴할 수 있도록 한다. 4) 모델의 안정성 향상에서 모델이 반복 실행 시 결과가 크게 변동하는 경우로 델타 값을 조정하여 모델의

7) 비정칙성 공차 (Non-singularity Tolerance)

비정칙성 공차는 모델 매트릭스의 비정칙성을 감지하는 기준이다. 기본 설정은 0.0000001이다. 설정에서 낮은 값은 더 엄격한 기준을 적용하여 수치적 문제를 방지한다. 높은 값은 덜 엄격한 기준을 적용할 수 있다. 일반 설정 값은 0.0000001이다.

8) 연결 함수 (Link Function)

연결 함수는 독립 변수와 종속 변수 간의 관계를 모델링하는 데 사용한다. 일반적으로 로짓 함수를 사용한다.

다른 설정으로 로짓, 프로빗, 음 로그-로그, 보 로그-로그, 카우칫 등이 있다. 설정에 따른 차이가 있다. 각 연결 함수는 데이터의 특성에 따라 다르게 작용한다. 로짓은 일반적인 경우 사용한다. 프로빗은 정규 분포를 따르는 경우 사용한다. 음 로그-로그는 작은 확률 예측에 사용한다. 보 로그-로그는 생존 분석, 시간 데이터에 사용한다. 카우칫은 극단값이 중요한 경우에 사용한다.

각 설정은 모델의 수렴, 정확도, 계산 시간에 영향을 미친다. 기본 설정을 통해 모델이 잘 작동하는지 확인한 후, 필요에 따라 조정할 수 있다. 예를 들어, 데이터가 수렴하지 않으면 최대 반복 계산이나 최대 단계 이분을 증가시킬 수 있고, 특정 데이터 분포에 맞추기 위해 연결 함수를 변경할 수 있다.

4.2.3. 순서형 회귀 분석 연결함수 설정

순서형 회귀 분석에서는 종속변수가 순서형일 때 이를 예측하기 위해 다양한 연결 함수(link function)를 사용할 수 있다. 연결 함수는 독립 변수들이 종속 변수의 순서를 어떻게 설명하는지에 대한 관계를 나타낸다. SPSS에서

안정성을 높이고, 결과의 변동성을 줄일 수 있다. 데이터셋 D에서 모델을 여러 번 실행했을 때 결과가 일관되지 않는다. 그럴 경우, 델타 값을 0.02로 설정하여 모델의 결과가 더 일관되도록 한다.

일반적인 설정은 델타가 0으로 설정되어 있지만, 위와 같은 특별한 경우에 값을 조정할 수 있다. 델타 값을 조정할 때는 작은 값부터 시각히여 모델이 성능과 수렴 상태를 모니터링하는 것이 좋다. 델타 값을 지나치게 크게 설정하면 모델의 민감도가 너무 낮아져 중요한 패턴을 학습하지 못할 수 있으므로 적절한 값으로 설정해야 한다. 델타 매개변수는 모델링 과정에서 작은 변화를 통해 수렴성, 안정성, 일반화 성능 등을 조정할 수 있는 유용한 도구다. 이를 통해 데이터의 특수한 요구에 맞추어 모델을 최적화할 수 있다.

사용할 수 있는 연결 함수들로는 로짓(logit), 프로빗(probit), 음 로그-로그 (negative log-log), 보 로그-로그(complementary log-log), 카우칫 (cauchit) 등이 있다. 이들 함수는 각기 다른 형태의 분포를 기반으로 하여 데이터에 맞는 모델을 선택할 수 있게 해준다.

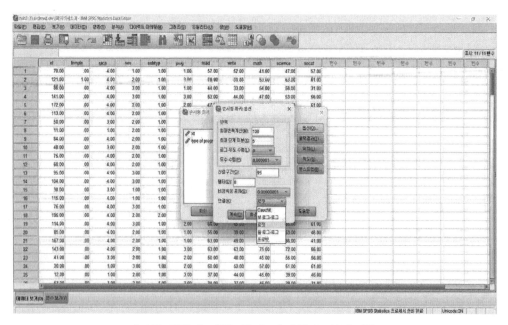

[그림 25] 순서형 회귀 연결함수 설정 (3)

cauchit, 보 로그-로그, 로짓, 음 로그-로그, 프로빗 등의 연결 함수를 설명하면 다음과 같다.

1) 로짓 (Logit)

로짓 함수는 로지스틱 분포를 사용하여 독립 변수와 종속 변수 간의 관계를 설명한다. 로짓 함수는 log(odds)를 기반으로 하여 범주형 데이터를 처리한다. 예를 들면, 응답 변수가 '매우 불만족', '불만족', '보통', '만족', '매우 만족'처럼 균일한 간격으로 분포할 때 적합하다.

2) 프로빗 (Probit)

프로빗 함수는 정규 분포를 사용하여 독립 변수와 종속 변수 간의 관계를 설명한다. 주로 사회과학 분야에서 사용한다. 즉, 데이터가 정규 분포를 따르는 경우 사용한다. 심리학적 테스트 점수와 같은 상황에서 유용할 수 있다.

3) 음 로그-로그 (Negative Log-Log)

음 로그-로그 함수는 포아송 분포와 유사하게 매우 작은 확률을 처리하는 데 유리하다. 사건이 발생할 확률이 매우 작은 경우에 적합하다. 즉, 특정 이벤트가 매우 드물게 발생하는 경우, 예를 들어 희귀병 발병 예측 등에 유용하다.

4) 보 로그-로그 (Complementary Log-Log)

보 로그-로그 함수는 생명표 분석에서 사용되며, 특정 시점 이후에 사건이 발생할 확률을 모델링하는 데 유리하다. 예를 들면, 생존 분석이나 실패 시간 데이터에서 자주 사용한다.

5) 카우칫 (Cauchit)

카우칫 함수는 카우치 분포를 사용하여 극단값에 민감한 모델을 제공한다. 이는 분포의 꼬리가 두꺼운 경우에 유용하다. 예를 들면, 응답 변수의 극단값 즉, 매우 낮거나 매우 높은 값이 자주 관찰되는 경우 사용한다.

그러므로 연결 함수 선택은 데이터의 특성에 따라 다르며, 다양한 함수들을 시도하여 가장 적합한 모델을 선택하는 것이 중요하다.

4.2.4. 순서형 회귀 출력결과

순서형 회귀 출력 결과에서 다양한 옵션을 선택할 수 있다. 각 항목별로 기본 설정을 기술하면 다음과 같다. 표시 박스에 다음단계 반복계산과정 단계, 적합도 통계량, 요약 통계량, 모수 추정값, 모수 추정값의 근사 상관, 모수 추정값의 근사 공분산, 셀정보, 평행성 검정이 있다. 저장변수에는 추정반응 확률, 예측범주, 예측 범주 확률, 실제 해당 범주에 속할 예측확률이 있다. 로그우도 출력 박스에는 다항 상수항 포함과 다상 상수항 제외가 있다.

표시 박스 (Display Options)을 설명하면, 다음과 같다.

1) 다음 단계 반복 계산 과정 (Iteration History)

알고리즘이 수렴할 때까지 각 반복 단계의 로그-우도 값을 표시한다. 이를 통해 알고리즘이 어떻게 수렴하는지 모니터링할 수 있다. 기본 설정은 일반적으로 체크하지 않는다.

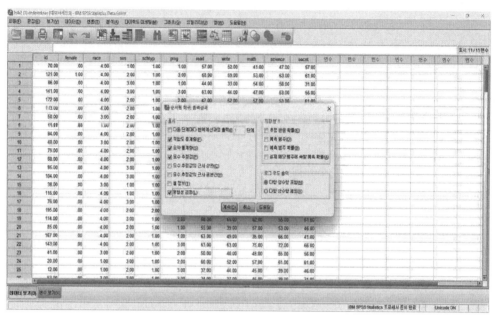

[그림 26] 순서형 회귀 출력결과 (4)

2) 적합도 통계량 (Goodness-of-Fit Statistics)

모델의 적합도를 평가하기 위한 통계량을 제공한다. 예를 들어, 카이제곱 통계량을 통해 모델이 데이터를 얼마나 잘 설명하는지 평가할 수 있다. 기본 설정은 체크를 한다.

3) 요약 통계량 (Model Summary)

모델 적합도, 자유도, P-값 등의 요약 정보를 제공한다. 기본 설정은 체크를 한다.

4) 모수 추정값 (Parameter Estimates)

독립 변수에 대한 회귀 계수와 그에 대한 통계적 유의성(P-값)을 제공한다. 기본 설정은 체크를 한다.

5) 모수 추정값의 근사 상관 (Approximate Correlations of Parameter Estimates)

추정된 모수들 간의 상관 관계를 제공한다. 기본 설정은 필요시 체크한다.

6) 모수 추정값의 근사 공분산 (Approximate Covariances of Parameter Estimates)

추정된 모수들 간의 공분산을 제공한다. 기본 설정은 필요시 체크한다.

7) 셀 정보 (Cell Information)

데이터의 각 셀에 대한 빈도 및 예상 빈도 정보를 제공한다. 기본 설정은 필요시 체크한다.

8) 평행성 검정 (Test of Parallel Lines)

비평행성 즉, 독립 변수들이 동일한 효과를 가지지 않는 경우를 검정한다. 이 검정은 순서형 회귀 모델이 가정하는 선형성을 평가한다. 기본 설정은 체크를 한다.

저장 변수 (Save Options)를 보면, 다음과 같다.
1) 추정 반응 확률 (Estimated Response Probabilities)
각 관측치에 대해 예측된 범주별 확률을 저장한다. 기본 설정은 필요시 체크한다.

2) 예측 범주 (Predicted Category)
각 관측치에 대해 가장 높은 확률을 가진 예측 범주를 저장한다. 기본 설정은 필요시 체크한다.

3) 예측 범주 확률 (Predicted Category Probabilities)
각 관측치에 대해 예측된 범주의 확률을 저장한다. 기본 설정은 필요시 체크한다.

4) 실제 해당 범주에 속할 예측 확률 (Predicted Probabilities for Actual Category)

각 관측치에 대해 실제 범주에 속할 확률을 저장한다. 기본 설정은 필요시 체크한다.

로그우도 출력 (Log-Likelihood Output)을 살펴보면, 다음과 같다.
1) 다항 상수항 포함 (With Intercept)
상수항이 포함된 모델의 로그-우도 값을 제공한다. 상수항이 포함된 모델은 데이터의 평균 효과를 포함한다. 기본 설정은 체크한다.

2) 다항 상수항 제외 (Without Intercept)
상수항이 제외된 모델의 로그-우도 값을 제공한다. 이는 상수항 없이 독립 변수만의 효과를 평가한다. 기본 설정은 필요시 체크한다.
이 설정들은 데이터 분석의 목표와 필요에 따라 조정될 수 있으며, 기본적으로 적합도 통계량, 요약 통계량, 모수 추정값 및 평행성 검정을 포함하는 것이 좋다. 저장 변수와 로그우도 출력은 분석의 깊이와 필요에 따라 선택적으로 포함할 수 있다.

4.2.5. 순서형 회귀 위치

순서형 회귀 분석에서 위치 모형 설정 옵션은 모델에서 변수들의 영향을 정의하는 중요한 부분이다. 이 설정들은 주효과, 상호작용 효과 등을 포함할 수 있으며, 모델이 데이터를 어떻게 설명하는지에 큰 영향을 미친다.
순서형 회귀에서 위치 선정 옵션이 있다. 모형 설정에 주효과와 사용자 정의 선택항이 존재한다. 항 설정에서 유형에 주 효과, 상호작용 등이 있다. 위치 모형 박스가 존재한다.
여기서 각 옵션을 설명하고 기본 설정을 기술한다. 먼저, 모형 설정 옵션 (Model Building Options)을 보면, 다음과 같다.

1) 주효과 (Main Effects)
주효과는 각 독립 변수의 개별적인 효과를 모델링한다. 각 변수가 종속 변수에 미치는 직접적인 영향을 평가한다. 예를 들면, female, race와 같은 변수들이 주효과로 설정될 수 있다. 기본 설정에서 주효과는 일반적으로 모델의 기본 구성 요소로 포함한다.

2) 사용자 정의 (Custom)

사용자 정의 설정을 통해 주효과 외에도 상호작용 효과나 기타 고급 모델링 요소를 포함할 수 있다. 이 옵션을 사용하면 특정 변수 조합이나 상호작용을 명시적으로 모델에 추가할 수 있다. 예를 들면, female*race와 같은 상호작용 항을 포함하여 성별과 인종 간의 상호작용 효과를 평가할 수 있다. 기본 설정으로 사용자 정의 설정은 필요에 따라 추가할 수 있다.

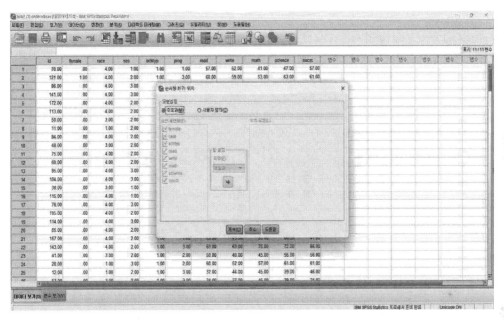

[그림 27] 순서형 회귀 위치 (5)

둘째, 항 선택 옵션 (Term Selection Options)을 보면, 다음과 같다.

1) 유형에 따른 주효과 (Main Effect by Type)

각 독립 변수의 주효과를 유형별로 추가한다. 이 옵션을 사용하면 변수의 모든 유형별 주효과를 자동으로 모델에 포함시킬 수 있다. 예를 들면, female, race, math, read 등의 변수를 개별적으로 포함할 수 있다. 기본 설정에는 주효과를 개별적으로 포함하는 것이 일반적이다.

2) 상호작용 (Interactions)

두 개 이상의 독립 변수 간의 상호작용 효과를 포함한다. 이는 변수들이 결합될 때 종속 변수에 미치는 영향을 평가한다. 예를 들면, female*race와 같은 변수 간의 상호작용 항을 포함할 수 있다. 기본 설정에서 상호작용 항은 분석의 필요에 따라 추가할 수 있다.

셋째, 위치 모형에 변수 넣기 (Placing Variables in the Location Model)를 살펴보면, 다음과 같다.

위치 모형은 독립 변수들이 종속 변수에 미치는 영향을 설명하는 모형이다. 위치 모형에 변수를 넣을 때는 다음과 같은 방식으로 설정할 수 있다.

1) 주효과만 포함

각 변수의 개별적인 효과를 포함한다. 예를 들면, 위치 모형에 female, race, math, read, write, science, socst를 넣는다. 설정 방법에서 SPSS에서 주효과 옵션을 선택하고 해당 변수를 선택하면 된다.

2) 상호작용 포함

변수 간의 상호작용 효과를 포함하여 복잡한 관계를 모델링 할 수 있다. 예를 들면, female*race, math*read와 같은 상호작용 항을 포함한다. 설정 방법에서 SPSS에서 사용자 정의 옵션을 선택하고 상호작용 항을 수동으로 추가할 수 있다.

3) 결합 설정

주효과와 상호작용 효과를 모두 포함하여 모델의 예측력을 높일 수 있다. 예를 들면, 주효과로 female, race, math, read를 포함하고, 상호작용 효과로 female*race, math*read를 추가할 수 있다. 설정 방법에서 SPSS에서 사용자 정의 옵션을 선택하고 필요한 주효과와 상호작용 항을 추가할 수 있다.

순서형 회귀 분석에서는 이러한 설정을 통해 모델이 데이터를 어떻게 설명할지 정의할 수 있으며, 이를 통해 종속 변수에 대한 예측을 더욱 정확하게 수행할 수 있다.

4.2.6. 순서형 회귀 분석 척도모형 설정

순서형 회귀 분석에서 척도 모형 설정은 중요한 부분이다. 요인과 공변량을 포함하여 모델이 데이터를 어떻게 처리할지를 정의한다. 이 설정은 주효과, 상호작용 효과 등을 포함할 수 있으며, 모형이 데이터를 설명하는 방법에 큰 영향을 미친다.

순서형 회귀 척도에서 요인/공변량에서 척도모형을 선정할 수 있다. 항 설정에서 유형에는 주효과 상호작용효과 등이 선택 옵션이 있다

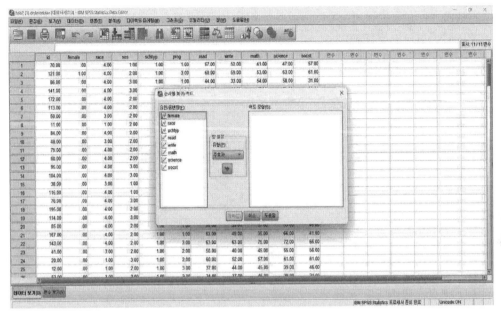

[그림 28] 순서형 회귀 척도모형 설정

척도 모형 설정 (Scale Model)을 보면, 다음과 같다.

1) 주효과 (Main Effects)

각 독립 변수의 개별적인 효과를 모델링한다. 각 변수의 단독 효과를 평가한다. 선택 방법은 주효과를 선택하고 포함할 변수들을 지정한다. 차이점은 주효과만 포함하는 경우, 변수들 간의 상호작용을 고려하지 않는다.

2) 상호작용 효과 (Interaction Effects)

두 개 이상의 독립 변수 간의 상호작용 효과를 포함한다. 이는 변수들이 결합될 때 종속 변수에 미치는 영향을 평가한다. 선택 방법은 사용자 정의 옵션을 사용하여 상호작용 항을 추가한다. 차이점은 상호작용 효과를 포함하면 변수 간의 복잡한 관계를 모델링할 수 있으며, 이는 주효과만 포함했을 때보다 더 정확한 모델이 될 수 있다.

척도 모형의 구성 요소 및 차이를 보면, 다음과 같다.

1) 요인 (Factors)

범주형 변수를 의미한다. 예를 들어, 성별(female), 인종(race) 등이 포함된다. 설정 방법은 요인에 포함할 변수를 지정한다. 차이점은 요인은 범주형 변수로서, 각 범주별 효과를 모델링한다.

2) 공변량 (Covariates)

연속형 변수를 의미한다. 예를 들어, 수학 점수(math), 독해 점수(read) 등이 포함된다. 설정 방법은 공변량에 포함할 변수를 지정한다. 차이점은 공변량은 연속형 변수로서, 값의 변화에 따른 효과를 모델링한다.

이와 같이 척도 모형을 설정함으로써, 모델이 데이터를 보다 정확하게 설명하고 예측할 수 있도록 할 수 있다.

4.2.7. 순서형 회귀 위치모형·척도모형

순서형 회귀에서 위치 모형 설정과 척도 모형 설정은 모델이 독립 변수들의 영향을 평가하는 방식에 있어서 중요한 역할을 한다. 이 두 모형은 데이터의 특성과 분석의 목적에 따라 다르게 사용한다.

1) 위치 모형 설정 (Location Model)

위치 모형 설정은 종속 변수에 대해 독립 변수들이 미치는 위치적 영향을 평가한다. 이는 독립 변수들이 종속 변수의 값에 어떻게 영향을 미치는지에 중점을 둔다.

첫째, 주효과 (Main Effects)에서 각 독립 변수의 개별적인 영향을 모델링한다.

예를 들면, `female`, `race`, `math`, `read`, `write`, `science`, `socst`와 같은 변수들이 각각 종속 변수에 미치는 영향을 평가할 수 있다. 사용하는 경우로 각 독립 변수의 직접적인 영향을 평가하고자 할 때 사용한다.

둘째, 상호작용 효과 (Interaction Effects)에서 두 개 이상의 독립 변수 간의 상호작용을 모델링한다. 예를 들면, `female*race`와 같은 변수 간의 상호작용 효과를 평가한다. 사용 경우에는 독립 변수들 간의 결합 효과가 종속 변수에 미치는 영향을 평가하고자 할 때 사용한다.

요약하면, 위치 모형은 종속 변수의 값에 대한 독립 변수들의 영향을 평가한다. 주로 범주형 변수와 연속형 변수를 포함하여 종속 변수의 값에 대한 영향을 평가한다. 독립 변수들이 종속 변수의 평균적인 변화에 미치는 영향을 알고자 할 때 사용한다. 위치 모형 설정 예시로 요인(female, race)과 공변량(math, read, write, science, socst)을 사용할 수 있다. 성별(female)과 인종(race)이 학생들의 학업 성취도에 어떤 영향을 미치는지 평가하고자 할 때 사용할 수 있다. 위치 모형에 `female`, `race`, `math`, `read`, `write`, `science`, `socst`를 포함하여 사용할 수 있다.

2) 척도 모형 설정 (Scale Model)

척도 모형 설정은 독립 변수들이 종속 변수의 분산에 미치는 영향을 평가한다. 이는 독립 변수들이 종속 변수의 변동성에 어떻게 영향을 미치는지에 중점을 둔다.

첫째, 주효과 (Main Effects)에서 각 독립 변수의 분산에 대한 개별적인 영향을 모델링한다. 예를 들면, `math`, `read`, `write`, `science`, `socst`와 같은 연속형 변수들이 종속 변수의 분산에 미치는 영향을 평가한다. 사용 경우에는 독립 변수들이 종속 변수의 변동성을 설명하는지 평가하고자 할 때 사용한다.

둘째, 상호작용 효과 (Interaction Effects)에서 두 개 이상의 독립 변수 간의 상호작용이 종속 변수의 분산에 미치는 영향을 모델링한다. 예를 들면, `math*read`와 같은 상호작용 효과를 평가한다. 사용 경우에는 독립 변수들 간의 결합 효과가 종속 변수의 변동성에 미치는 영향을 평가하고자 할 때 사용한다.

요약하면, 종속 변수의 분산에 대한 독립 변수들의 영향을 평가한다. 주로 연속형 변수를 포함하여 종속 변수의 변동성에 대한 영향을 평가한다. 독립 변수들이 종속 변수의 변동성에 미치는 영향을 알고자 할 때 사용한다. 척도 모형을 설정하는 경우로 공변량인 math, read, write, science, socst 등이다. 예를 들면, 수학(math), 독해(read), 쓰기(write), 과학(science), 사회 과학(socst) 점수가 학생들의 학업 성취도의 변동성에 어떤 영향을 미치는지 평가하고자 할 때 사용할 수 있다. 척도 모형에 `math`, `read`, `write`, `science`, `socst`를 포함하여 사용할 수 있다.

이와 같이, 위치 모형과 척도 모형은 서로 다른 분석 목적과 데이터 특성에 맞추어 사용된다. 각 모형을 적절하게 설정함으로써 데이터의 다양한 측면을 효과적으로 분석할 수 있다.

4.3. 순서형 로지스틱 회귀

순서형 로지스틱 회귀 분석을 다룬다. hsb2 데이터[31]는 과학, 수학, 읽기, 사회 등 다양한 시험에서 점수를 받은 고등학생 200명을 대상으로 수집되었다. 이 분석의 결과 측정은 사회 경제적 지위(ses)가 세 집단으로 낮음, 중간, 높음으로 나뉘며, 순서가 있음을 확인할 수 있다. 독립 변수 또는 예측 변수에는 수학 시험 점수(math), 독해 시험 점수(read), 쓰기 시험 점수(write), 과학 시험 점수(science), 사회 과학 시험 점수(socst) 및 성별로 님싱파 여성을 포함하고 있다. 응답 변수 ses는 ses 상태 수준이 자연적인 순서로 낮음에서 높음을 가지지만 인접한 수준 사이의 거리는 알 수 없다는 가정하에 서수로 처리한다.

4.3.1. 케이스 요약 처리

주어진 데이터의 요약은 학교 유형, 성별, 인종, 그리고 사회경제적 상태(ses)를 포함한 다양한 변수들에 대한 분포를 보여준다.

N은 첫 번째 열의 설명에 맞는 관측치 수를 제공한다. 예를 들어, 처음 세 값은 각각 낮음, 중간 또는 높음의 ses 값을 보고하는 학생들의 관찰 수를 제공한다.

주변 퍼센트는 각 결과 변수 그룹에서 발견된 유효한 관측치의 비율을 나열한다. 이는 각 그룹의 N을 유효에 대한 N으로 나누어 계산할 수 있다. 유효한 데이터가 있는 200명의 대상자 중 47명이 낮은 ses로 분류되었다. 따라서 이 그룹의 한계 백분율은 (47/200) * 100 = 23.5%다.

ses는 이 회귀 분석에서 결과 변수는 대상의 사회 경제적 지위에 대한 숫자 코드를 포함하는 ses 이다. 데이터에는 세 가지 수준의 ses가 포함되어 있다.

유효에는 이는 결과 변수와 모든 예측 변수가 누락되지 않은 데이터세트의 관측치 수를 나타낸다.

결측에는 결과 변수 또는 예측 변수에서 데이터가 누락된 데이터 세트의 관측치 수를 나타낸다.

총계에는 데이터 세트의 총 관측치 수, 즉 데이터가 누락된 관측치 수와

---

31) https://stats.oarc.ucla.edu/spss/output/ordered-logistic-regression/에서 다운받을 수 있다.

유효한 데이터가 있는 관측치 수의 합계를 나타낸다.

[표 26] 케이스 처리 요약

케이스 처리 요약		N	주변 퍼센트
	low	47	23.5%
ses	middle	95	47.5%
	high	58	29.0%
female	male	91	45.5%
	female	109	54.5%
	hispanic	24	12.0%
race	asian	11	5.5%
	african-amer	20	10.0%
	white	145	72.5%
type of school	public	168	84.0%
	private	32	16.0%
유효		200	100.0%
결측		0	
전체		200	

이를 종합적으로 해석하면 다음과 같다.

첫째, 사회경제적 상태 (SES) 변수에서 Low SES 47명 (23.5%), Middle SES 95명 (47.5%), High SES 58명 (29.0%)이다. 중간 사회경제적 상태에 속하는 학생이 절반을 차지하며, 낮은 SES와 높은 SES에 속하는 학생들은 비슷한 비율을 보인다. 이는 대부분 학생이 중간 SES 범주에 속한다는 것을 시사한다. 둘째, 성별에서 남성 (Male) 91명 (45.5%), 여성 (Female) 109 명 (54.5%)이다. 데이터에서 여학생의 비율이 약간 더 높다. 셋째, 인종에서 히스패닉 (Hispanic) 24명 (12.0%), 아시아인 (Asian) 11명 (5.5%), 아프리카계 미국인 (African-American) 20명 (10.0%), 백인 (White) 145명 (72.5%)이다. 백인이 압도적으로 많은 비율을 차지하며, 그 외 인종 그룹들은 상대적으로 적은 비율을 차지하고 있다. 이는 인종적으로 다양성이 작다. 넷째, 학교 유형에서 공립 (Public) 168명 (84.0%), 사립 (Private) 32명 (16.0%)이다. 대부분의 학생이 공립학교에 다니고 있으며, 사립학교 학생들은 소수다. 이는 공립학교가 주요 교육 제공 기관임을 보여준다.

이 요약은 데이터의 기본적인 분포를 이해하는 데 유용하며, 각 변수 간의 관계를 분석하는 데 중요한 기초 정보를 제공한다. 이를 바탕으로 추가적인 분석을 통해 SES, 성별, 인종, 학교 유형이 학생들의 학업 성취도나 기타 결과 변수에 미치는 영향을 더 깊이 이해할 수 있다.

4.3.2. 모델 적합도 정보

이 정보들은 주어진 데이터에 대해 적합한 모형을 평가하는 데 중요한 지표들을 제공한다. 특히, 최종 모형이 이전 절편만 포함한 모형보다 −2 로그 우도가 낮은지, 카이제곱 검정에서 유의확률이 매우 작은지 등을 포함한다. 이를 통해 최종 모형이 통계적으로 유의미하게 개선되었는지 등을 보여준다. 이러한 정보는 모형이 데이터를 얼마나 잘 설명하는지를 평가하고, 모형의 통계적 유의성을 판단하는 데 유용하다.

[표 27] 모형 적합 정보

모형 적합 정보				
모형	-2 로그 우도	카이제곱	자유도	유의확률
절편 만	421.165			
최종	379.682	41.483	10	.000
연결함수 로짓.				

1) 모형 비교

모형을 비교하면, 절편만 모델에서 이 모델은 종속변수가 모든 설명변수와 독립적이고, 상수항만 존재한다고 가정한다. 최종 모델에서 이 모델은 설명변수들이 종속변수에 영향을 미치는 것으로 가정하며, 절편항 외에 설명변수와 관련된 계수들을 포함한다.

2) −2 Log 우도

−2 Log 우도는 모형이 데이터를 얼마나 잘 설명하는지를 나타내는 지표다. 값이 작을수록 모형이 데이터를 더 잘 설명한다는 것을 의미한다. 최종 모델의 −2 Log 우도 값 (379.682)은 절편만 모델의 −2 Log 우도 값 (421.165)보다 41.483만큼 낮다. 이는 최종 모델이 절편만 모델보다 데이터를 더 잘 설명한다는 것을 의미한다.

3) 카이제곱 검정

카이제곱 검정은 최종 모델이 절편만 모델보다 유의적으로 더 나은지 여부를 검정한다. 카이제곱 값 (41.483)은 자유도 (10)와 유의수준 (0.05)에서 임계값보다 크므로 최종 모델이 절편만 모델보다 유의적으로 더 나은 것으로 나타났다.

4) 유의확률

유의확률은 카이제곱 검정 결과의 p-값을 나타낸다. 유의확률 값 (0.000)은 0.05보다 작으므로 최종 모델이 절편만 모델보다 유의적으로 더 나은 것으로 나타났다.

5) 연결 함수

연결 함수는 종속변수와 설명변수 간의 관계를 나타내는 함수다. 이 분석에서는 로짓 함수가 사용되었다. 로짓 함수는 이분형 종속변수 (예:0 또는 1)를 연속적인 확률 값으로 변환한다.

이 정보들은 주어진 데이터에 대해 적합한 모형을 평가하는 데 중요한 지표들을 제공한다. 특히, 최종 모형이 이전 절편만 포함한 모형보다 -2 로그 우도가 낮고, 카이제곱 검정에서 유의확률이 매우 작으며(0.000), 이는 최종 모형이 통계적으로 유의미하게 개선되었음을 나타낸다. 이러한 정보는 모형이 데이터를 얼마나 잘 설명하는지를 평가하고, 모형의 통계적 유의성을 판단하는 데 유용하다. 따라서 설명변수들이 종속변수에 영향을 미치는 것으로 해석할 수 있다. 그러나 모델의 적합성을 더 정확하게 평가하기 위해서는 다른 통계 지표들 예를 들면, Nagelkerke R^2, McFadden R^2, Hosmer-Lemeshow 검정 등도 함께 고려해야 한다.

4.3.3. 적합도

주어진 적합도(적합도 검정) 결과를 항목별로 설명하면, 다음과 같다. 적합도에서 Pearson 적합도 검정과 편차 적합도 검정을 실시하였다. 이에 따라 카이제곱, 자유도, 유의확률 등으로 검증한다.

모델에서 모델 적합도가 계산되는 모델의 매개변수를 나타낸다. 절편 전용은 예측 변수를 제어하지 않고 단순히 절편을 맞춰 결과 변수를 예측하는 모델을 설명한다. 최종은 결과의 로그 우도를 최대화하는 반복 프로세스를 사용하여 계수가 추정된 지정된 예측 변수를 포함하는 모델을 설명한다. 예측 변수를 포함하고 결과의 로그 우도를 최대화함으로써 최종 모델은 절편 전용 모델보다 향상되어야 한다. 이는 모델과 관련된 -2(Log Likelihood) 값의 차이에서 볼 수 있다.

-2(로그 우도)에서 이는 -2와 널 모델 및 적합된 최종 모델의 로그 우도를 곱한 것이다. 모델의 우도는 모델의 모든 추정 회귀계수가 동시에 0인지 여부를 테스트하는 데 사용한다.

카이 제곱에서 이것은 우도비(LR) 카이 제곱 검정이다. 이는 예측 변수 중 하나 이상의 회귀 계수가 모델에서 0이 아닌지 여부를 검정한다. LR 카이 제곱 통계량은 $-2*L(\text{null model}) - (-2*L(\text{fitted model})) = 406.167 - 379.682 = 52.97$으로 계산할 수 있다. 여기서 L(null model)은 모델에서 응답 변수만 있는 로그 우도(반복 0)에서 나온 것이고, L(fitted model)은 모든 매개변수가 있는 최종 반복(모델이 수렴되었다고 가정)에서 나온 로그 우도다.

df는 LR 카이제곱 통계를 테스트하는 데 사용되는 카이제곱 분포의 자유도를 나타내며 모델의 예측 변수 수로 정의한다.

유의확률에서 이는 귀무가설 하에서 관찰된 것보다 더 극단적인 LR 테스트 통계를 얻을 확률이다. 귀무 가설은 모델의 모든 회귀 계수가 0이라는 것이다. 즉, 실제로 예측 변수의 영향이 없는 경우 카이제곱 통계량(52.97)을 얻을 확률이다. 이 p-값은 지정된 알파 수준, 즉 일반적으로 0.05 또는 0.01로 설정되는 제1종 오류를 허용하려는 의지와 비교한다. LR 테스트의 작은 p-값인 <0.00001은 모델의 회귀 계수 중 하나 이상이 0이 아니라는 결론을 내리게 한다. 귀무가설을 검정하는 데 사용되는 카이제곱 분포의 모수는 이전 열의 자유도로 정의한다.

[표 28] 적합도

적합도			
	카이제곱	자유도	유의확률
Pearson	406.167	388	.253
편차	379.682	388	.609
연결함수 로짓.			

적합도 통계는 모형이 데이터를 얼마나 잘 설명하는지를 나타내는 지표다. 일반적으로 사용되는 적합도 통계로는 Pearson 카이제곱 검정과 편차가 있다. Pearson 적합도 검정에서 카이제곱 (Chi-Square) 406.167, 자유도 (Degrees of Freedom) 388, 유의확률 (Significance Probability) 0.253이

다. 카이제곱은 Pearson 카이제곱 검정 통계량 값이다. 이 값은 모델의 적합도를 평가하는 데 사용한다. 자유도는 모형에서 추정된 매개 변수의 수에서 모수 추정에 사용된 제약 조건의 수를 뺀 값이다. 자유도는 모형의 복잡성을 나타낸다. 유의확률은 모델이 주어진 데이터에서 나타나는 결과보다 통계적으로 유의미한지를 나타내는 값이다. 즉, Pearson 카이제곱 검정은 모형의 예측값과 관측값 간의 차이가 통계적으로 유의미한지 여부를 검정한다. 제시된 결과에서 Pearson 카이제곱 값 (406.167)은 자유도 (388)와 유의수준 (0.05)에서 임계값보다 크다. 이는 모형의 예측값과 관측값 긴의 차이가 통계적으로 유의미하다는 것을 의미한다.

편차 적합도 검정에서 카이제곱 (Chi-Square) 379.682, 자유도 (Degrees of Freedom) 388, 유의확률 (Significance Probability) 0.609이다. 카이제곱은 편차 적합도 검정 통계량 값이다. Pearson 적합도와 유사하게 모델의 적합도를 평가하는 데 사용한다. 자유도는 모형의 자유도 값이다. Pearson 적합도와 동일하다. 즉, 편차에서 이 지표는 모형의 예측 오차의 크기를 나타낸다. 값이 작을수록 모형의 예측 오차가 작다는 것을 의미한다. 제시된 결과에서 편차 값 (379.682)은 비교적 작다. 이는 모형의 예측 오차가 크지 않다는 것을 의미한다. 유의확률 값이 0.609(유의 수준 0.05)로 높다. 이는 편차 적합도 검정에서도 모델이 주어진 데이터에서 나타나는 결과를 설명하기에는 통계적으로 유의미함을 나타낸다.

연결 함수 (Link Function)는 로짓 연결 함수가 사용된 것으로 나타난다. 이 함수는 종속 변수가 이항 분포를 따를 때 모델의 예측값을 확률로 변환하는 데 사용한다.

주어진 적합도 검정 결과에서는 Pearson 적합도와 편차 적합도 모두에서 유의확률이 상대적으로 높게 나타나며(0.253 및 0.609), 이는 모델이 데이터를 설명하는 데 통계적으로 유의미함을 보여준다. 따라서 이 모델은 주어진 데이터에서 좋은 적합도를 보인다고 판단할 수 있다.

4.3.4. 유사 R-제곱

유사 R 제곱은 선형 회귀 분석에서 결정 계수(R^2)와 유사한 역할을 하는 지표다. 선형 회귀 분석에서 R^2는 설명변수들이 종속변수의 분산을 얼마나 설명하는지를 나타내는 반면, 순서형 회귀분석과 프로빗 분석에서는 유사 R-제곱이 사용한다. 유사 R-제곱은 0과 1 사이의 값을 가지며, 값이 클수록 설명변수들이 종속변수를 더 잘 설명한다는 것을 의미한다.

그러나 학자마다 차이가 발생한다. 유사 R 제곱에서 이것은 세 가지 가상 R 제곱 값이지만, 로지스틱 회귀에는 OLS 회귀에서 발견되는 R 제곱과 동등한 것이 없지만 많은 사람들이 하나를 생각해내려고 노력했다. 모순된 결론을 내릴 수 있는 다양한 가상 R 제곱 통계가 있다. 이러한 의사 R 제곱 값은 OLS 회귀의 표준 R 제곱 값 즉, 예측 변수에 의해 설명된 응답 변수의 분산 비율과 동일한 해석을 하지 않으므로 매우 신중하게 해석하는 것이 좋다.

[표 29] 유사 R-제곱

유사 R-제곱	
Cox 및 Snell	.187
Nagelkerke	.213
McFadden	.098
연결함수 로짓.	

Cox 및 Snell 유사 R-제곱이 0.187이다. Cox 및 Snell 유사 R-제곱은 로지스틱 회귀 모형에서 사용되는 하나의 유사 R-제곱 지표다. 이 값은 종속 변수의 분산을 설명하는 데 모형이 설명할 수 있는 비율을 나타낸다. 값이 1에 가까울수록 모형이 데이터를 잘 설명한다고 볼 수 있다. 여기서는 0.187이므로 모형이 종속 변수의 분산을 약 18.7% 정도 설명할 수 있다고 해석할 수 있다.

Nagelkerke 유사 R-제곱이 0.213이다. Nagelkerke 유사 R-제곱 역시 순서형 회귀 모형에서 사용되는 유사 R-제곱 지표 중 하나이다. Cox 및 Snell 유사 R-제곱과 유사하지만 값이 보다 크게 나타날 수 있다. 이 값은 모형이 종속 변수의 분산을 설명하는 데 얼마나 잘 부합하는지를 나타낸다. 여기서는 0.213이므로 약 21.3%의 설명력을 가진다고 해석할 수 있다.

McFadden 유사 R-제곱이 0.098이다. McFadden 유사 R-제곱은 로지스틱 회귀 모형에서 널리 사용되지만, 다른 두 지표와 비교했을 때 값이 낮게 나타날 수 있다. 일반적으로 0.2 정도 이상의 값이면 모형이 데이터를 잘 설명한다고 평가될 수 있지만, 이 경우 0.098로 상대적으로 낮은 값이므로 모형의 설명력이 다소 낮다고 볼 수 있다.

연결 함수 (Link Function)는 이전과 마찬가지로 로짓(Logit)이다. 로짓 함수는 이항 분포를 따르는 종속 변수의 예측값을 확률로 변환하는 데 사용한다.

4.3.5. 모수 추정값

임계값에서 순서화된 로지스틱 회귀 분석의 응답 변수를 나타낸다. [ses = 1.00]에 대한 임계값 추정치는 낮은 ses와 중간 ses 사이의 컷오프 값이고, [ses = 2.00]에 대한 임계값 추정치는 중간과 높은 ses 사이의 컷오프 값을 나타낸다.

[ses = 1.00]의 경우 예측 변수의 값이 0에서 평가될 때 낮은 ses와 중간 ses, 높은 ses를 구분하는 데 사용되는 잠재 변수에 대한 추정 절단점이다. ses 변수를 발생시킨 기본 잠재 변수에서 1.916 이하의 값을 가진 피험자는 남성 또는 변인 여성은 0으로 평가되고 참조 값이고과학 및 사회과학 시험 점수가 0이므로 낮은 ses로 분류한다.

[ses = 2.00] -예측 변수의 값이 0으로 평가될 때 낮은 ses와 높은 ses를 구별하는 데 사용되는 잠재 변수의 추정된 컷 포인트다. ses 변수를 발생시킨 기본 잠재 변수에서 4.360 이상의 값을 가진 피험자는 남성이고 과학 및 socst 테스트 점수가 0이라는 점을 고려하여 높은 ses로 분류한다. 기본 잠재 변수에서 1.916에서 4.360 사이의 값을 갖는 피험자는 중간 ses로 분류한다.

추정에서 순서가 지정된 로그 확률(로짓) 회귀 계수다. 순서화된 로짓 계수에 대한 표준 해석은 예측 변수가 한 단위 증가할 경우 모델의 다른 변수는 일정하게 유지되는 동안 응답 변수 수준이 순서화된 로그 승산 척도의 해당 회귀 계수에 따라 변경될 것으로 예상된다는 것이다. 순서화된 로짓 추정값의 해석은 보조 매개변수에 종속되지 않는다. 보조 매개변수는 반응 변수의 인접 수준을 구별하는 데 사용한다. 그러나 순서 로짓 모델은 결과 변수의 모든 수준에 대해 하나의 방정식을 추정하므로 단일 방정식 모델이 유효한지 아니면 보다 유연한 모델이 필요한지 여부가 문제이다. 예측 변수의 승산비는 추정값을 지수화하여 계산할 수 있다.

science에서 이는 모델에서 다른 변수가 일정하게 유지되는 경우 예상되는 ses 수준에서 과학점수가 1단위 증가하는 순서화된 로그 확률 추정치다. 피험자가 과학점수를 1점 높이면 모델의 다른 변수는 일정하게 유지되는 동안 더 높은 ses 범주에 속하도록 정렬된 로그 확률은 0.011만큼 증가한다.

socst에서 모델에서 다른 변수가 일정하게 유지되는 경우 예상 ses 수준에서 socst 점수가 1단위 증가하는 순서화된 로그 확률 추정치다. socst 테스트 점수가 1단위 증가하면 모델의 다른 변수는 일정하게 유지되는 동안 더 높은 ses 범주에 속하는 정렬된 로그 확률이 0.053 단위 증가한다.

[표 30] 모수 추정값

		B 추정값	표준오차	Wald	자유도	유의확률	95% 신뢰구간	
							하한	상한
임계값	[ses = 1.00]	1.916	1.104	3.012	1	.083	-.248	4.080
	[ses = 2.00]	4.360	1.145	14.509	1	.000	2.117	6.604
위치	read	.011	.021	.270	1	.604	-.030	.052
	write	-.013	.023	.300	1	.584	-.059	.033
	math	.007	.022	.111	1	.739	-.037	.052
	science	.011	.021	.270	1	.603	-.030	.052
	socst	.053	.018	8.521	1	.004	.017	.089
	[female=.00]	.459	.308	2.217	1	.137	-.145	1.063
	[female=1.00]	0a	.	.	0	.	.	.
	[race=1.00]	-.589	.451	1.706	1	.192	-1.474	.295
	[race=2.00]	-.045	.622	.005	1	.942	-1.265	1.174
	[race=3.00]	-1.302	.513	6.428	1	.011	-2.308	-.295
	[race=4.00]	0a	.	.	0	.	.	.
	[schtyp=1.00]	-.443	.381	1.351	1	.245	-1.190	.304
	[schtyp=2.00]	0a	.	.	0	.	.	.
연결함수 로짓.								
a. 현재 모수는 중복되므로 0으로 설정됩니다.								

여성에서 이는 모델에서 다른 변수가 일정하게 유지되는 경우 예상되는 ses에 대해 여성과 남성을 비교하는 정렬된 로그 확률 추정치다. 모델의 다른 변수가 일정하게 유지될 때 더 높은 ses 범주에 속하는 여성의 순서 로짓은 남성보다 0.459 단위 증가한다.

표준 오차에서 개별 회귀 계수의 표준 오류다. 이는 Wald 검정 통계량 계산과 회귀 계수의 신뢰 구간 모두에 사용한다.

Wald에서 이것은 추정치가 0이라는 귀무 가설을 검정하는 Wald 카이제곱 검정이다.

자유도(DF)에서 각 계수 테스트에 대한 자유도다. 모델에서 추정된 각 추정(모수)에 대해 하나의 DF가 필요하며, DF는 모델에 다른 변수가 있는 경우 개별 회귀 계수가 0인지 테스트하기 위해 카이제곱 분포를 정의한다.

유의확률에서 이는 주어진 모델 내에서 나머지 예측 변수가 모델에 있는 경우 특정 예측 변수의 회귀 계수가 0이라는 귀무 가설이 되는 확률 또는 계수의 p-값이다. 이는 예측 변수의 추정치 제곱을 표준 오차의 제곱으로 나누어 계산할 수 있는 예측 변수의 Wald 테스트 통계를 기반으로 한다. 특정 Wald 검정 통계량이 귀무 가설 하에서 관찰된 것보다 극단적이거나 그 이상일 확률은 p-값으로 정의되고 여기에 표시한다.

예측자 여성에 대한 Wald 검정 통계량은 2.217이고 관련 p-값은 0.137이다. 알파 수준을 0.05로 설정하면 귀무가설을 기각하지 못하고 socst, read, math, write, race와 과학이 모델에 있는 경우, ses를 추정할 때 여성에 대한 회귀 계수가 통계적으로 0과 다르지 않다는 결론을 내릴 수 있다.

예측자 과학에 대한 Wald 검정 통계량은 0.273이며 관련 p-값은 0.603이다. 알파 수준을 0.05로 설정하면 귀무가설을 기각하지 못한다. 모델에서 socst, read, write, math, race와 female이 있는 경우 ses를 추정할 때 과학에 대한 회귀 계수가 통계적으로 0과 다르지 않다는 결론을 내릴 수 있다.

예측 변수 socst에 대한 Wald 검정 통계량은 8.521이며 관련 p-값은 0.004다. 알파 수준을 다시 0.05로 설정하면 귀무 가설을 기각하고 socst, read, math, write, race, 과학과 여성이 모델에 포함되어 있다는 점을 고려하여 ses 추정에서 socst에 대한 회귀 계수가 통계적으로 0과 다르다는 결론을 내릴 수 있다.

여성과 같은 이분형 변수에 대한 해석은 연속형 변수의 해석과 유사하다. ses 상태에 대해 남성과 여성 사이에 관찰된 차이는 socst 및 과학을 통제할 때 0.05 수준에서 통계적으로 유의미한 것으로 발견되지 않았다(p=0.083).

95% 신뢰 구간에서 모델에 다른 예측 변수가 있는 경우 개별 회귀 계수에 대한 신뢰 구간(CI)이다. Coef로 계산한다. $(z_{\alpha/2})*(Std.Err.)$로 여기서 $z_{\alpha/2}$는 표준 정규 분포의 임계 값이. CI는 z 테스트 통계와 동일하다. CI에 0이 포함된 경우 모델에 다른 예측 변수가 있는 경우 특정 회귀 계수가 0이라는 귀무 가설을 기각하지 못한다.

4.3.6. 평행성 검정

평행성 검정 결과에서 주어진 값들을 보면, 영가설 −2 로그 우도

379.682, 일반 모형 −2 로그 우도 369.397, 카이제곱 10.285, 자유도 10, TPL 유의확률 0.416이다. 영가설 −2 로그 우도 (Null Model −2 Log Likelihood) 379.682 이 값은 기준이 되는 귀무 모델의 로그 우도 값이다. 일반 모형 −2 로그 우도 (Fitted Model −2 Log Likelihood) 369.397 이 값은 실제로 적합된 모형의 로그 우도 값이다. 카이제곱 (Chi−Square) 10.285는 평행성 검정에서 계산된 카이제곱 통계량이다. 이 값은 귀무 가설 하에서 자유도가 10인 카이제곱 분포를 따른다.

자유도 (Dcgrees of Freedom) 10으로 자유도는 카이제곱 검정에서 사용되는 모수의 수에서 제한 조건의 수를 뺀 값이다. TPL 유의확률 (TPL Significance Probability) 0.416이다. TPL(Two−Point Likelihood Ratio) 유의확률은 주어진 카이제곱 값에 대한 유의확률이다. 이 값이 0.416이므로 유의수준 0.05에서는 통계적으로 유의하지 않은 결과를 나타낸다. 평행성 검정은 다른 변수들이 고정된 상태에서 여러 범주의 변수 일반적으로 범주형 변수가 모델에서 동일한 기울기 또는 모수를 가지는지를 검정한다. 여기서 얻은 결과는 모델에서 각 범주에 대해 기울기 또는 모수가 동일하다는 귀무 가설을 받아들이는 것이 적절하다는 것을 나타낸다. 카이제곱 값이 크지 않고, 유의확률이 높기 때문에 귀무 가설을 기각할 수 있는 충분한 증거가 없다. 따라서, 주어진 평행성 검정 결과는 모델에서 각 범주에 대해 동일한 기울기 또는 모수를 가지고 있다는 귀무 가설을 지지한다고 해석할 수 있다.

[표 31] 평행성 검정

평행성 검정a				
모형	-2 로그 우도	카이제곱	자유도	TPL 유의확률
영가설	379.682			
일반	369.397	10.285	10	.416
영가설 상태는 위치 모수가(기울기 계수) 대응 범주에 있어 동일함을 나타냅니다.				
a. 연결함수: 로짓.				

일반에서 여기서 SPSS는 비례적 확률 가정을 검정한다. 이는 일반적으로 평행선 검정이라고 하는데, 귀무 가설이 모델의 기울기 계수가 응답 범주 전체에서 동일하다고 그리고 기울기가 같은 선은 평행하다고 명시하기 때문이다. 순서 로짓 모델은 응답 변수의 모든 수준에서 하나의 방정식을 추정하기 때문에 다항 로짓 모델과 비교했을 때, 낮은 ses를 참조 수준으로 가정하고 중간 ses 대 낮은 ses에 대한 방정식과 높은 ses 대 낮은 ses에 대한 방정

식을 모델링하고, 비례적 확률 검정은 단일 방정식 모델이 유효한지 여부를 검정한다. 카이 제곱 통계량의 유의성에 따라 귀무가설을 기각한다면, 순서 로짓 계수가 결과의 모든 수준에서 동일하지 않다는 결론을 내리고 덜 제한적인 모델 즉, 다항 로짓 모델을 적합시킬 것이다. 귀무 가설을 기각하지 못하면 가정이 유지된다는 결론을 내린다. 우리 모델에서는 비례적 확률 가정이 성립하는 것으로 보이는데, 그 이유는 카이제곱 통계량의 유의성이 .416 > .05이기 때문이다.

5. 프로빗 회귀

5.1. 프로빗 모델

통계에서 프로빗 모델은 종속변수가 결혼 여부와 같은 두 가지 값만 취할 수 있는회귀 유형이다. 이 단어는 probability + unit에서 유래한 합성어 (portmanteau)다. 모델의 목적은 특정 특성을 가진 관찰이 특정 범주에 속한 확률을 추정하는 것이다. 또한 예측 확률을 기반으로 관측치를 분류하는 것은 이진 분류모델의 한 유형이다.

프로빗 모델은 이진 반응 모델의 인기 있는 사양이다. 따라서 유사한 기술을 사용하여 로지스틱 회귀와 동일한 문제 세트를 처리한다. 일반화 선형 모형 프레임워크에서 보면, 프로빗 모형은 프로빗 연결함수를 사용한다. 이는 최대 우도 절차를 사용하여 추정되는 경우가 가장 많으며, 이러한 추정을 프로빗 회귀라고 한다.

5.1.1. 개념적 프레임워크

응답 변수 Y가 이진수라고 가정한다. 즉, 1과 0으로 표시할 두 가지 가능한 결과 만 가질 수 있다고 가정한다. 예를 들어 Y는 특정 조건의 존재/부재, 일부 장치의 성공/실패, 설문 조사 등에는 예/아니오 라고 답할 수 있음을 나타낼 수 있다. 결과 Y에 영향을 미치는 것으로 가정되는 회귀 변수 X의 벡터도 있다.

구체적으로, 모델이 다음 형식을 취한다고 가정한다.

$$P(Y=1|X) = \phi(X^T\beta)$$

여기서 P는 확률이고 ϕ은 표준 정규 분포의 누적 분포 함수(CDF)다. 모수 β는 일반적으로 최대 우도로 추정한다.

프로빗 모델을 잠재변수 모델(latent variable model)로 변형하는 것이 가능하다. 보조확률변수가 존재한다고 가정하자.

$$Y^* = X^T\beta + \epsilon$$

여기서 ε~N(0, 1)이다. 그런 다음 Y는 이 잠재 변수가 양수인지 여부를 나타내는 지표로 볼 수 있다.

$$Y = \begin{Bmatrix} 1 & Y^* > 0 \\ 0 & otherwise \end{Bmatrix} = \begin{Bmatrix} 1 & X^T\beta + \epsilon > 0 \\ 0 & otherwise \end{Bmatrix}$$

표준정규분포를 사용하는 것은 임의의 평균과 표준편차를 갖는 정규분포를 사용하는 것에 비해 일반성의 손실(loss of generality)이 없다. 왜냐하면 평균에 일정한 양을 더하는 것은 절편에서 같은 양을 빼고, 고정된 양의 표준편차는 가중치에 동일한 양을 곱하여 보상할 수 있다.

5.1.2. 프로빗 역사

프로빗 모형은 일반적으로 체스터 블리스(Chester Bliss)가 1934년에 처음 "probit"이라는 용어를 제안한 것으로 알려져 있다. 그는 이 모형을 확률 관점에서의 비선형 회귀 모형으로 소개했다. 프로빗 모형을 정의하고 제안했다. 그는 베버-페흐너 법칙에 근거하여 생물학적 반응을 설명하기 위해 이 모형을 도입했다.

그 전에도 1860년에 구스타프 페흐너(Gustav Fechner)가 제안한 베버-페흐너 법칙(Weber-Fechner law)에서 기본적인 개념은 나타나 있었다. 이 법칙은 자극과 지각 사이의 관계를 설명하는 데 사용되었으며, 이는 프로빗 모형의 기초가 되는 확률론적인 개념을 제시했다.

1933년에는 존 가덤(John Gaddum)이 이전의 연구를 체계화하고 발전시켰으며, 이는 프로빗 모형의 이론적인 기반을 다지는 데 기여했다. 1935년에는 론날드 피셔(Ronald Fisher)가 최대우도 추정을 위한 프로빗 모형의 빠른 계산 방법을 제안하면서 이 모형의 통계적 적용 가능성을 크게 높였다.

프로빗 모형은 그 후에도 여러 차례 재발견되었으며, 1971년에는 핀니 (Finney)가 이 모형의 역사적인 발전을 정리한 책에서 다루었고, 1957년에는 에이치슨과 브라운(Aitchison & Brown)이 관련 내용을 다룬 책에서도 프로빗 모형의 발전 과정을 다루었다. 이 모형은 그 후 여러 분야에서 확률적인 접근을 통해 사용되어 왔으며, 특히 사회과학과 의료연구에서 널리 사용되고 있다.

5.2. 프로빗 데이터

여기서는 프로빗 회귀 분석의 예를 살펴본다. 이 예시의 데이터는 대학원에 지원하는 학부생을 대상으로 수집되었으며, 학부 GPA, 해당 학부 학교의 평판 또는 일류 지표(topnotch indicator), 학생의 GRE 점수, 대학원 입학 여부 등이 포함되어 있다. 이 데이터 세트를 사용하면 학부 GPA, GRE 점수 및 대학의 평판을 사용하여 대학원 입학을 예측할 수 있다[32]. 결과 변수는 이진형이므로 프로빗 모델을 사용한다. 따라서 우리 모델은 예측 변수를 기반으로 예측된 입학 확률을 계산한다. 프로빗 모델은 표준 정규의 누적 분포 함수를 사용하여 이를 수행한다.

먼저 데이터 세트와 응답 변수를 살펴본다. 이진 결과 변수는 0과 1로 코딩되어야 하므로 이를 확인하기 위해 인정되는 결과 변수의 빈도를 포함할 것이다.

5.2.1. 기술통계량

주어진 기술 통계량 표에서 각 변수(admit, gre, topnotch, gpa)의 주요 특징을 설명하면, 다음과 같다.

[표 32] 프로빗 기술통계량

기술통계량									
	N	범위	최소값	최대값	평균	표준편차	분산	왜도	첨도
admit	400	1.00	.00	1.00	.3175	.46609	.217	.787	-1.388
gre	400	580.00	220.00	800.00	587.7000	115.51654	13344.070	-.144	-.331
topnotch	400	1.00	.00	1.00	.1625	.36937	.136	1.837	1.380
gpa	400	1.74	2.26	4.00	3.3899	.38057	.145	-.209	-.579
유효 N (목록별)	400								

입학 여부(admit)는 0과 1로 이루어진 이진 변수다. 평균값 0.3175는 400명의 학생 중 약 31.75%가 입학했다는 것을 의미한다. 왜도 0.787은 분포가 오른쪽으로 약간 치우쳐 있음을 나타내며, 첨도 −1.388은 분포가 평평함을

---

32) https://stats.idre.ucla.edu/wp-content/uploads/2016/02/probit.sav

나타낸다.

GRE 점수는 220에서 800까지 분포하며, 평균 점수는 587.7이다. 표준편차는 115.52로 점수의 분산이 큼을 나타낸다. 왜도 −0.144는 분포가 약간 왼쪽으로 치우쳐 있음을 의미하며, 첨도 −0.331은 분포가 약간 평평함을 나타낸다.

상위 학교 여부(topnotch)는 이진 변수로, 평균값 0.1625는 400명의 학생 중 약 16.25%가 상위 학교에 속함을 나타낸다. 왜도 1.837은 분포가 오른쪽으로 크게 치우쳐 있음을 나타내며, 첨도 1.380은 분포가 꼬리가 두껍고 중심에 데이터가 몰려 있음을 의미한다.

평균 학점(gpa)은 2.26에서 4.00까지 분포하며, 평균 값은 3.3899다. 표준편차는 0.38057로 학점 분포가 비교적 균일하다. 왜도 −0.209는 분포가 약간 왼쪽으로 치우쳐 있음을 나타내며, 첨도 −0.579는 분포가 약간 평평함을 나타낸다.

admit와 topnotch는 이진 변수로서 각자의 평균값이 해당 범주의 비율을 나타낸다. gre와 gpa는 연속형 변수로, 각자의 분포를 설명하는 표준편차, 왜도, 첨도 등이 중요하다. 왜도와 첨도를 통해 각 변수의 분포가 대칭적인지, 치우침이 있는지, 평평한지 혹은 꼬리가 두꺼운지를 알 수 있다. 이 통계량들을 바탕으로 데이터의 기본적인 분포와 특성을 이해할 수 있으며, 이를 통해 모델링에 필요한 전처리와 분석 전략을 세울 수 있다.

5.2.2. gre와 topnotch 통계량

주어진 데이터에서 변수 gre와 topnotch의 통계량을 설명하면 다음과 같다.

[표 33] gre와 topnotch 통계량

통계량			
		gre	topnotch
N	유효	400	400
	결측	0	0

유효 관측값 (N 유효)는 gre 400, topnotch 400이다. gre와 topnotch 변수 모두 400개의 유효한 또는 결측값이 없는 관측값을 가지고 있다. 이는 데

이터셋에 포함된 모든 샘플이 이 두 변수에 대해 값을 가지고 있다. 변수 특성에서 gre는 연속형 변수로 분포가 비교적 균일하며, topnotch는 이진 변수로 상위 학교 여부를 나타내며 분포가 오른쪽으로 치우쳐 있다.

5.2.3. topnotch와 admit 빈도분석

topnotch 변수를 설명하면, 0.00은 상위 학교가 아님을 의미한다. 빈도 335, 퍼센트 83.8%다. 이 값은 상위 학교에 속하지 않는 학생의 수를 나타낸다. 400명 중 335명이 상위 학교에 속하지 않으며, 이는 전체의 83.8%를 차지한다. 1.00은 상위 학교 의미한다, 빈도 65, 퍼센트 16.3%이다. 이 값은 상위 학교에 속하는 학생의 수를 나타내며, 400명 중 65명이 상위 학교에 속하며, 이는 전체의 16.3%를 차지한다. 이는 400명의 학생 데이터를 모두 포함한 결과다.

[표 34] topnotch와 admit 빈도분석

topnotch					
		빈도	퍼센트	유효 퍼센트	누적 퍼센트
유효	.00	335	83.8	83.8	83.8
	1.00	65	16.3	16.3	100.0
	전체	400	100.0	100.0	
admit					
		빈도	퍼센트	유효 퍼센트	누적 퍼센트
유효	.00	273	68.3	68.3	68.3
	1.00	127	31.8	31.8	100.0
	전체	400	100.0	100.0	

admit 변수를 설명하면, 0.00은 입학하지 않음을 의미한다. 빈도 273, 퍼센트 68.3%이다. 이 값은 입학하지 않은 학생의 수를 나타낸다. 400명 중 273명이 입학하지 않았으며, 이는 전체의 68.3%를 차지한다. 1.00은 입학함을 의미한다. 빈도 127, 퍼센트 31.8%다. 이 값은 입학한 학생의 수를 나타내며, 400명 중 127명이 입학했으며, 이는 전체의 31.8%를 차지한다. 이는 400명의 학생 데이터를 모두 포함한 결과다.

5.3. 프로빗 분석

SPSS의 `PROBIT` 명령어는 일반적인 회귀 분석을 수행할 때 사용되지 않으며, 특별한 형태의 이항 반응 데이터 즉, 성공/실패와 같은 경우에 대한 개체 수를 분석할 때 주로 사용한다. 따라서, `PROBIT` 명령어로 `PLUM` 명령어와 동일한 분석을 수행하기는 어렵다. 대신 `PLUM` 명령어를 사용하여 필요한 프로빗 회귀 분석을 수행하는 것이 좋다.

그러나 `PROBIT` 명령어가 필요한 경우 형식을 정확하게 맞추기 위해, 데이터가 필요한 형식으로 제공되어야 한다. 만약 기존 데이터를 변환하여 `PROBIT` 명령어에 적합하게 만들어야 한다.

5.3.1. 프로빗 분석 설정

프로빗 분석에서는 반응빈도 를 선택한다. 전체관측빈도 항목을 설정한다. 요인 을 설정한다. 요인 항목에서 범위지정을 한다. 최소값에서 최대값을 설정한다. 공변량에서는 공변량 요인을 설정한다. 변환에서 없음, 상용로그와 자연로그 중에서 선정한다. 모형에서는 프로빗과 로짓에서 선정한다. 일반적인 설정은 프로빗이다.

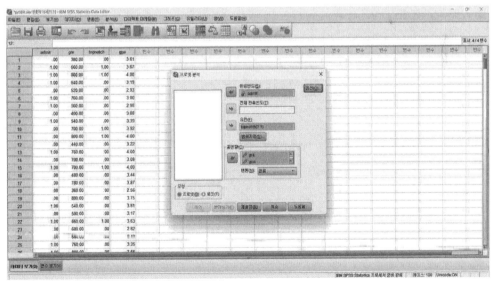

[그림 29] 프로빗 분석 설정

프로빗 분석 설정에서 각 항목을 설명하고, 주어진 변수(admit, topnotch, gre, gpa)를 이용하여 어떻게 설정하는 지에 관해 설명한다.

1) 반응빈도 (Response Frequency)
반응빈도는 이항 종속변수의 관측빈도를 나타낸다. 예를 들어, 특정 사건이 발생한 횟수와 발생하지 않은 횟수를 나타낸다. 전체 관측빈도를 선택하면, 전체 데이터셋에서 각 반응 빈도를 사용하여 분석한다.
admit 변수는 이항 변수로, 1(입학) 또는 0(불입학)으로 나타내므로, 각 값의 빈도를 사용하여 분석할 수 있다.

2) 전체 관측빈도 (Total Observation Frequency)
전체 관측빈도 항목은 데이터셋의 각 관측치가 몇 번씩 발생했는지 나타내는 변수다. 이는 가중치를 설정할 때 사용한다. 예를 들어, 특정 관측치가 데이터셋에서 여러 번 반복된 경우, 이를 전체 관측빈도 변수에 반영하여 분석 결과에 영향을 미치도록 할 수 있다. 해당 옵션을 통해 전체 관측빈도를 설정하면, 분석에서 각 관측치의 빈도를 고려한다. 만약 admit 변수가 전체 관측빈도를 반영한다면, 각 관측치가 데이터셋에서 나타나는 횟수를 지정할 수 있다. 예를 들어, 특정 관측치가 5번 나타났다면, 이를 전체 관측빈도 변수로 설정하여 모델이 해당 관측치를 5번으로 인식하게 한다.

3) 요인 (Factors)
요인은 범주형 독립 변수를 나타낸다. 분석에서 요인 변수를 지정하여 그룹별로 비교할 수 있다. 요인 항목에서 범위 지정 옵션을 통해 최소값과 최대값을 설정한다. topnotch는 상위 대학 여부를 나타내는 범주형 변수로, 0과 1의 값을 가진다. 최소값 0, 최대값 1로 설정한다.

4) 공변량 (Covariates)
공변량은 연속형 독립 변수를 나타낸다. 분석에서 공변량을 지정하여 회귀 분석에 포함한다. 공변량 요인을 설정한다. gre와 gpa는 연속형 변수로, 각각의 점수를 나타낸다.

5) 변환 (Transformations)

공변량에 대한 변환을 적용하여 분석에 사용할 수 있다. 변환 옵션에는 없음, 상용로그(log10), 자연로그(ln)가 있다. 필요에 따라 변환을 선택한다. 일반적으로 변환을 적용하지 않거나, 데이터가 비정규 분포일 경우 로그 변환을 사용할 수 있다. 예를 들면, gre와 gpa에 변환을 적용할 수 있다. 예를 들어, 데이터의 분포가 비정규적이라면 자연로그 변환을 적용할 수 있다.

6) 모형 (Model)

분석에서 사용할 회귀 모형을 지정한다. 프로빗과 로짓 모형 중에서 선택할 수 있다. 일반적인 설정은 프로빗이다. 프로빗 모형은 정규 분포를 사용하여 종속변수의 확률을 모델링한다.

이 설정을 바탕으로 프로빗 회귀 분석을 수행하면, 다음과 같은 결과를 얻을 수 있다. gre가 admit에 미치는 영향으로 gre 점수가 높을수록 admit 확률이 증가한다. topnotch가 admit에 미치는 영향으로 상위 대학 출신(topnotch = 1)이 admit 확률에 미치는 영향을 평가한다. gpa가 admit에 미치는 영향으로 gpa 점수가 높을수록 admit 확률이 증가한다.

이와 같은 설정을 통해, 다양한 독립 변수가 종속 변수(admit)에 미치는 영향을 보다 정확하게 분석할 수 있다.

5.3.2. 프로빗 분석 옵션 설정

프로빗 분석 옵션에 통계량 박스에는 빈도, 평행성 검정을 성정한다. 자연반응비율 박스에는 지정않음, 데이터로부터 계산, 값 항목이 있다. 지정않음이 일반적 설정이다. 기준 박스에는 최대반복계산 20, 단계한계 .1, 최적공차기본값 으로 설정한다.

프로빗 분석 옵션을 설정할 때, SPSS의 메뉴에서 선택할 수 있는 다양한 옵션과 각 항목의 설정 방법과 그 의미를 설명하면, 다음과 같다.

1) 통계량 박스

빈도 (Frequencies)는 데이터의 빈도수를 표시한다. 평행성 검정(Parallelism Test)은 각 독립 변수에 대해 기울기 계수가 동일한지 테스트한다.

2) 자연반응비율 박스

지정 않음 (No specification)은 기본 설정으로, 자연반응비율을 지정하지 않는다. 이것이 일반적인 설정이다. 데이터로부터 계산 (Compute from data)은 데이터를 기반으로 자연반응비율을 계산한다. 값 지정 (Specify value)은 특정 값을 입력하여 자연반응비율을 설정한다.

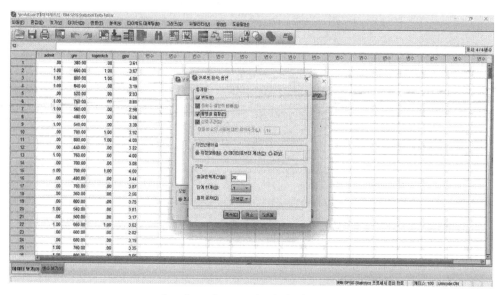

[그림 30] 프로빗 분석 옵션 설정

3) 기준 박스

최대 반복 계산 (Maximum iterations)은 모델이 수렴할 때까지의 최대 반복 횟수를 설정한다. 일반적으로 20으로 설정한다. 단계 한계 (Step limit)는 각 반복 단계에서의 최대 한계를 설정한다. 일반적으로 0.1로 설정한다. 최적 공차 기본값 (Optimal tolerance)은 최적 공차 값을 설정한다. 기본값을 사용한다.

5.4. 명령어 프로빗 회귀

1) 파일 불러오기
get file='C:\probit.sav'.

5.4.1. 명령어 기술통계와 빈도분석

1) 기술 통계

```
descriptives
   variables=gre admit gpa topnotch.
```

[표 35] 기술통계량

기술통계량					
	N	최소값	최대값	평균	표준편차
gre	400	220.00	800.00	587.7000	115.51654
admit	400	.00	1.00	.3175	.46609
topnotch	400	.00	1.00	.1625	.36937
유효 N(목록별)	400				

2) 빈도분석

```
frequencies
   variables=admit topnotch.
```

[표 36] admit와 topnotch 통계량

통계량			
		admit	topnotch
N	유효	400	400
	결측	0	0
admit					
---	---	---	---	---	---
		빈도	퍼센트	유효 퍼센트	누적 퍼센트
유효	.00	273	68.3	68.3	68.3
	1.00	127	31.8	31.8	100.0
	전체	400	100.0	100.0	
topnotch					
		빈도	퍼센트	유효 퍼센트	누적 퍼센트
유효	.00	335	83.8	83.8	83.8
	1.00	65	16.3	16.3	100.0
	전체	400	100.0	100.0	

5.4.2. 명령어 프로빗 분석(plum)

1) 프로빗 명령어

```
plum admit with gre topnotch gpa
/link = probit
/print = parameter summary.
```

SPSS에서 주어진 두 명령어(probit과 plum)는 각각 약간 다른 방식으로 프로빗 회귀 분석을 수행하며, 출력되는 결과가 다르게 나타날 수 있다. PROBIT 명령어는 좀 더 간단한 형태로 결과를 제공하는 반면, PLUM 명령어는 보다 세부적인 결과를 제공한다. PLUM 명령어의 상세한 결과를 얻기 위해 PROBIT 명령어를 수정하거나 SPSS 메뉴에서 설정을 조정할 수 있다.

2) SPSS 메뉴
SPSS 메뉴를 통한 설성 방법을 보면, 다음과 같다 SPSS 메뉴를 통해 PLUM 명령어와 동일한 결과를 얻기 위한 단계는 다음과 같다.

분석(Analyze) 메뉴를 클릭 - Regression 에서 순서형(Ordinal)를 선택함. - 종속변수(Dependent) 박스에 admit 변수 선정 - 요인(Factor(s)) 박스에 topnotch 변수 선정 - 공변량(Covariate(s)) 박스에 gre와 gpa 변수 선정 - Model 버튼을 클릭하여 Link function을 Probit으로 선정 - 출력결과물 (Output) 버튼을 클릭하여 필요한 출력 항목을 선택한다. 예를 들면, 모수 추정값(parameter estimates), 요약 통계량(model summary). 적합도 통계량, 평행성 검정 등을 설정한다. - 설정을 완료한 후 OK를 클릭하여 분석을 실행한다.

그러나 `PROBIT` 명령어를 사용하여 추정치를 얻고자 하였다. 아래는 `PLUM` 명령어와 동일한 출력을 얻기 위해 `PROBIT` 명령어를 수정한 명령어다. `PROBIT` 명령어는 특정 옵션을 추가하여 상세한 출력을 제공하도록 할 수 있다. 그러나 오류 메세지가 반환된다.

5.4.3. 명령어 프로빗 분석(probit)

`PROBIT` 명령어를 수정한 명령어다. `PROBIT` 명령어는 특정 옵션을 추가하여 상세한 출력을 제공하도록 할 수 있다.

SPSS의 `PROBIT` 명령어는 일반적인 회귀 분석을 수행할 때 사용되지 않으며, 특별한 형태의 이항 반응 데이터 즉, 성공/실패와 같은 경우에 대한 개체 수를 분석할 때 주로 사용한다. 따라서, `PROBIT` 명령어로 `PLUM` 명령어와 동일한 분석을 수행하기는 어렵다. 대신 `PLUM` 명령어를 사용하여 필요한 프로빗 회귀 분석을 수행하는 것이 좋다.

그러나 `PROBIT` 명령어가 필요한 경우 형식을 정확하게 맞추기 위해, 데이터가 필요한 형식으로 제공되어야 한다. 만약 기존 데이터를 변환하여

`PROBIT` 명령어에 적합하게 만들어야 한다.

```
PROBIT admit WITH gre gpa
   /CRITERIA ITERATE(20) STEPLIMIT(.1)
   /LINK = PROBIT
   /PRINT = FITPARAM SUMMARY.33)
```

즉, `PROBIT` 명령어 사용을 위한 데이터 변환으로 `RCOUNT`로 반응한 개체 수를 포함하는 변수, `SCOUNT`로 시험한 개체 수를 포함하는 변수, `groupvar`로 (선택 사항) 그룹 변수를 포함하는 변수, `varlist`로 독립 변수를 포함하는 변수 등을 지정하여야 한다.

이 데이터 형식을 만든 후, `PROBIT` 명령어를 사용할 수 있다.

```
PROBIT RCOUNT OF SCOUNT BY groupvar WITH gre gpa
   /CRITERIA ITERATE(20) STEPLIMIT(.1)
   /LINK = PROBIT
   /PRINT = FITPARAM SUMMARY.
```

위 예시는 반응 개체 수와 시험 개체 수를 포함하는 변수를 기반으로 프로빗 회귀 분석을 수행한다. 데이터가 이 형식을 가지도록 변환하는 것이 `PROBIT` 명령어를 사용하는 핵심이다. 하지만, 이 데이터 변환은 복잡할 수 있으며, 일반적으로는 `PLUM` 명령어를 사용하는 것이 더 간편하고 직관적이다. `PLUM` 명령어는 더 다양한 옵션과 출력을 제공하며, 직접적인 변환 없이 사용하기 쉽다.

5.4.4. 명령어 일반화 선형 모형

```
genlin admit (reference=0) with gre gpa topnotch
/model gre gpa topnotch
distribution=binomial
link=probit
/print cps history fit solution.
```

---

33) 경고 문구이다. "rcount OF scount {BY groupvar(min,max)} WITH varlist" 형식만 허용한다. RCOUNT는 처리에 반응하는 개체 수를 포함하는 변수다. SCOUNT는 검정 개체의 수다. 선택적 집단변수가 허용된다. 서리변수는 키워드 WITH 뒤에 온다. 이 명령 실행이 중단되었다. 잘못된 부명령문이 지정되었다. 유효한 부명령문은 LOG, CRITERIA, PRINT, MODEL, NATRES 및 MISSING이다. PRINT 지정 사항이 유효하지 않다. 유효한 키워드는 PARALL(평행성 검정), FREQ(빈도표), RMP(중위수 설명력 비율), CI(유효 수준에 대한 신뢰구간), ALL(위의 모든 값), NONE 및 DEFAULT 이다.

1) 일반화 선형 모형 케이스 처리 요약

이전의 설명과 동일하다.

[표 37] 일반화 선형 모형 케이스 처리 요약

케이스 처리 요약		
	N	퍼센트
포함됨	400	100.0%
제외됨	0	0.0%
전체	400	100.0%

2) 일반화 선형 모형 반복계산과정

일반화 선형 모형 반복계산과정을 보여준다.

반복 계산 과정은 모델이 수렴할 때까지 최적의 파라미터 값을 찾기 위해 사용한다. 수렴이란 모델의 파라미터가 안정적인 값을 가지게 되는 것을 의미한다. 반복 계산 과정은 모델이 데이터에 가장 잘 맞도록 조정하는 단계다.

[표 38] 일반화 선형 모형 반복계산과정

반복계산과정								
반복	업데이트 유형	단계 이분의 수	로그 우도b	모수				
				(수정된 모형)	gre	gpa	topnotch	(척도)
0	초기	0	-229.057	-2.782879	.001463	.395408	.304078	1
1	점수화	0	-228.898	-2.798186	.001528	.400623	.272322	1
2	Newton	0	-228.898	-2.797902	.001524	.401003	.273048	1
3	Newton	0	-228.898	-2.797884	.001524	.400985	.273033	1
4	Newtona	3	-228.898	-2.797884	.001524	.400985	.273033	1

중복 모수는 표시되지 않습니다. 모든 반복계산에서 중복 모수의 값은 항상 0입니다.
종속변수: admit
모형: (수정된 모형), gre, gpa, topnotch
a. 모든 수렴 기준이 만족됩니다.
b. 전체 로그 우도 함수가 표시됩니다.

반복 계산 과정을 통해 모델의 로그 우도를 최대화하고, 최적의 파라미터 추정값을 얻는다. 이는 모델의 예측력을 높이고, 데이터를 가장 잘 설명하는 파라미터를 찾기 위해 필수적인 과정이다.

로그 우도는 초기값에서부터 감소하여 −228.898에서 안정화되었다. 이는 모델이 최적화되어 데이터를 잘 설명하고 있음을 나타낸다.

모수 `gre`, `gpa`, `topnotch`의 값들이 반복 과정에서 조금씩 조정되다가 수렴하는 모습을 보인다. `gre` 0.001463 → 0.001524, `gpa` 0.395408 → 0.400985, `topnotch` 0.304078 → 0.273033. 모델이 수렴하면서 파라미터 값들이 안정화되었고, 이는 모델이 데이너에 직합하게 맞춰졌음을 의미한다.

반복 계산 과정은 모델 파라미터를 최적화하기 위해 사용되며, 모델의 로그 우도를 최대화하고 데이터를 가장 잘 설명하는 파라미터 값을 찾는 데 목적이 있다. 이 분석에서는 `gre`, `gpa`, `topnotch` 변수에 대한 프로빗 회귀 분석을 수행하였고, 반복 과정에서 모델이 성공적으로 수렴하여 최적의 파라미터 값을 얻었다.

3) 일반화 선형 모형 기울기 벡터 및 Hessian 행렬

일반화 선형 모형 기울기 벡터 및 Hessian 행렬은 모델 파라미터 추정의 안정성과 수렴을 평가하는 데 사용되는 중요한 도구다. 각각의 항목을 설명하면, 다음과 같다.

[표 39] 일반화 선형 모형 기울기 벡터 및 Hessian 행렬

		기울기 벡터 및 Hessian 행렬			
		모수			
		(수정된 모형)	gre	gpa	topnotch
기울기 벡터		.000	.000	.000	.000
Hessian 행렬	(수정된 모형)	-225.580	-135100.302	-772.317	-40.545
	gre	-135100.302	-83739115.069	-465786.905	-26137.632
	gpa	-772.317	-465786.905	-2675.620	-146.309
	topnotch	-40.545	-26137.632	-146.309	-40.545

기울기 벡터 및 Hessian 행렬의 마지막 평가가 표시됩니다.
중복 모수는 표시되지 않습니다.

첫째, 기울기 벡터 (Gradient Vector)

기울기 벡터는 목적 함수 또는 로그 우도 함수의 각 파라미터에 대한 1차 미분값 또는 변화율이다. 이 벡터가 0에 가까울수록 모델의 파라미터가 최적

화되고 수렴되었음을 의미한다. 즉, 이 값이 0에 가까울수록 목적 함수가 최
적화되었음을 의미한다. 그러므로 기울기 벡터가 0에 가까우면 파라미터가
수렴되었고, 더 이상 큰 개선이 필요 없다는 것을 알 수 있다. 즉, 모델이 데
이터에 잘 맞추어져 있다는 신호다.

`gre`, `gpa`, `topnotch`의 기울기 벡터 값이 모두 0.000이다. 이는 모델
이 수렴하여 더 이상 개선이 필요 없음을 나타낸다. 즉, 현재의 파라미터 값
이 로그 우도를 최대화하는 값임을 의미하고, 모델이 데이터에 잘 맞추어져
있고, 추가적인 반복 계산이 필요하지 않음을 나타낸다.

둘째, Hessian 행렬 (Hessian Matrix)

Hessian 행렬은 목적 함수의 2차 미분값으로 구성된 행렬이며, 파라미터
추정의 곡률과 안정성을 평가한다. 각 요소는 두 파라미터의 2차 혼합 편미
분을 나타낸다. 이 행렬은 파라미터 추정의 곡률을 제공하며, 모델의 수렴 속
도와 안정성을 평가하는 데 사용한다.

Hessian 행렬은 `모형`, `gre`, `gpa`, `topnotch` 간의 상호작용을 나타
내는 2차 편미분 값들로 구성되어 있다. 음수 값은 최대화 문제 또는 로그
우도 함수 최대화를 나타내며, 수렴된 모델에서 일반적으로 나타낸다.

이 값들은 파라미터들 간의 상호작용 강도와 곡률을 나타내며, 수렴 과정
의 안정성을 보여주며, 음수 값은 우리가 최대화하려는 함수(로그 우도 함
수)에 적합하다.

그러므로 기울기 벡터가 모두 0에 가까운 값(실제로 0)으로 나타났으므로
모델이 성공적으로 수렴되었다. Hessian 행렬의 값들은 파라미터 간의 2차
편미분을 나타내며, 대부분 음수로 나타나는 것은 모델의 수렴 과정에서 적
절한 최대화가 이루어졌음을 의미한다. 이 분석은 현재의 파라미터 값이 최
적화된 상태로, 데이터에 잘 맞추어져 있음을 확인해준다.

4) 일반화 선형 모형 적합도

적합도 분석은 모델이 데이터에 얼마나 잘 맞는지 평가하는 중요한 단계
다. 각 지표는 모델 적합성을 다양한 측면에서 평가하는 데 사용한다.

첫째, 편차 (Deviance)

편차는 모델이 데이터를 얼마나 잘 설명하는지를 평가하는 지표다. 값이
작을수록 모델의 적합도가 높다. 편차는 실제 데이터와 모델 예측 간의 차이

를 나타내며, 모델이 데이터를 얼마나 잘 설명하는지를 확인하는 데 사용한다.

둘째, Pearson 카이제곱 (Pearson Chi-Square)

Pearson 카이제곱 통계량은 관측된 빈도와 기대 빈도 간의 차이를 측정한다. 이 지표는 모델이 관측된 데이터를 얼마나 잘 설명하는지, 특히 큰 차이가 없는지 평가한다.

[표 40] 일반화 선형 모형 적합도

적합도a			
	값	자유도	값/자유도
편차	440.291	370	1.190
척도 편차	440.291	370	
Pearson 카이제곱	368.411	370	.996
척도 Pearson 카이제곱	368.411	370	
로그 우도b	-228.898		
Akaike 정보 기준(AIC)	465.797		
무한 표본 수정된 AIC(AICC)	465.898		
베이지안 정보 기준(BIC)	481.763		
일관된 AIC(CAIC)	485.763		
종속변수: admit 모형: (수정된 모형), gre, gpa, topnotch a. 정보 기준은 가능한 작은 형태입니다. b. 전체 로그 우도 함수가 표시되고 계산 정보 기준에 사용됩니다.			

셋째, 로그 우도 (Log Likelihood)

로그 우도는 모델의 적합도를 측정하는 기본적인 지표로, 값이 클수록 모델이 데이터를 잘 설명한다. 로그 우도는 모델의 전체 적합도를 나타내며, 이를 기반으로 다른 정보 기준 또는 AIC, BIC 등을 계산한다.

넷째, Akaike 정보 기준 (AIC)

AIC는 모델의 복잡성과 적합노 산의 균형을 평가하는 지표다 값이 작을수록 모델이 더 적합하다고 본다. AIC는 모델 선택 시 과적합을 방지하는 데 유용하다. 적합도가 높은 모델을 선호하지만, 지나치게 복잡한 모델을 피한다.

다섯째, 무한 표본 수정된 AIC (AICC)

AICC는 작은 표본 크기에서 AIC의 편향을 수정한 지표다. AICC는 AIC의 단점을 보완하여 작은 표본 크기에서도 신뢰할 수 있는 모델 선택을 돕는다.

여섯째, 베이지안 정보 기준 (BIC)

BIC는 모델의 적합도와 모델 복잡성 간의 균형을 평가하는 또 다른 지표다. 값이 작을수록 더 적합한 모델로 간주한다. BIC는 AIC보다 더 엄격하게 모델 복잡성을 페널티로 부과한다.

위의 도표를 설명하면, 편차 값 440.291과 Pearson 카이제곱 값 368.411은 자유도 370에 대해 각각 1.190 및 0.996이다. 이는 모델이 적절하게 데이터를 설명하고 있음을 나타낸다. 로그 우도 값 −228.898은 모델의 기본 적합도를 나타내며, 적합도 평가에 사용한다. AIC 값 465.797, AICC 값 465.898, BIC 값 481.763, CAIC 값 485.763은 모델 선택 시 참고되는 지표다. 이 값들이 작을수록 모델이 더 적합하다고 평가할 수 있다. 이 지표들은 모델의 적합도와 복잡성을 균형 있게 평가하는 데 도움을 준다.

그러므로 적합도 지표들은 모델이 데이터를 적절하게 설명하고 있음을 나타낸다. 특히, 편차와 Pearson 카이제곱 값이 자유도에 비해 적절한 수준을 유지하고 있으며, 로그 우도와 정보 기준 지표(AIC, AICC, BIC, CAIC)는 모델이 데이터를 잘 설명하면서도 과적합을 피하고 있음을 시사한다. 따라서, 현재의 프로빗 모델이 데이터에 대해 적합한 설명력을 가지고 있음을 알 수 있다.

5) 일반화 선형 모형 모수 추정값

이 표는 프로빗 회귀 모델의 모수 추정값을 보여준다. 각 변수에 대한 회귀 계수(B), 표준 오차, 95% Wald 신뢰구간, Wald 카이제곱 통계량, 자유도, 그리고 유의확률이 포함되어 있다. 이를 통해 각 변수의 효과 크기와 통계적 유의성을 평가할 수 있다.

첫째, Intercept (수정된 모형)에서 절편 값은 −2.798이다. 이는 모델의 기준값으로, 모든 예측 변수가 0일 때의 예상 반응이다. 0.6475는 추정치의 표준 오차다. 95% 신뢰구간에서 −4.067에서 −1.529로, 절편 값이 이 구간에 있을 확률이 95%이다.

Wald 카이제곱은 18.669 이 값은 절편의 통계적 유의성을 평가하는 데 사용한다. 절편이 0과 다를 가능성을 나타낸다. 유의확률 0.000으로 절편이 통계적으로 유의미하다는 것을 강하게 지지한다.

[표 41] 일반화 선형 모형 모수 추정값

모수	B	표준오차	95% Wald 신뢰구간		가설검정		
			하한	상한	Wald 카이제곱	자유도	유의확률
(수정된 모형)	-2.798	.6475	-4.067	1.529	18.669	1	.000
gre	.002	.0006	.000	.003	5.706	1	.017
gpa	.401	.1931	.023	.779	4.312	1	.038
topnotch	.273	.1796	-.079	.625	2.311	1	.128
(척도)	1a						
종속변수: admit							
모형: (수정된 모형), gre, gpa, topnotch							
a. 표시된 값으로 고정됩니다.							

둘째, gre (Graduate Record Examination)
B 0.002로 GRE 점수가 1점 증가할 때, admit(입학 확률)에 미치는 영향은 0.002다. 표준오차 0.0006로 추정치의 표준 오차다. Wald 카이제곱 5.706로 GRE 점수가 입학 확률에 미치는 영향을 평가하는 데 사용한다. 유의확률 0.017로 GRE 점수의 효과가 통계적으로 유의미함을 나타낸다.

셋째, gpa (Grade Point Average)
B 0.401로 GPA가 1점 증가할 때, admit에 미치는 영향은 0.401이다. Wald 카이제곱 4.312로 GPA가 입학 확률에 미치는 영향을 평가하는 데 사용한다. 유의확률 0.038로 GPA의 효과가 통계적으로 유의미함을 나타낸다.

넷째, topnotch (Top Notch School Indicator)
B 0.273으로 상위 학교 출신 여부가 admit에 미치는 영향은 0.273이다. Wald 카이제곱 2.311로 상위 학교 출신 여부가 입학 확률에 미치는 영향을 평가하는 데 사용한다. 유의확률 0.128로 상위 학교 출신 여부의 효과는 통계적으로 유의미하지 않았다.

이 결과를 바탕으로, GRE 점수와 GPA는 입학 확률에 긍정적이고 유의미한 영향을 미치지만, 상위 학교 출신 여부는 통계적으로 유의미하지 않은 것으로 나타났다. GRE 점수와 GPA가 증가할수록 입학 확률이 상승하는 경향을 보인다. 즉, 이는 GRE 점수와 GPA가 입학 평가에서 중요한 요소임을 시사한다. 그러나, Topnotch 프로그램은 입학에 미치는 영향이 통계적으로 유의미하지 않으므로, 이 변수는 모델에서 제거해도 좋을 수 있다.

전체 모델의 적합도 지표들을 종합해 보면, 로그 우도, AIC, BIC 등에서 모델의 적합도가 양호하게 나타났으며, 특히 Wald 카이제곱 값이 18.669으로 유의미하게 나타나 모델의 설명력이 높다고 할 수 있다. 이러한 결과를 바탕으로 추가적인 분석이나 변수 선택을 통해 모델을 더욱 최적화할 수 있다.

5.5. 프로빗 데이터 분석 및 해석

5.5.1. 프로빗 케이스 처리 요약

admit 항은 모델이 예측한 응답 변수다. 여기서는 결과 변수가 이진수이고 빈도 수가 제공된다는 것을 알 수 있다. 우리 모델을 사용하면 예측 변수의 값이 주어지면 관측값이 1이 될 확률을 예측한다. 유효 항는 이는 모델에 지정된 응답 및 예측 변수에 유효하고 누락되지 않은 데이터가 있는 데이터 세트의 관측치 수다. 결측 항은 모델에 지정된 응답 또는 예측 변수에 누락된 데이터가 있는 데이터세트의 관측치 수다. 그러한 관찰은 분석에서 제외한다. 전체 항은 유효한 관찰 수와 누락된 관찰 수의 합계다. 이는 데이터 세트의 관측치 수와 같다.

[표 42] 케이스 처리 요약

케이스 처리 요약			
		N	주변 퍼센트
admit	.00	273	68.3%
	1.00	127	31.8%
유효		400	100.0%
결측		0	
전체		400	

케이스 처리 요약을 보면, 요약 표는 admit 변수에 대한 데이터의 분포를 나타내며, 데이터셋의 전체 사례에 대한 유효성과 결측값을 요약한다. admit 변수는 학생의 입학 여부를 나타내는 이진 변수다. 입학하지 않은 학생의 수

는 273명이다. 이는 전체 표본의 68.3%를 차지한다. 즉, 전체 학생 중 약 68.3%가 입학을 하지 않았다. 입학한 학생의 수는 127명이다. 이는 전체 표본의 31.8%를 차지하며, 즉, 전체 학생 중 약 31.8%가 입학했다. 데이터 활용성에서 결측값이 없으므로, 이 데이터셋은 추가적인 전처리 없이도 분석에 바로 사용할 수 있다. 이는 데이터 분석 과정에서 시간과 노력을 절약할 수 있게 한다.

5.5.2. 프로빗 모형 적합 정보

이 표는 프로빗 회귀 모형의 적합 정보를 요약하고 있다. 주어진 표는 절편 모형과 최종 모형의 로그 우도, 카이제곱 통계량, 자유도 및 유의확률을 비교하여 모형의 적합성을 평가한다. 연결 함수로는 프로빗 함수가 사용되었다.

[표 43] 모형 적합 정보

모형 적합 정보				
모형	-2 로그 우도	카이제곱	자유도	유의확률
절편 만	479.887			
최종	457.797	22.090	3	.000
연결함수: 프로빗.				

1) 모델

모델 항은 모델 적합도가 계산되는 모델의 매개변수를 나타낸다. 절편 전용 항은 예측 변수를 제어하지 않고 단순히 절편을 맞춰 결과 변수를 예측하는 모델을 설명한다. 최종 항은 지정된 예측 변수를 포함하고 결과 변수에 표시되는 결과의 로그 가능성을 최대화하는 반복 프로세스를 통해 도달한 모델을 설명한다. 예측 변수를 포함하고 데이터에 표시된 결과의 로그 가능성을 최대화함으로써 최종 모델은 절편 전용 모델보다 향상되어야 한다. 이는 모델과 관련된 −2 로그 우도값의 차이에서 볼 수 있다.

절편만 포함한 모형(Intercept Only Model)의 −2 로그 우도 값은 479.887다. 이 모형은 예측 변수 없이 절편만을 포함한 기본 모형으로 이 값은 모형의 적합도를 평가하기 위한 기준점으로 사용한다.

2) −2 로그 우도

−2 로그 우도 항은 −2와 널 모델(null model) 및 적합된 최종 모델(fitted

final model)의 로그 우도를 곱한 것이다. 모델의 우도는 모델에 있는 모든 예측 변수의 회귀 계수가 동시에 0인지 여부를 테스트하고 중첩 모델을 테스트하는 데 사용한다.

최종 모형(Final Model)의 -2 로그 우도 값은 457.797로, 절편만 포함한 모형에 비해 낮다. 이는 최종 모형이 더 잘 적합됨을 나타낸다. 카이제곱 통계량 22.090은 절편만 포함한 모형과 최종 모형 간의 적합도 차이를 나타낸다.

3) 카이세곱

카이제곱 항은 예측 변수 중 하나 이상의 회귀 계수가 모델에서 0이 아닌 우도비(LR) 카이제곱 검정이다. LR 카이제곱 통계량은 -2*L(null model) - (-2*L(fitted model)) = 479.887 - 457.797 = 22.090으로 계산할 수 있다. 여기서 L(null model)은 모델에서 응답 변수만 있는 로그 우도(반복 0)에서 나온 것이고, L(fitted model)은 모든 매개변수가 있는 최종 반복 또는 모델이 수렴되었다고 가정에서 나온 로그 우도다.

4) 자유도(df)

자유도(df) 항은 LR 카이제곱 통계를 테스트하는 데 사용되는 카이제곱 분포의 자유도를 나타내며 모델의 예측 변수 수로 정의한다. 자유도 3은 두 모형 간의 차이를 나타내는 변수의 수를 나타낸다. 이는 모형에 추가된 예측 변수의 수를 반영한다.

5) 유의확률(Sig.)

유의확률(Sig.) 항은 귀무가설 하에서 관찰된 것보다 더 극단적인 LR 테스트 통계를 얻을 확률이다. 귀무 가설은 모델의 모든 회귀 계수가 0이라는 것이다. 즉, 실제로 예측 변수의 영향이 없는 경우 이 카이제곱 통계량 (22.090)을 얻을 확률이다. 이 p-값은 지정된 알파 수준, 즉 일반적으로 0.05 또는 0.01로 설정되는 제1종 오류를 허용하려는 의지와 비교한다. LR 테스트의 작은 p-값인 <0.0001은 모델의 회귀 계수 중 하나 이상이 0이 아니라는 결론을 내리게 한다. 귀무가설을 검정하는 데 사용되는 카이제곱 분포의 모수는 이전 열의 자유도로 정의한다.

유의확률 .000은 최종 모형이 절편만 포함한 모형에 비해 유의미하게 적합하다는 것을 의미한다. 유의확률이 0.05보다 작기 때문에, 최종 모형이 통계적으로 유의미하게 더 잘 적합된다고 결론지을 수 있다.

6) 연결 함수

연결 함수는 프로빗 함수가 사용되었다. 이는 로짓 함수 대신 정규 분포를 사용하여 누적 분포를 모델링하는 방법이다. 이 정보는 최종 모형이 절편만 포함된 모형보다 더 잘 데이터를 설명하며, 예측 변수들이 모델에 유의미한 기여를 하고 있음을 나타낸다.

5.5.3. 프로빗 유사 R-제곱

유사 R-제곱(Pseudo R-squared) 값들은 모형의 설명력을 평가하기 위한 지표로 사용한다. 전통적인 R-제곱 값과는 달리, 유사 R-제곱 값은 로그-우도 함수를 기반으로 계산한다. 각 유사 R-제곱 값은 모형의 설명력을 다르게 해석할 수 있다.

[표 44] 유사 R-제곱

유사 R-제곱	
Cox 및 Snell	.054
Nagelkerke	.075
McFadden	.044
연결함수: 프로빗.	

1) Cox 및 Snell 유사 R-제곱 값

Cox 및 Snell 유사 R-제곱 값은 0.054다. 이는 모형이 응답 변수의 변동을 5.4% 설명할 수 있음을 의미한다. Cox 및 Snell 유사 R-제곱 값은 최대 1에 도달할 수 없다는 한계가 있다. 일반적으로 이 값은 비교적 낮은 편이다.

2) Nagelkerke 유사 R-제곱 값

Nagelkerke 유사 R-제곱 값은 0.075다. 이 값은 Cox 및 Snell 유사 R-제곱 값을 조정하여 최대값이 1에 도달할 수 있도록 변환한 것이나. 따라시 Nagelkerke 유사 R-제곱 값은 Cox 및 Snell 값보다 항상 크거나 같다. 7.5%의 설명력은 비교적 낮지만, 모형이 일정 부분 데이터를 설명하는 데 기여하고 있음을 보여준다.

3) McFadden 유사 R-제곱 값

McFadden 유사 R-제곱 값은 0.044다. 이는 모형의 로그-우도 값을 기준으로 계산되며, 낮은 값을 가진다. 일반적으로 0.2 이상이면 좋은 적합도를 나타내는 것으로 간주되며, 0.044는 다소 낮은 설명력을 의미한다.

그러므로 이 유사 R-제곱 값들은 모두 모형의 설명력이 상대적으로 낮음을 시사한다. 이는 모형이 응답 변수의 변동을 충분히 설명하지 못하고 있음을 나타낸다. 더 나은 설명력을 위해 추가 변수의 도입, 변수 변환, 상호작용 항목 추가 등을 고려할 수 있다.

5.5.4. 프로빗 모수 추정값

이 표는 프로빗 회귀 모형에서 각 변수의 모수 추정값을 요약한 것이다. 각 항목은 변수의 추정된 계수 (B 추정값), 표준오차, Wald 통계량, 자유도, 유의확률, 95% 신뢰구간의 하한과 상한을 나타낸다. 연결 함수로는 프로빗 함수가 사용되었다. 프로빗 회귀의 결과를 해석할 때, 각 변수의 회귀계수 (B 추정값)는 특정 변수가 종속 변수(admit)에 미치는 영향을 나타낸다. 이 회귀계수는 종속 변수가 특정 범주(예: admit = 1)에 속할 확률의 변화를 설명한다. 프로빗 모형에서는 이러한 변화를 표준 정규 분포 함수의 누적 분포 함수(CDF)를 사용하여 해석한다.

[표 45] 모수 추정값

모수 추정값							
		B 추정값	표준오차	Wald	자유도	유의확률	95% 신뢰구간	
							하한	상한
임계값	[admit = .00]	2.798	.648	18.664	1	.000	1.529	4.067
위치	gre	.002	.001	5.667	1	.017	.000	.003
	topnotch	.273	.180	2.292	1	.130	-.080	.626
	gpa	.401	.195	4.237	1	.040	.019	.783
연결함수: 프로빗.								

각 변수의 해석을 보면, 다음과 같다.

1) B 추정값

회귀 계수다. 예측된 입원 확률은 이러한 계수를 사용하여 계산할 수 있다. 열의 첫 번째 숫자, 임계값에 대한 계수는 모델의 상수 항이다. 주어진 기록에 대해 예상되는 입학 확률은 다음과 같다.

$$F(-2.798 + gre \times 0.002 + topnotch \times 0.273 + gpa \times 0.401)$$

여기서 F는 표준 정규의 누적 분포 함수다.

그러나 프로빗 회귀 분석의 계수 해석은 선형 회귀 분석이나 로짓 회귀 분석의 계수 해석만큼 간단하지 않다. 주어진 예측 변수의 1단위 증가로 인한 확률의 증가는 다른 예측 변수의 값과 주어진 예측 변수의 시작 값 모두에 따라 달라진다.

예를 들어, gre 및 topnotch 상수를 0으로 유지하면 gpa가 2에서 3으로 한 단위 증가하는 것은 3에서 4로 한 단위 증가하는 것과 다른 효과를 갖는다. 확률은 공차 또는 공통 요인에 의해 변하지 않는다.

$$F(-2.798 + 2 \times 0.401) = 0.02296696$$
$$F(-2.798 + 3 \times 0.401) = 0.05535612$$
$$F(-2.798 + 4 \times 0.401) = 0.11623898$$

gre와 topnotch를 0이 아닌 각각의 평균으로 일정하게 유지하면 이러한 한 단위 증가의 효과는 달라진다 .

$$F(-2.798 + 587.7 \times 0.002 + 0.1625 \times 0.273 + 2 \times 0.401) = 0.21880438$$
$$F(-2.798 + 587.7 \times 0.002 + 0.1625 \times 0.273 + 3 \times 0.401) = 0.35374192$$
$$F(-2.798 + 587.7 \times 0.002 + 0.1625 \times 0.273 + 4 \times 0.401) = 0.51027661.$$

그러나 개별 회귀 계수를 해석할 수 있는 방법은 제한되어 있다. 양수 계수는 예측 변수가 증가하면 예측 확률이 증가한다는 것을 의미한다. 음수 계수는 예측 변수가 증가하면 예측 확률이 감소함을 의미한다.

gre계수는 0.002다. 이는 GRE 점수가 높을수록 예상 입학 확률이 높아진다는 것을 의미한다.

topnotch 계수 는 0.273이다. 이는 학부생으로 topnotch의 교육 기관에 다니면 예상되는 입학 가능성이 높아진다는 것을 의미한다.

gpa계수는 0.401이다. 이는 GPA가 높을수록 예상 합격 확률이 높아진다는 것을 의미한다.

2) 임계값 [admit= .00]

이는 모델의 성수 항이다. 상수 항은 −2.798이다. 이는 모든 예측 변수 (gre, topnotch 및 gpa)가 0으로 평가되는 경우 예측된 승인 확률은 F(−2.798) = .00257101임을 의미한다. 따라서 예상대로 일류 학교가 아닌 학교에서 GRE 점수가 0이고 GPA가 0인 학생의 예측 확률은 예상 입학 확률이 매우 낮다.

3) 표준 오차

개별 회귀 계수의 표준 오차다. 이는 Wald검정 통계량과 회귀 계수의 신뢰 구간계산에 모두 사용한다.

4) Wald

개별 회귀 계수에 대한 테스트 통계다. 검정 통계량은 회귀 계수 추정치와 표준치의 제곱 비율이다. 해당 예측 변수의 오류이다. 검정 통계량은 추정치가 0이 아니라는 양측 대립 가설에 대해 검정하는 데 사용되는 카이제곱 분포를 따른다.

5) 자유도(df)

이 열에는 모델에 포함된 각 변수의 자유도가 나열된다. 각 변수에 대한 자유도는 1이다.

6) 유의확률(Sig.)

이는 계수의 p−값 또는 주어진 모델 내에서 특정 예측 변수의 회귀 계수가 나머지 예측 변수가 모델에 있는 경우 0이라는 귀무 가설이 성립할 확률이다. 이는 예측 변수의 Wald 검정 통계량을 기반으로 한다. 특정 Wald 검정 통계량이 귀무 가설에서 관찰된 것과 같거나 그 이상으로 극단적일 확률은 p−값으로 정의되어 여기에 제시한다. 표준 오차의 추정치를 더 높은 정밀도로 살펴보면 검정 통계량을 계산하고 SPSS에서 생성된 것과 일치하는지 확인할 수 있다. 소수 자릿수가 더 표시된 추정치를 보려면 SPSS 출력에서 매개변수 추정치 표를 클릭한 다음 관심 있는 숫자를 두 번 클릭한다.

7) 95% Wald 신뢰 구간

모델에 다른 예측 변수가 있는 경우 개별 포아송 회귀 계수의 신뢰 구간 (CI)이다. 95% 신뢰 수준의 특정 예측 변수에 대해 반복 시행 시 CI의 95% 가 "참" 모집단 포아송 회귀 계수를 포함할 것이라고 95% 확신한다고 말할 수 있다. 이는 B(zα/2)*(Std.Error)로 계산한다. 여기서 zα/2는 표준 정규 분포의 임계값이다. CI는 z 검정 통계량과 동일하다. CI에 0이 포함된 경우 모델에 다른 예측 변수가 있는 경우 특정 회귀 계수가 0이라는 귀무 가설을 기각할 수 없다. CI의 장점은 설명이 가능하다는 것이다. 이는 "실제" 매개변수 가 어디에 있을 수 있는지와 점 추정의 정밀도에 대한 정보를 제공한다.

8) 임계값 [admit = .00]

임계값 [admit = .00]에서 B 추정값 2.798이다. 이는 admit = 0일 때의 기준값으로, 통계적으로 유의미하다 (유의확률 .000). 이 값은 다른 변수들 의 효과를 고려한 후, admit가 0일 확률의 기초 값을 설정한 것이다. 즉, 임 계값에 대한 Wald 테스트 통계는 18.664이며, 관련 p-값은 <.0001이다. 알 파 수준을 0.05로 설정하면 귀무 가설을 기각하고 모델에 gre, gpa 및 topnotch가 있는 경우 모델 절편이 통계적으로 0과 다르다는 결론을 내릴 수 있다.

9) gre

위치 변수에서 gre B 추정값 .002 이다. 이 값은 gre 점수가 증가할 때 admit 확률에 미치는 영향을 나타낸다. 회귀계수가 양수이므로, gre 점수가 높을수록 admit 확률이 증가한다. 즉, gre 점수가 1점 증가할 때, admit 확률 의 Z-값 또는 표준 정규 분포의 누적 확률값이 0.002만큼 증가한다. 예를 들어, gre 점수가 100점 증가하면 admit 확률의 Z-값이 0.2만큼 증가하게 된다.

즉, 예측 변수 gre에 대한 Wald 검정 통계량은 5.667이고, 연관된 p-값은 0.017이다. 알파 수준을 0.05로 설정하면 귀무 가설을 기각하고, 모델에 topnotch과gpa가 있는 경우, gre를 추정할 때 gre에 대한 회귀 계수가 통계적으로 0과 다르다는 결론을 내릴 수 있다.

10) topnotch

위치변수 topnotch B 추정값 .273이다. 이 값은 topnotch(상위 대학 여부)가 admit 확률에 미치는 영향을 나타낸다. 유의확률이 .130으로 유의미하지 않지만, 회귀계수가 양수이므로 상위 대학 여부가 admit 확률을 증가시키는 방향으로 작용한다. 즉, topnotch가 0에서 1로 변할 때, admit 확률의 Z-값이 0.273만큼 증가한다. 상위 대학 출신일 때 admit 확률이 높아진다는 것을 의미하지만, 통계적으로 유의하지 않았다. 즉, 예측 변수 topnotch에 대한 Wald 검정 통계량은 2.292 이며, 관련 p-값은 0.130이다. 알파 수준을 0.05로 설정하면 귀무 가설을 기각하지 못하고, 모델에 gre 및 gpa가 있는 경우, topnotch 추정 시 topnotch에 대한 회귀 계수가 통계적으로 0과 다르지 않다는 결론을 내릴 수 있다.

11) gpa

위치변수 gpa B 추정값 .401이다. 이 값은 gpa 점수가 admit 확률에 미치는 영향을 나타낸다. 회귀계수가 양수이므로, gpa 점수가 높을수록 admit 확률이 증가한다. 즉, gpa가 1점 증가할 때, admit 확률의 Z-값이 0.401만큼 증가한다. 예를 들어, gpa가 3.0에서 4.0으로 증가하면 admit 확률의 Z-값이 0.401만큼 증가하게 된다.

즉, 예측 변수 gpa에 대한 Wald 검정 통계량은 4.237 이며, 관련 p-값은 0.040이다. 알파 수준을 0.05로 설정하면 귀무 가설을 기각하고, 모델에 topnotch과 gre가 있는 경우, gpa 추정 시 gpa에 대한 회귀 계수가 통계적으로 0과 다르다는 결론을 내릴 수 있다 .

12) 참조집단 대비 해석

참조집단을 대비하여 해석하면, 참조집단은 각 독립변수의 기준값을 설정한다. 예를 들어, topnotch와 같은 이진 변수의 경우, 참조집단은 topnotch = 0 (상위 대학이 아님)이다.

이 경우 gre는 모든 다른 변수가 일정하다고 가정할 때, gre 점수가 1점 증가하면 admit 확률이 증가한다. 이는 표준 정규 분포의 Z-값이 0.002만큼 증가하는 것과 같다. 예를 들어, 평균 gre 점수 587.7을 기준으로, gre 점수가 588.7로 증가하면 admit 확률의 Z-값이 0.002만큼 증가한다.

topnotch 집단을 설명하면, 모든 다른 변수가 일정하다고 가정할 때, 참조집단은 topnotch = 0 (상위 대학이 아님)이다. topnotch가 1 (상위 대학)로 변경되면 admit 확률의 Z-값이 0.273만큼 증가한다. 그러나 이 변수는 유의확률이 .130으로 유의하지 않았다.

gpa 집단을 설명하면, 모든 다른 변수가 일정하다고 가정할 때, 참조집단은 평균 gpa이다. gpa가 1점 증가하면 admit 확률의 Z-값이 0.401만큼 증가한다. 예를 들어, gpa가 3.39에서 4.0으로 증가하면 admit 확률의 Z-값이 0.401만큼 증가한다.

각 변수는 admit 확률에 다르게 영향을 미치며, gre와 gpa는 통계적으로 유의미하게 admit 확률을 증가시키는 반면, topnotch는 유의미한 영향을 미치지 않는 것으로 나타났다. 이 회귀계수를 통해 변수 간의 관계를 이해하고, 입학 확률에 미치는 영향을 평가할 수 있다.